特集

新しい「試験問題の作成に関する手引き（令和４年３月）」は、ココが変わった！

登録販売者の試験は、厚生労働省が示す**「試験問題の作成に関する手引き」**（以下、手引き）に基づいて出題されます。手引きは、**2022（令和4）年３月に改正**されました。主な改正の内容を、章ごとにまとめましたので、目を通しておきましょう。

なお、手引きは下記、厚生労働省のHPより確認できます。

https://www.mhlw.go.jp/stf/seisakunitsuite/bunya/0000082537.html

◆第１章　医薬品に共通する特性と基本的な知識

JN007612

◎「**有害事象**」が「**副作用**」に変更されました。

◎PL法に関する記述が**追加**されました。

➡「手引き（改正履歴入り）」2ページ

◎医薬品の効果とリスクは、「**薬物曝露時間と曝露量との積**」から「**用量と作用強度の関係**」に基づいて評価されると変更されました。

◎**健康食品**の記述が変更されました。また、**特定保健用食品**、**栄養機能食品**、**機能性表示食品**についての記述が**追加**されました。

➡「手引き（改正履歴入り）」3～4ページ

◎**セルフメディケーション**に関する記述が**追加**されました。

➡「手引き（改正履歴入り）」4～5ページ

◎**小児の年齢区分**に新生児が**追加**され、下記のように細分化されました。

新生児：生後４週未満　　乳児：生後4週以上、1歳未満

幼児：1歳以上、7歳未満　　小児：7歳以上、15歳未満

◎**お薬手帳を活用することの必要性**が**追加**されました。

◎スポーツ競技者の医薬品使用における**ドーピングへの注意**が**追加**されました。

◎薬害訴訟の事例に、**C型肝炎訴訟**の事例が**追加**されました。

➡「手引き（改正履歴入り）」21ページ

◆第２章　人体の働きと医薬品

◎「**リゾチーム塩酸塩**」が**削除**されました。

◎「アドレナリン」「ノルアドレナリン」が「アドレナリン（**エピネフリン**）」「ノルアドレナリン（**ノルエピネフリン**）」と別称が**追加**されました。

◎「手のひらや足底、**脇の下の皮膚に限って起こる**」とされていた精神的緊張による発汗は、「手のひらや足底、**脇の下、顔面などの限られた皮膚に生じる**」と変更されました。

◎「**効果器に伸びる自律神経は、節前線維と節後線維からできている**」ことが**追加**されました。

◎「**薬物代謝酵素の遺伝子型には個人差がある**」ことが**追加**されました。

◎**軟膏剤・クリーム剤**の記述が変更されました。

➡「手引き（改正履歴入り）」47 ページ

◎**副作用情報等の収集と報告**についての記述が**追加**されました。

➡「手引き（改正履歴入り）」57 ページ

◆第３章　主な医薬品とその作用

◎下記の成分が**追加**されました。

・**サリチル酸ナトリウム**（解熱鎮痛薬・サリチル酸系解熱鎮痛成分）
・**クロルヘキシジン塩酸塩**（含嗽薬・殺菌消毒成分）
・**木クレオソート**（腸の薬・生薬成分）
・ケトチフェン**フマル酸塩**、**エピナスチン塩酸塩**、**フェキソフェナジン塩酸塩**、**ロラタジン**（内服アレルギー用薬・抗ヒスタミン成分）
・**グリチルリチン酸二カリウム**（歯や口中に用いる薬・抗炎症成分）

◎下記の成分が**削除**されました。

・**セミアルカリプロティナーゼ**（かぜ薬・抗炎症成分）
・**ブロメライン**（かぜ薬、内服アレルギー用薬・抗炎症成分）
・**リゾチーム塩酸塩**（含嗽薬、痔の薬、眼科用薬、歯槽膿漏薬・抗炎症成分）
・**木クレオソート**（腸の薬・腸内殺菌成分、歯痛薬・殺菌消毒成分）
※腸の薬では、生薬成分として追加されています。

・**カサントラノール**（腸の薬・大腸刺激性瀉下成分）

・**マーキュロクロム**（皮膚に用いる薬・殺菌消毒成分）

・**ブフェキサマク**（皮膚に用いる薬・非ステロイド性抗炎症成分）

◎「ケトチフェン」が「ケトチフェン**フマル酸塩**」に変更されました（内服アレルギー用薬・抗ヒスタミン成分）。

◎鎮咳成分であるコデインリン酸塩水和物及びジヒドロコデインリン酸塩について、「**12 歳未満の小児には使用禁忌**」とされました。

◎「**胃の薬の服用方法**」の記述が**追加**されました。

➡「手引き（改正履歴入り）」105 ページ

◎**大腸刺激性瀉下成分配合の瀉下薬についての注意**が**追加**されました。

➡「手引き（改正履歴入り）」111 ～ 112 ページ

◎内服アレルギー用薬（鼻炎用内服薬を含む）の抗コリン成分の**ベラドンナ**について、「副交感神経系の働きを抑える」が「副交感神経系**から放出されるアセチルコリン**の働きを抑える」と変更されました。

◎内服アレルギー用薬（鼻炎用内服薬を含む）の漢方処方製剤の**当帰飲子**について、「体力**中等度**」に適するとされていましたが、「体力**中等度以下**」に変更されました。

◎**防風通聖散**と**清上防風湯**でまれに起こる重篤な副作用に、**腸間膜静脈硬化症**が**追加**されました。

◎**一般用検査薬**の**検出感度**と**取扱い**に関する記述が**追加**されました。

➡「手引き（改正履歴入り）」205 ページ

◆第４章　薬事関係法規・制度

法改正の詳細については、「手引き（改正履歴入り）」4 章末（270 ページ～）に記載の**〔参考〕関係条文等**をご確認ください。

◎登録販売者に対し、**研修の毎年度受講の義務**が**追加**されました。

◎「**登録販売者**」に関する規定について、受験資格における実務・業務経験や販売従事登録の申請等が**追加**・変更されました。

➡「手引き（改正履歴入り）」210 ～ 212 ページ

◎医薬品の定義について、除外項目に**再生医療等製品**が**追加**されました。
◎**不正表示医薬品・不良医薬品**について、**追加**・変更されました。
➡「手引き（改正履歴入り）」213 ～ 214 ページ
◎**特別用途食品**についての分類・記述が変更されました。また、**保健機能食品、特定保健用食品、栄養機能食品、機能性表示食品を含む図表**が変更されました。
➡「手引き（改正履歴入り）」224 ～ 228 ページ
◎薬局の定義に「**薬剤及び医薬品の適正な使用に必要な情報の提供及び薬学的知見に基づく指導の業務を行う場所**」が**追加**されました。
◎「**薬局の管理者**」、「**薬局開設者**」の規定についての記述が**追加**されました。
➡「手引き（改正履歴入り）」230 ～ 231 ページ
◎**地域連携薬局、専門医療機関連携薬局、健康サポート薬局**についての項目と記述が**追加**されました。 ➡「手引き（改正履歴入り）」231 ページ
◎薬局の「**店舗管理者**」に関する規定と要件（従事期間）についての記述が**追加**されました。 ➡「手引き（改正履歴入り）」233 ～ 234 ページ
◎配置販売業の「**区域管理者**」に関する規定と要件（従事期間）について、また、「**配置販売業者**」についての記述が**追加**されました。
➡「手引き（改正履歴入り）」235 ページ
◎薬局開設者または店舗販売業者は、要指導医薬品を使用しようとする者が、**お薬手帳**を所持しない場合は、**所持を勧奨する**こととされました。また、要指導医薬品または第 1 類医薬品を使用しようとする者が、**お薬手帳**を所持する場合は、**必要に応じ、お薬手帳を活用した情報の提供・指導を行わせる**こと、それらの医薬品についても、お薬手帳に**記録することが重要である**とされました。
◎「薬局または店舗における掲示」と「特定販売」において、「**薬局製造販売医薬品**」が**追加**されました。 ➡「手引き（改正履歴入り）」246 ～ 249 ページ
◎「**違反広告に係る措置命令等**」「**課徴金制度**」の項目が**追加**されました。
➡「手引き（改正履歴入り）」256 ページ

◆第５章　医薬品の適正使用・安全対策

◎添付文書の「してはいけないこと」に、**一般用黄体形成ホルモンキット**の使用についての記述が**追加**されました。 ➡「手引き（改正履歴入り）」372 ページ

欄外

◎添付文書情報について、下記内容が**追加**されました。

・令和３年８月１日から医療用医薬品への紙の添付文書の同梱を廃止し、**注意事項等情報は電子的な方法により提供される**

・一般用医薬品等は、**引き続き紙の添付文書が同梱される**

➡「手引き（改正履歴入り）」382 ページ

◎令和３年４月から、医薬品の副作用等報告は、**ウェブサイトに直接入力することによる電子的な報告が可能**となりました。

◎副作用被害への救済給付の請求の際に、医療費を証明する書類が「**領収書等**」から「**受診証明書**」に変更されました。

◎別表５－１の「次の人は使用（服用）しないこと」から、「**本剤又は本剤の成分、鶏卵によりアレルギー症状を起こしたことがある人**」の項目が**削除**されました。

◎別表５－２の「授乳中の人」について、

・「**dl-**メチルエフェドリン塩酸塩」が「メチルエフェドリン塩酸塩」に、「**dl-**メチルエフェドリンサッカリン塩」が「メチルエフェドリンサッカリン塩」に変更されました。

・**イブプロフェン**が**追加**されました。

◎別表５－２の「基礎疾患等」において、

・「甲状腺機能障害・甲状腺機能亢進症」「高血圧」「心臓病」「糖尿病」で、「鼻炎用点鼻薬」に「**アドレナリン作動成分が配合された**」が**追加**されました。

・「緑内障」で「鼻炎用内服薬」及び「鼻炎用点鼻薬」に、「**抗コリン成分が配合された**」が**追加**されました。

・「**血液凝固異常**」の項目が**削除**されました。

◎別表５－４の「副作用症例報告」において、国内事例のみ報告期限が示されていた「発生傾向が使用上の注意等から予測することが出来ないもの」「発生傾向の変化が保健衛生上の危害の発生又は拡大のおそれを示すもの」の報告期限が**外国事例**においても「**15 日以内**」と示されました。

本書の特長と使い方

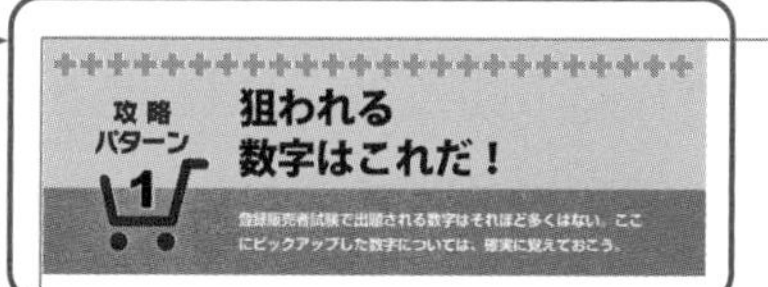

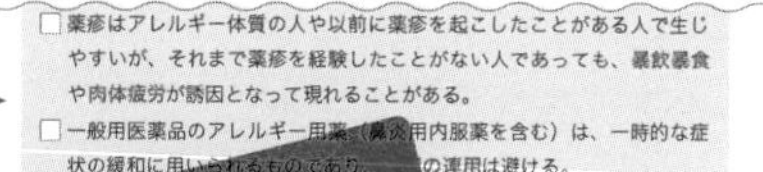

攻略パターン
出題から攻略すべきパターンを分析しました。

参考
「試験問題の作成に関する手引き（令和4年3月）」の該当章を示しました。

問題
学習の参考となる問題をピックアップしています。

イラスト
わかりやすいイラストが理解を助けます。

チェックリスト
赤シート対応のチェックリストで必修知識を確認できます。

赤シート
付属の赤シートを使って重要ポイントなどを確認できます。

ゴロ合わせ
ゴロ合わせで知識を関連づけておけば忘れにくくなります。

本書は登録販売者試験合格のために必要な知識をパターンごとに分析し、わかりやすくまとめたテキスト＆一問一答問題集です。最新版「試験問題の作成に関する手引き（令和４年３月）」に対応していますので安心して学習できます。

図も豊富
学習を助けるために図も豊富にあります。

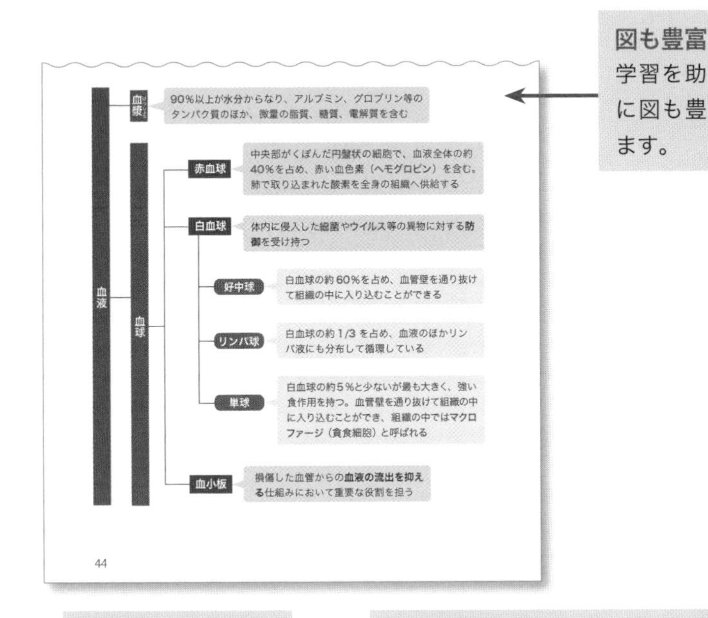

頻出マーク
中でも特によく出る問題には頻出マークをつけました。

○×問題
よく出る問題を一問一答形式にしました。赤シートで答を隠して効果的に学習しましょう。正解した問題は□にチェックを入れましょう。

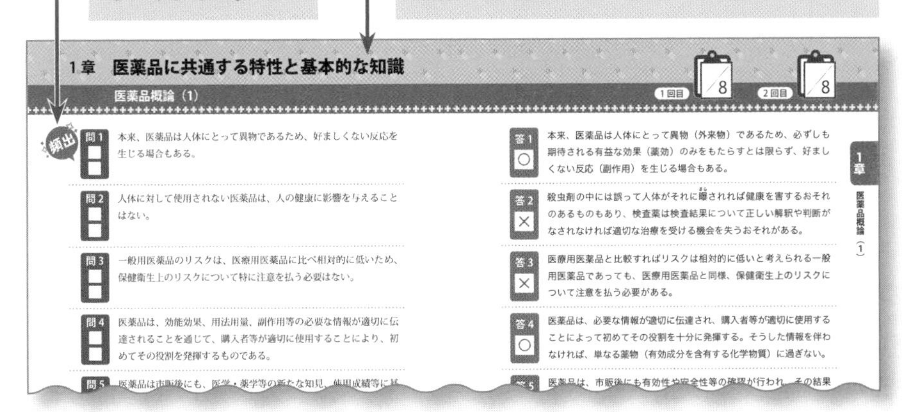

1章　医薬品に共通する特性と基本的な知識

医薬品概論（1）

1回目　/8　2回目　/8

頻出 問1　本来、医薬品は人体にとって異物であるため、好ましくない反応を生じる場合もある。

問2　人体に対して使用されない医薬品は、人の健康に影響を与えることはない。

問3　一般用医薬品のリスクは、医療用医薬品に比べ相対的に低いため、保健衛生上のリスクについて特に注意を払う必要はない。

問4　医薬品は、効能効果、用法用量、副作用等の必要な情報が適切に伝達されることを通じて、購入者等が適切に使用することにより、初めてその役割を発揮するものである。

問5　医薬品は市販後にも、医学・薬学等の新たな知見、使用成績等に基

答1　○　本来、医薬品は人体にとって異物（外来物）であるため、必ずしも期待される有益な効果（薬効）のみをもたらすとは限らず、好ましくない反応（副作用）を生じる場合もある。

答2　×　殺虫剤の中には誤って人体がそれに曝されれば健康を害するおそれのあるものもあり、検査薬は検査結果について正しい解釈や判断がなされなければ適切な治療を受ける機会を失うおそれがある。

答3　×　医療用医薬品と比較すればリスクは相対的に低いと考えられる一般用医薬品であっても、医療用医薬品と同様、保健衛生上のリスクについて注意を払う必要がある。

答4　○　医薬品は、必要な情報が適切に伝達され、購入者等が適切に使用することによって初めてその役割を十分に発揮する。そうした情報を伴わなければ、単なる薬物（有効成分を含有する化学物質）に過ぎない。

答5　医薬品は、市販後にも有効性や安全性等の確認が行われ、その結果

1章　医薬品概論（1）

CONTENTS

Part 2　一問一答で知識を確認＆プラスしよう！

＊本書は原則として、「試験問題の作成に関する手引き（令和４年３月改正）」（厚生労働省）の内容に基づいて作成されています。

＊「医薬品、医療機器等の品質、有効性及び安全性の確保等に関する法律」は、一般に「医薬品医療機器等法」「薬機法」などと省略されることがありますが、本書においては特にことわりのない場合、「法」と表記しています。

＊登録販売者試験の概要については、今後、更新・変更されることも予想されます。受験される方は、**必ずご自身で各都道府県の担当部署が公表する最新の情報をご確認ください**。

登録販売者試験ガイダンス

1　受験資格

2015（平成 27）年度より、学歴、年齢、実務経験などが不問となりました。誰でも受験できます。

2　試験方法

マークシート方式の筆記試験です。

3　出題範囲

厚生労働省より発表されている「試験問題の作成に関する手引き」の内容から出題されます。

4　試験回数

都道府県ごとに少なくとも年に 1 回以上行われます。

5　試験項目・出題数

試験項目	出題数
医薬品に共通する特性と基本的な知識	20 問
人体の働きと医薬品	20 問
主な医薬品とその作用	40 問
薬事関係法規・制度	20 問
医薬品の適正使用・安全対策	20 問
合計	120 問

6　合格基準

次の 2 点を満たすことが必要です。

①総出題数（120 問）に対して 7 割以上の得点

②各試験項目で 3 割 5 分または 4 割以上の得点（各都道府県により異なります）

※総得点が 7 割以上の正答率でも、②の割合に満たない正答率の試験項目が 1 つでもあった場合は不合格となります。

Part 1

パターンごとに攻略しよう

狙われる数字はこれだ！

登録販売者試験で出題される数字はそれほど多くはない。ここにピックアップした数字については、確実に覚えておこう。

年齢に関する数字

1章　3章

●年齢区分： 1章

「医療用医薬品の添付文書等の記載要領の留意事項」で特に狙われるのは、**小児の年齢区分**です。ほとんどのブロックで毎年出題されていますので、確実に得点しましょう。

「正しい数字で○の肢とするパターン」「誤った数字で×の肢とするパターン」のほか、穴埋め問題で出題されることもあります。

問題

「医療用医薬品の添付文書等の記載要領の留意事項」では、おおよその目安として、新生児は生後（　a　）週未満、乳児は生後（　a　）週以上（　b　）歳未満、幼児は（　b　）歳以上（　c　）歳未満、小児は（　c　）歳以上（　d　）歳未満としている。

（答：a-**4**、b-**1**、c-**7**、d-**15**）

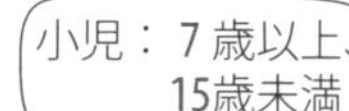

幼児：１歳以上、７歳未満

また、**高齢者の年齢**について問う場合は、問題の１肢として誤った数字を入れて問われることがほとんどです。正解は「**65**歳以上」です。「75歳以上」の**後期高齢者**と混同しないように注意しましょう。

●小児に使用できない医薬品成分：3章

一般用医薬品や成分には、小児向けの製品がないもの、小児が使用してはならないものがあります。試験では「**○歳の小児も使用できる**」とか「**○歳未満向けの製品もある**」といった形で出題されますが、問題文のいい回しにかかわらず、「△△△△△は、**○歳未満はダメ**」と、成分名と数字だけを覚えておけばOKです。

近年の出題から、年齢に関して特に注意しておきたいものを年齢別にピックアップしました。

⑮歳未満

アスピリン（アスピリンアルミニウムを含む）、サザピリン、サリチル酸ナトリウム	外国において**ライ症候群**の発生が示唆されているため
プロメタジン	外国において**乳児突然死症候群**や致命的な**呼吸抑制**が発生したため
ロペラミド塩酸塩	外国において**中枢神経系障害**、**呼吸抑制**などが発生したため
ユビデカレノン（コエンザイムQ10）	小児の心疾患については**受診が優先**されるべきとされるため
エテンザミド サリチルアミド	**水痘**や**インフルエンザ**にかかっている15歳未満の小児は使用を避ける
オキセサゼイン	小児における**安全性**が確立されていないため
抗ヒスタミン成分を含有する睡眠改善薬	**神経過敏**や**中枢興奮**などを起こすおそれが大きいため
イブプロフェン	**小児向けの一般用医薬品はない**

⑫歳未満

コデインリン酸塩水和物、ジヒドロコデインリン酸塩	**呼吸抑制のリスク**を避けるため

⑥歳未満

アミノ安息香酸エチル	**メトヘモグロビン血症**を起こすおそれがあるため

❸歳未満

鎮暈薬	3歳未満では**乗物酔いが起こることはほとんどない**ため
ヒマシ油類（生薬）	急激で強い**瀉下作用**を示すため

人のからだに関する数字　2章

●内臓器官の構造とはたらき

試験科目の「人体の働きと医薬品」では、人体の構造について数値を含んだ問題が出題されています。

問題文は、ほぼ「試験問題の作成に関する手引き」（以下「手引き」）の文章のまま出ますので、**そのまま頭に入れる**のが、ムダのない近道です。よく出る数値をチェックしておきましょう。

■チェックリスト

- □ **小腸**は全長6～7mの管状の臓器で、**十二指腸**、**空腸**、**回腸**の3部分に分かれる。
- □ **十二指腸**は、**胃**から連なる約25cmのC字型に彎曲した部分で、彎曲部には**膵臓**からの膵管と**胆嚢**からの胆管の開口部があり、それぞれ膵液と胆汁を腸管内へ送り込んでいる。
- □ **小腸**のうち十二指腸に続く部分の、概ね上部40%が**空腸**、残り約60%が**回腸**であるが、**明確な境目はない。**
- □ 通常、**糞便の成分**の大半は**水分**で、そのほか、はがれ落ちた腸壁上皮細胞の残骸（15～20%）や腸内細菌の死骸（10～15%）が含まれ、食物の残滓は約5%に過ぎない。
- □ **腎臓**には、心臓から拍出される血液の1／5～1／4が流れている。
- □ **脳**では細胞同士が複雑かつ活発な働きをするため、脳における血液の循環量は心拍出量の約15%、酸素の消費量は全身の約20%、ブドウ糖の消費量は全身の約25%と多い。

時間に関する数字

2章 3章

●副作用が現れる時間と経緯

医薬品は、**十分注意して適正に使用された場合でも、副作用を生じることがあります**。重篤な副作用は発生頻度が低いのですが、副作用の早期発見・早期対応のためには、副作用の症状に関する十分な知識を持つことが重要です。

試験では、**医薬品の使用開始から副作用が現れるまでの時間**や経緯について問われます。問題文に誤った時間（期間）を入れて×肢とする問題や、皮膚粘膜眼症候群（SJS）と中毒性表皮壊死融解症（TEN）の内容を入れ替えた問題が、よくみられるパターンです。

■副作用が現れる時間

ショック（アナフィラキシー）	発症後の進行が非常に速やかなことが特徴で、通常、**2時間**以内に急変する
皮膚粘膜眼症候群（SJS）別名：スティーブンス・ジョンソン症候群	医薬品の使用開始後**2週間**以内に発症することが多いが、**1ヶ月**以上経ってから起こることもある。発生頻度は、人口100万人当たり年間**1～6**人
中毒性表皮壊死融解症（TEN）	医薬品の使用開始後**2週間**以内に発症することが多いが、**1ヶ月**以上経ってから起こることもある。発生頻度は、人口100万人当たり年間**0.4～1.2**人
間質性肺炎	医薬品の使用開始から**1～2**週間程度で起きることが多い
喘息（ぜんそく）	医薬品の使用後、短時間（**1時間**以内）のうちに鼻水・鼻づまりが現れ、続いて咳、喘鳴、呼吸困難を生じる
薬疹（やくしん）	医薬品の使用後**1～2**週間で起きることが多いが、長期使用後に現れることもある

「対比」でラクラク覚える！

「対比」は、有効な学習方法のひとつ。見比べながら頭に入れて、それぞれの特徴や相違点をスッキリ整理しておこう。

人体の構造と働きに関する対比

●動脈／静脈（血管系）

血管系には**動脈**、**静脈**、**毛細血管**があり、試験ではそれぞれの特徴や働きについて問われます。**動脈と静脈の特徴を入れ替えて誤りとする**パターンがよくあるので、ここでは、この２つの特徴を対比して覚えましょう。

■動脈と静脈の対比

動脈		静脈
心臓 ➡ 全身	血液の流れ	全身 ➡ 心臓
強い	血管壁にかかる圧力	比較的弱い
弾力性があり、圧力がかかっても耐えられる	血管壁	動脈に比べて薄い
多くは体の深部を通っている	存在する場所	多くは**皮膚表面近く**を通っている（透けて見える）
頸部（けいぶ）、手首、肘の内側などでは**皮膚表面近く**を通るため、心拍に合わせて脈がふれる	特徴	一定の間隔で存在する内腔に向かう薄い帆状のひだ（**静脈弁**）が発達しており、血液の**逆流**を防いでいる

動脈と静脈はどちらも血管壁が収縮すると血管が細くなり、弛緩すると拡張する。心拍数と同様に自律神経系によって制御されていることも一緒に覚えておこう。

●骨格筋／平滑筋／心筋（筋組織）

筋組織は、**筋細胞**（**筋線維**）とそれらをつなぐ**結合組織**からなり、その機能や形態によって、**骨格筋**、**平滑筋**、**心筋**に分類されます。

試験ではこの３つの筋組織について、**一部を入れ替えて正誤を問う問題**が頻出です。また、下のように穴埋め問題として出題されることもありますので、しっかり覚えて得点源にしましょう。

問題

顕微鏡で観察すると横縞模様が見える（　a　）は、随意筋である。一方、（　b　）は、血管壁や膀胱（ぼうこう）等に分布する意識的にコントロールできない筋で、比較的弱い力で持続的に収縮する特徴がある。（　c　）は、強い収縮力と持久力を兼ね備えているが意識的にコントロールできない筋である。

（答：a- **骨格筋**、b- **平滑筋**、c- **心筋**）

筋肉の特徴は、下の表で対比して覚えましょう。それぞれの**筋肉の存在する場所をイメージ**して違いを対比するとわかりやすいでしょう。

■筋組織の対比

	随意／不随意	横縞模様	収縮力と持久力	存在する場所
骨格筋	随意筋	**ある**	収縮力は**強い**が疲労しやすく、長時間の動作は難しい	**腱**を介して骨につながり、**運動器官**として関節を動かす
平滑筋	不随意筋	**ない**	収縮力は比較的**弱い**が、持続的に収縮する	**消化管**壁、**血管**壁、膀胱などに分布している
心筋	不随意筋	**ある**	**強い**収縮力と**持久力**を兼ね備えている	**心臓壁**にある筋層を構成している

リンパ液の流れは主に**骨格筋**の収縮によるものである。

●交感神経系／副交感神経系（自律神経系の働き）

自律神経系は、**交感神経系**と**副交感神経系**からなり、それぞれ下の表のような働きをします。

■自律神経系の働き

交感神経系	効果器など	副交感神経系
体が**緊張状態**（闘争や恐怖など）に対応した態勢をとる	⇔	体が**安息**状態（食事や休憩など）となるように働く
瞳孔が**散大**する	**目**	瞳孔が**収縮**する
少量の粘性の高い唾液を分泌する	**唾液腺**	唾液分泌が**亢進**（こうしん）する
心拍数が**増加**する	**心臓**	**心拍数**が**減少**する
収縮する（血圧が**上昇**する）	**末梢血管**	**拡張**する（血圧が**降下**する）
拡張する	**気管、気管支**	**収縮**する
血管が**収縮**する	**胃**	胃液分泌が**亢進**する
運動が**低下**する	**腸**	運動が**亢進**する
グリコーゲンを**分解**する	**肝臓**	**グリコーゲン**を**合成**する
立毛筋が**収縮**／**発汗**が**亢進**する	**皮膚／汗腺**	−
排尿筋が**弛緩**する（排尿を**抑制**する）	**膀胱**	**排尿筋**が**収縮**する（排尿を**促進**する）
ノルアドレナリンを放出する	**神経伝達物質＊**	**アセチルコリン**を放出する

＊神経伝達物質は、それぞれの節後線維の末端から放出される。汗腺を支配する交感神経線維の末端では、例外的にアセチルコリンが放出される

交感神経系と副交感神経系は、通常、互いに拮抗して働き、**一方が活発になっているときには他方は活動を抑制**して、効果器を制御しています。

自分自身が緊張しているとき（交感神経系）、リラックスしているとき（副交感神経系）の状況を想像すれば、わかりやすい。

ゴロ合わせ

高官は　汗かき、　機関誌を書く。
（交感神経）（発汗促進）（気管、気管支拡張）

ゴロ合わせ

服交換すると　落ち着く！
（副交感神経系）　（安息状態）

 副作用に関する対比 

●皮膚粘膜眼症候群／中毒性表皮壊死融解症

全身的に現れる副作用の一つとして、重篤な皮膚粘膜障害があります。いったん発症すると**多臓器障害**の合併症などにより**致命的な転帰をたどる**ことがあるため、発生は非常にまれではあるものの、試験ではしばしば登場します。

出題のほとんどは**両者の特徴の一部を入れ替えたパターン**です。両者には共通する特徴もありますので、同じところと異なるところを整理して、どのように問われても対応できるようにしておきましょう。

■皮膚粘膜眼症候群／中毒性表皮壊死融解症

	皮膚粘膜眼症候群（SJS）	中毒性表皮壊死融解症（TEN）
発症時期	医薬品の使用開始後**2週間**以内に発症することが多いが、**1ヶ月**以上経ってから起こることもある	
発症機序と発症の予測	発症機序の詳細は**不明**で、発症の予測は（極めて）**困難**	
症状	**38℃以上の高熱**、**目**の症状（充血・目やに、まぶたの腫れ、目が開けづらい）、口唇の違和感、口唇や陰部のただれ、排尿・排便時の痛み、喉の痛み、広範囲の皮膚の発赤	
病態	発疹・発赤、**火傷様の水疱**等の激しい症状が比較的短時間のうちに全身の**皮膚**、**口**、**眼**等の**粘膜**に現れる	広範囲の皮膚に発赤が生じ、全身の**10%**以上に**火傷様の水疱**、皮膚の剥離、びらん等が認められ、かつ、**口唇**の発赤・びらん、**眼の充血**等の症状を伴う
発生頻度	人口100万人当たり 年間**1～6**人	人口100万人当たり 年間**0.4～1.2**人
別名	**スティーブンス・ジョンソン**症候群	**ライエル**症候群

中毒性表皮壊死融解症（TEN）は皮膚粘膜眼症候群（SJS）と関連のある病態と考えられている（症例の多くが皮膚粘膜眼症候群の進展型とみられる）。そのため、**共通点も多いが、発生頻度にはかなり差がある**ことに着目しよう。

皮膚粘膜眼症候群（SJS）と中毒性表皮壊死融解症（TEN）について、次ページの問題で確認しておきましょう。

問題

皮膚粘膜眼症候群（SJS）と中毒性表皮壊死融解症（TEN）について

◎両疾患ともに、原因医薬品の使用開始後２週間以内に発症し、１ヶ月以上経ってから起こることはない。（答：×）

◎両疾患ともに、発症機序の詳細は不明で、発症の予測は極めて困難である。（答：○）

◎両疾患ともに、38℃以上の高熱を伴い、火傷様の水疱が生じる。（答：○）

◎中毒性表皮壊死融解症の多くは、皮膚粘膜眼症候群の進展型とみられる。（答：○）

◎中毒性表皮壊死融解症は、別名スティーブンス・ジョンソン症候群とも呼ばれる。（答：×）

他にも（よく出る）！

■対比して覚えよう！

◎血管系／リンパ系（循環器系）

血管系
心臓を中心とする閉じた管からなる**閉鎖**循環系

リンパ系
末端毛細管となって組織の中に開いている**開放**循環系

◎軟膏(なんこう)剤／クリーム剤

軟膏剤
・油性の基剤
・皮膚への刺激が**弱い**
・適用部位を**水から遮断したい**場合等に用いられる
・患部が乾燥していてもじゅくじゅくと浸潤していても使用できる

クリーム剤
・油性基剤に**水分**を加えたもの
・患部を**水で洗い流したい**場合等に用いられる
・皮膚への刺激が**強い**ため、傷等への使用は避ける

よく似た細かい違いに着目する！

「消化管」と「消化腺」など似ている用語は、あいまいになりやすいもの。違うところに注目して、それぞれの意味を確認しよう。

人体の構造

人体の構造に関する用語のなかには、よく似ているものがあります。あいまいなままにしておくと、いつまでもそのままになりがちです。逆に、**細かい違いに着目**してみると、「なるほど」と頭に入ってくるものです。違いをしっかり覚えて味方につけ、対応できる力をつけましょう。

●消化管と消化腺

消化器系には、**消化管**と**消化腺**があります。下のように「消化管には○○、○○が含まれる」「消化腺には○○、○○が含まれる」として正誤を問うものがみられますので、**管**と**腺**には注意が必要です。

問題

消化器系には消化管と消化腺があり、消化管には、口腔（こうくう）、咽頭、食道、胃、小腸、大腸、肛門（こうもん）が含まれる。　（答：○）

消化管	口腔、咽頭、食道、胃、小腸、大腸、肛門
消化腺	唾液腺、肝臓、胆嚢（たんのう）、膵臓（すいぞう）など

消化管は「管」なので、食べ物が口に入ってから出て行くまでに通る管（くだ）だと考えればイメージしやすいですね。

また、次の文章は、試験では**このままの文章で出題されることが多い**問題です。○となる肢ですから丸ごと暗記してしまいましょう。

> 消化管は、**口腔**(こうくう)から**肛門**(こうもん)まで続く管で、平均的な成人で全長約**9**m ある。

消化腺は、消化管のような食べ物の通り道ではなく、食物を**消化管で吸収される形に分解**するための**消化液**を分泌し、消化を促しています。

消化には、消化腺から分泌される消化液による**化学的消化**と、咀嚼(そしゃく)（食物を噛(か)んで口腔内粉砕すること）や消化管の運動による**機械的消化**があることも一緒に覚えておこう。

●気管と気管支

呼吸器系にも「気管」と「気管支」という似た言葉があります。違いを確認しておきましょう。

気管	喉頭(こうとう)から**肺**へ向かう**気道**が左右の**肺**へ分岐するまでの部分
気管支	**気管**から**肺**の中で複数に枝分かれする部分

空気は、鼻腔と口腔につながる**咽頭**(いんとう)から、喉頭、気管を通って肺へと流れていきます。つまり、気管は気管支よりも全体的に**上**に位置し、気管の先に気管支があるということになりますね。イメージできましたか。

また**咽頭**(いんとう)は、**消化管**と**気道**（鼻腔から気管支までの呼気及び吸気の通り道）の両方に属しています。

気道のうち、**鼻腔から咽頭・喉頭**までの部分を上気道、**気管から気管支**、**肺**までの部分を下気道ということも一緒に覚えておこう。

●副腎皮質と副腎髄質（副腎）

副腎は、左右の腎臓の上部にそれぞれ附属し、**皮質**と**髄質**の２層構造からなっています。

副腎皮質	**副腎皮質ホルモン**（ステロイドホルモン）が産生・分泌される
副腎髄質	自律神経系に作用する**アドレナリン**（**エピネフリン**）と**ノルアドレナリン**（**ノルエピネフリン**）が産生・分泌される

試験でよく出るのは、次のパターンです。

問題

副腎皮質では、自律神経系に作用するアドレナリン（エピネフリン）とノルアドレナリン（ノルエピネフリン）が産生・分泌される。（答：×）

「副腎皮質から副腎皮質ホルモンが出る」ことはわかりやすすぎるので、出題される場合にはこのパターンとなるのです。

副腎皮質が産生・分泌するのは**副腎皮質ホルモン**、アドレナリンやノルアドレナリンを産生・分泌するのは**副腎髄質**と、しっかり区別しておいてください。

副腎では**アルドステロン**についても併せて問われることが多いので、一緒に覚えておきましょう。

副腎皮質ホルモンの一つである**アルドステロン**は、体内に**塩分**と**水**を貯留し、**カリウム**の排泄を促す作用があり、**電解質**と**水分**の排出調整の役割を担っている。

●リンパ系（リンパ液、リンパ管、リンパ節）

循環器に関する問題のなかで問われる**リンパ系**も混乱しやすい項目です。次のように、一部を誤りとしたものが出題されますので、正誤ポイントに注意して整理しましょう。

問題

◎**リンパ液**は、~~血球~~血漿の一部が毛細血管から組織の中へ滲（にじ）み出て組織液となったもので、タンパク質は少ない。**リンパ液**の流れは主に~~平滑筋~~骨格筋の収縮によるものであり、流速は血流に比べて~~速い~~緩やかである。（答：×）

◎**リンパ管**は互いに合流して次第に太くなり、最終的に~~もものの付け根にある動脈~~鎖骨の下にある静脈につながる。（答：×）

◎**リンパ節**の内部には~~血小板~~リンパ球やマクロファージ（貪食細胞）が密集していて、リンパ液で運ばれてきた細菌やウイルス等は、ここで免疫反応によって排除される。（答：×）

医薬品の安全基準

1章

医薬品には、食品などよりも**はるかに厳しい安全性基準が要求**されています。登録販売者の試験では、4つの基準（**GLP**、**GCP**、**GPSP**、**GVP**）について出題されます。

4つを並べてみると、どれも似ていて混乱しますね。でも、似ているからこそ、異なる部分に着目すれば、大変すっきりと覚えられるのです。

まずは問題を見てみましょう。

問題

◎医薬品の安全性に関する非臨床試験の基準としてGood Laboratory Practice（GLP）が制定されている。（答：○）

◎医薬品に対しては、製造販売後の調査及び試験の実施基準としてGood Vigilance Practice（GVP）が制定されている。（答：×）

4つに共通する始まりの**G**（Good）と最後の**P**（Practice）は無視しましょう。残った**L**、**C**、**PS**、**V**だけを覚えればOKです。

L ＝ **Laboratory**（実験室）
C ＝ **Clinical**（臨床）
PS ＝ **Post-marketing Study**（後の調査と試験）
V ＝ **Vigilance**（安全管理）

GLP （Good Laboratory Practice）	医薬品の安全性に関する**非臨床試験**（臨床試験以外の、**実験室**などで行われる試験*）の基準
GCP （Good Clinical Practice）	ヒトを対象とした**臨床試験**の実施の基準
GPSP （Good Post-marketing Study Practice）	製造販売**後**の**調査及び試験**の実施の基準
GVP （Good Vigilance Practice）	製造販売後**安全管理**の基準

*ここでは主に動物実験をさしている

ゴロ合わせ

◎Lサイズの　キリンが
（Laboratory）（非臨床試験）

くりかえす一人の　輪唱
（Clinical）（ヒト）（臨床試験）

◎ポストでテストだ　安全管理はだいじょうぶいっ
（Post）（試験）（安全管理基準）（Vigilance）

安全性情報など

5章

医薬品、医療機器、再生医療等製品については、それらを適正に安全に使用するために、必要に応じて製造販売業者から「**緊急安全性情報**」や「**安全性速報**」が出されることになっています。名称はもちろんしっかり覚える必要がありますが、区別するためには下表の赤字部分の**相違点だけ覚えておけば OK** です。

	発出	作成	情報伝達の方法
緊急安全性情報（イエローレター）	**緊急かつ重大**な注意喚起や使用制限に係る対策が必要なとき	**厚生労働省**からの命令、指示、製造販売業者の**自主決定**等に基づいて作成	**製造販売業者及び行政当局による報道発表**、（独）医薬品医療機器総合機構（以下、総合機構）による医薬品医療機器情報配信サービスによる配信（PMDA メディナビ）、製造販売業者から医療機関や薬局等への直接配布、ダイレクトメール、ファクシミリ、電子メール等（1ケ月以内）
安全性速報（ブルーレター）	**一般的な使用上の注意の改訂情報よりも迅速**な注意喚起等が必要なとき		**総合機構**による医薬品医療機器情報配信サービスによる配信（PMDA メディナビ）、製造販売業者から医療機関や薬局等への直接配布、ダイレクトメール、ファクシミリ、電子メール等（1ケ月以内）

ゴロ合わせ

緊急！　10代　家出ろ
（緊急）　（重大）（イエローレター）

家庭よりも迅速なチューに歓喜、ぶるっ！
（改訂情報よりも迅速な注意喚起）　（ブルーレター）

出るところだけサクサク覚える！

「してはいけないこと」や「相談すること」について、試験でよく出るものだけを収録。これだけはぜひ押さえておこう。

試験に合格するためには、「手引き」をみっちり読み込むことが最善なのはいうまでもありません。かといって、学習量の多い内容に多くの時間を割くのは賢明ではありません。そのような場合、出題される問題数が少なければ、**思い切って「捨てる」**という選択も一つの方法ですが、出題数が少なくない場合にはそうはいきません。

そこで、ここでは「手引き」の５章「別表」に小さな字でびっちり書かれている内容を、実際に試験によく出る内容に絞って抽出しました。
「**出るところだけ**」サクサク覚えて得点しましょう。

５章「別表」は、「主な使用上の注意の記載とその対象成分・薬効群等」というタイトルで、添付文書等の「使用上の注意」に記載されるものが表としてまとめられています。大きく「**してはいけないこと**」と「**相談すること**」の２つから構成されていますが、両者はよく似ているため、混乱しないようにすることがポイントといえるでしょう。

 使用上の注意　5章

なお、以下にまとめたのは近年実際に試験に出たものばかりですので効率的に学習できますが、成分の最後に「等」とあるものは、ここに記載したもののほかにも多くの成分があるものです。余裕があったら「手引き」と併せて学習すると、さらに対応力がつきます。

試験では、例えば次のような形式で出題されます。

問題

一般用医薬品の添付文書（使用上の注意）の「**してはいけないこと**」の欄に「**次の人は使用（服用）しないこと**」として記載されているものとして正しいもの（正しいものの組み合わせ）を１つ選びなさい。

「**次の人は使用（服用）しないこと**」の部分は、「次の診断を受けた人」「次の症状がある人」などとしても出題されます。

してはいけないこと

以下、太字のものは試験によく出る項目です。なかでも、「喘息(ぜんそく)を起こしたことがある人」「透析療法を受けている人」は頻出です。

【次の人は使用（服用）しないこと】

●アレルギーの既往歴のある人

・**喘息(ぜんそく)を起こしたことがある人**―インドメタシン、フェルビナク、ケトプロフェン、ピロキシカム

・本剤や他のかぜ薬、解熱鎮痛薬を服用して**喘息(ぜんそく)を起こしたことがある人**――アセトアミノフェン、アスピリン、イブプロフェン、イソプロピルアンチピリン等

・本剤や本剤の成分、**牛乳**によるアレルギー症状を起こしたことがある人――タンニン酸アルブミン、カゼイン等

ゴロ合わせ

担任さん、 火星人に 牛乳飲ますな！

（タンニン酸アルブミン）（カゼイン） （牛乳アレルギー）

● **次の症状がある人**

・**前立腺肥大**による排尿困難――プソイドエフェドリン塩酸塩

・患部が化膿している人――**ステロイド性抗炎症成分**、インドメタシン等

● **次の診断を受けた人**

・**心臓病**――プソイドエフェドリン塩酸塩、芍薬甘草湯（しゃくやくかんぞうとう）等

・**胃潰瘍**――カフェイン

・**高血圧**――プソイドエフェドリン塩酸塩

・**甲状腺機能障害**――プソイドエフェドリン塩酸塩

・**糖尿病**――プソイドエフェドリン塩酸塩

● **透析療法を受けている人**

・スクラルファート、水酸化アルミニウムゲル、合成ヒドロタルサイト、アルジオキサ等

● **小児**（⇒ p.13）

・アスピリン、アスピリンアルミニウム、サザピリン、サリチル酸ナトリウム、イブプロフェン、ロペラミド等（15 歳未満）

・アミノ安息香酸エチル（6 歳未満）

・ヒマシ油類（3 歳未満）

● **妊婦または妊娠していると思われる人**

・ヒマシ油類、ジフェンヒドラミン塩酸塩を主薬とする催眠鎮静薬（睡眠改善薬）、エチニルエストラジオール、エストラジオール、オキセサゼイン

● **出産予定日 12 週以内の妊婦**

・アスピリン、アスピリンアルミニウム、イブプロフェン

● **授乳中は服用を避けるか、服用中は授乳を避けるもの**

・ジフェンヒドラミン塩酸塩、テオフィリン、ロートエキス、センノシド、ヒマシ油類等、コデインリン酸塩水和物等

【服用後、乗物や機械の運転操作をしないこと】

- **眠気**等が生じるため ――ジフェンヒドラミン塩酸塩、クロルフェニラミンマレイン酸塩等の抗ヒスタミン成分、ブロモバレリル尿素、コデインリン酸塩水和物、ジヒドロコデインリン酸塩、ロペラミド塩酸塩、ロートエキス等
- **眠気**、**目のかすみ**、**異常なまぶしさ**を生じることがあるため――スコポラミン臭化水素酸塩水和物、メチルオクタトロピン臭化物
- **目のかすみ**、**異常なまぶしさ**を生じることがあるため――ピレンゼピン塩酸塩水和物

これだけは絶対に覚えよう！
「**眠気**」が生じるものと「**目のかすみ、まぶしさ**」が生じることがあるものを分けて覚えよう。
＊この２つを入れ替えて出題されるパターンもある。

【連用】

- 長期連用しないこと（外用鎮痛消炎薬）――**インドメタシン**、**フェルビナク**等
- 連用しないこと（瀉下薬）――**ヒマシ油**
- １週間以上継続して服用しないこと（止瀉薬）――**ビスマス**を含む成分
- 短期の服用にとどめ、連用しないこと（眠気防止薬）――**カフェイン**等
- 症状があるときのみの服用にとどめ、連用しないこと――**芍薬甘草湯**（しゃくやくかんぞうとう）

一般用医薬品を長期連用すると、その症状を抑えていることで重篤な疾患の発見が遅れたり、肝臓や腎臓などの、医薬品を代謝する器官を傷めたりする可能性がある。

相談すること

「相談すること」は、この医薬品を使用（服用）する前（後）に、その**適否について専門家に相談する必要がある**という意味です。試験では複数出題されますが、なかでも「**次の診断を受けた人**」について問うものが多くみられます。

●妊婦または妊娠していると思われる人

・アスピリン、イブプロフェン、コデインリン酸塩水和物、瀉下薬等

●授乳中の人

・メチルエフェドリン塩酸塩、トリプロリジン塩酸塩水和物、プソイドエフェドリン塩酸塩、カフェイン、ロペラミド塩酸塩、エチニルエストラジオール、イブプロフェン等

●高齢者

・メトキシフェナミン塩酸塩、マオウ等（**心悸亢進**（しんきこうしん）、**血圧上昇**、**糖代謝促進**を起こしやすいため）

・グリチルリチン酸二カリウム、カンゾウ等（**偽アルドステロン症**を生じやすいため）

・スコポラミン臭化水素酸塩水和物等（**緑内障**の悪化、**口渇**、**排尿困難**、**便秘**が現れやすいため）

●小児（⇒ p.13）

・**発熱**している小児、**けいれん**を起こしたことがある小児——テオフィリン、アミノフィリン水和物（けいれんを誘発するおそれがあるため）

・**水痘**、**インフルエンザ**に罹っている（疑いのある）15歳未満の小児——サリチルアミド、エテンザミド（ライ症候群の発症との関連性が示唆されているため）

・**1ヶ月**未満の乳児（新生児）——マルツエキス（脱水症状を引き起こすおそれがあるため）

● **次の診断を受けた人**

・**てんかん**――ジプロフィリン

・**胃・十二指腸潰瘍**――アスピリン、次硝酸ビスマス等

・**肝臓病**――小柴胡湯、アスピリン、ピペラジンリン酸塩等

・**甲状腺疾患**――ポビドンヨード、ヨウ化カリウム等

・**甲状腺機能障害・甲状腺機能亢進症**――アドレナリン作動成分が配合された鼻炎用点鼻薬、フェニレフリン塩酸塩、ジプロフィリン、トリメトキノール塩酸塩水和物、マオウ等

・**高血圧**――アドレナリン作動成分が配合された鼻炎用点鼻薬、フェニレフリン塩酸塩、メチルエフェドリン塩酸塩、マオウ等

・**心臓病**――アドレナリン作動成分が配合された鼻炎用点鼻薬、メチルエフェドリン塩酸塩、硫酸ナトリウム、グリセリンが配合された浣腸薬、マオウ等

・**糖尿病**――アドレナリン作動成分が配合された鼻炎用点鼻薬、トリメトキノール塩酸塩水和物、メチルエフェドリン塩酸塩、メトキシフェナミン塩酸塩、フェニレフリン塩酸塩、マオウ等

・**腎臓病**――アスピリン、イブプロフェン、酸化マグネシウム等

・**緑内障**――抗コリン成分が配合された鼻炎用内服薬・点鼻薬、ジフェニドール塩酸塩、パパベリン塩酸塩、スコポラミン臭化水素酸塩水和物、ロートエキス等

・**血栓**のある人（**血栓症**を起こすおそれのある人）――トラネキサム酸（内服）、セトラキサート塩酸塩

・**貧血**――ピペラジンリン酸塩等

・**全身性エリテマトーデス、混合性結合組織病**――イブプロフェン

● **次の医薬品を使用（服用）している人**

瀉下薬――柴胡加竜骨牡蛎湯、響声破笛丸

問題のなかには、「相談すること」の**理由を問うもの**もある。ブロックによって傾向が異なるので、受験するブロックの過去問題を確認しよう。

流れをつかめばムダな暗記は不要！

文章を読むだけではわかりにくい内容は、流れを追って学習しよう。流れがつかめれば、丸暗記よりグンと効率アップ！

心臓と血液の流れ　2章

心臓は心筋でできた握りこぶし大の袋状の臓器で、内部は**上部左右**の**心房**と、**下部左右**の**心室**の**4つの空洞**に分かれています。

心臓の**右側部分**（**右心房、右心室**）は**全身**から集まってきた血液を**肺**へ送り出し、肺で**ガス交換**が行われた血液は、心臓の**左側部分**（**左心房、左心室**）に入り、そこから**全身**に送り出されます。

実際のガス交換は複雑な働きですが、ここではイメージとして流れをつかんでおけばOKです。

◆心臓と血液の流れのイメージ

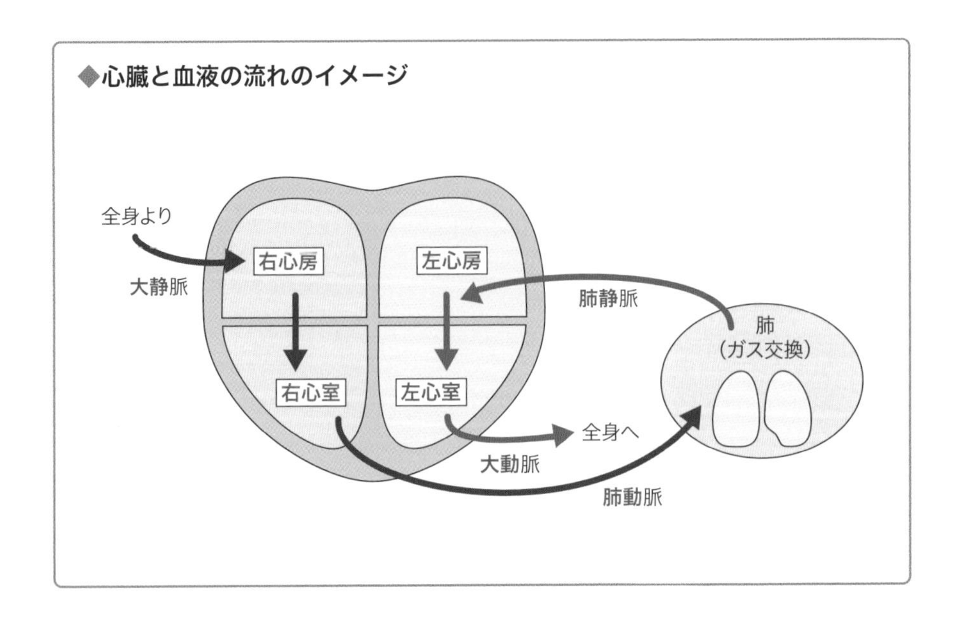

体内で薬がたどる流れ

2章

医薬品は、内服等により体内に取り入れられてから、次のような流れをたどります。この流れさえ頭の中に入っていればOKです。

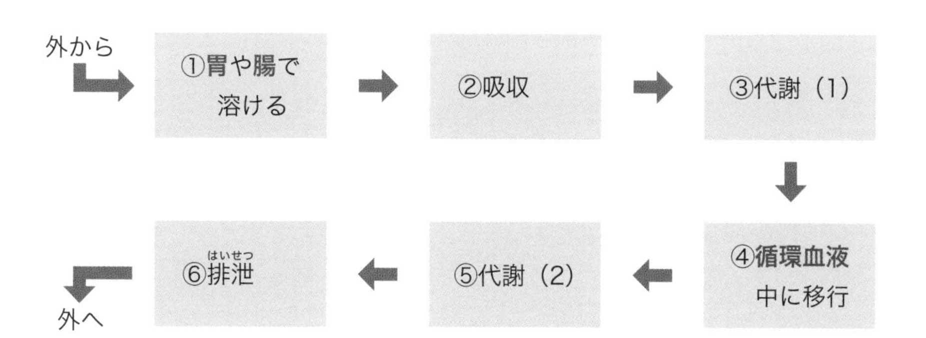

下の図で、体内で薬がたどる大まかな流れを見ておきましょう。

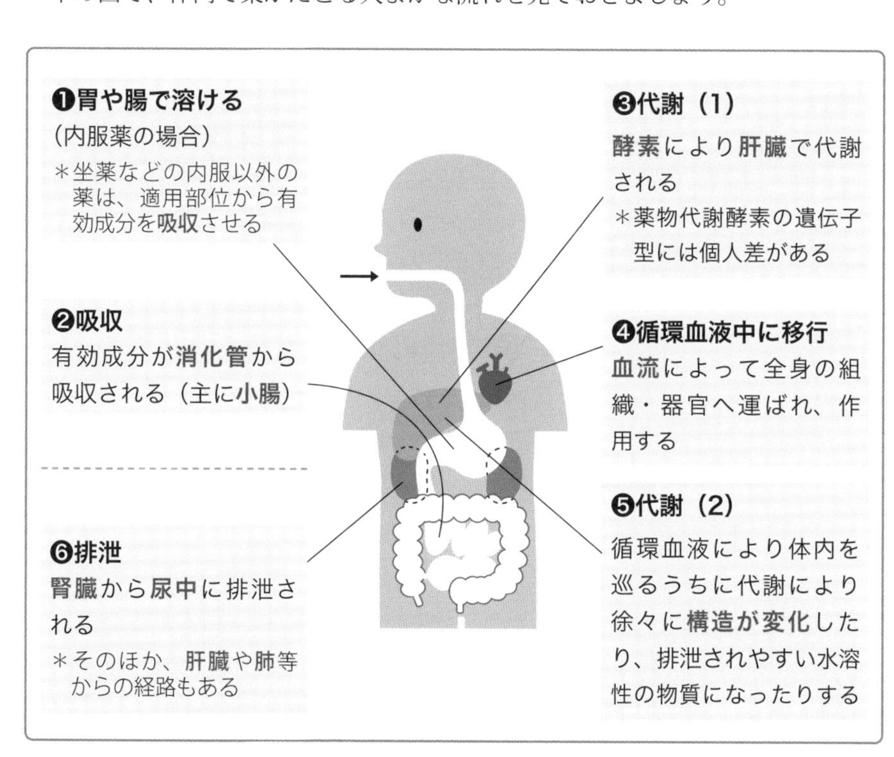

薬の体内での働き

医薬品が効果を発揮するためには、有効成分が一定以上の濃度で分布する必要があります。これらの濃度に強く関連するのが**血中濃度**です。

このパターンの最後に、血中濃度の流れを押さえておきましょう。

血中濃度は、医薬品が摂取された後、成分が吸収されるにつれて**上昇**し、ある**最小有効濃度（閾値）**を超えると薬効が現れます。

そして、ある時点でピーク（**最高血中濃度**）に達すると、その後は**低下**し、やがて血中濃度が**最小有効濃度**を下回ると、薬効は**消失**します。

それを表したのが下の図です。時間の流れとともに移っていく血中濃度と薬の作用域を目で見て頭に入れておきましょう。

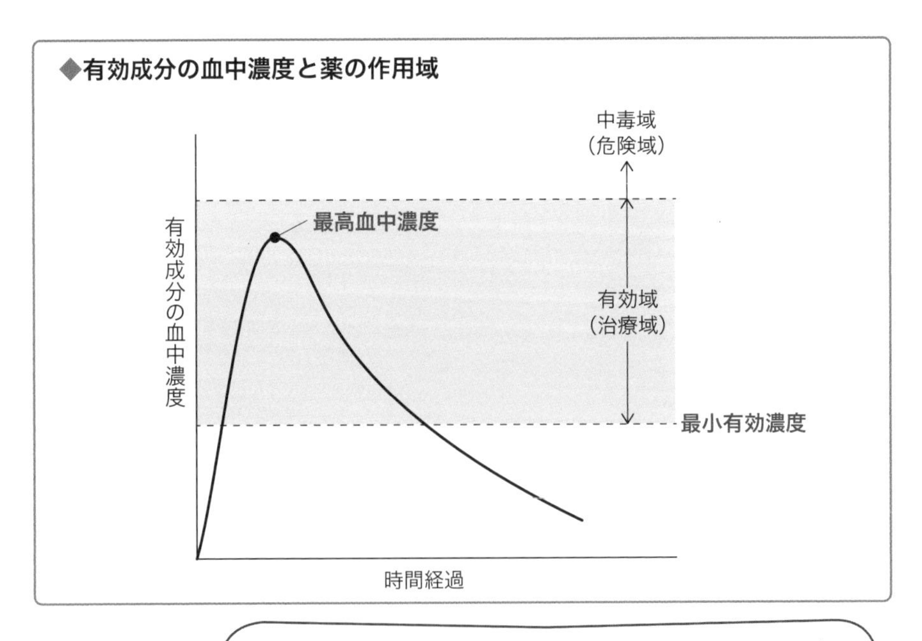

全身作用を目的とする医薬品の多くは、使用後の一定期間、有効成分の血中濃度が有効域（治療域）に維持されるよう、使用量及び使用間隔が定められている（年齢や体格等による個人差も考慮されている）。

仕組みを知れば理解できる！

ここでは、「薬が働く仕組み」と「医薬品副作用被害救済制度」の仕組みを知って、しっかりと理解しよう。

薬が働く仕組み

医薬品の作用には、有効成分が消化管などから吸収されて循環血液中に移行し、全身を巡って薬効をもたらす**全身作用**と、特定の狭い身体部位において薬効をもたらす**局所作用**とがあります。

●有効成分の吸収：2章 3章

まずは、有効成分の吸収の流れから確認しましょう。

全身作用を目的とする医薬品では、その有効成分が**消化管**や**粘膜**等から吸収されて、**循環血液**中に移行することが不可欠です。

また、**局所作用**を目的とする医薬品の場合は、有効成分が目的の**局所の組織**に浸透して作用しますが、**循環血液**中に移行することもあります。

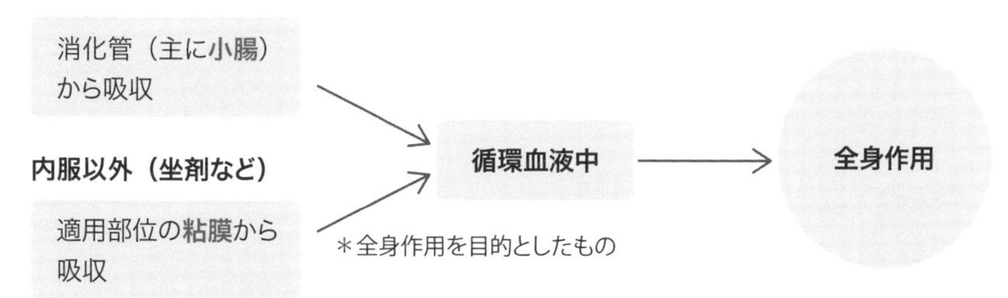

◆**点鼻薬**は**局所作用**を目的として用いられ、一般用医薬品には**全身作用**を目的としたものはないが、有効成分が循環血液中に移行しやすく、**肝臓で代謝を受けることなく全身に分布する**ため、**全身性の副作用**を生じることがある。

◆**点眼薬**も**局所作用**を目的として用いられるが、鼻涙管を通って鼻粘膜から吸収されることがあり、**眼以外の部位**に到達して**副作用**を起こすことがある。

●薬の代謝・排泄：2章

では次に、代謝と排泄(はいせつ)の流れを確認しておきましょう。

代謝とは、物質が体内で**化学的**に変化することをいいます。循環血液中へ移行した有効成分は、主として**肝臓**において酵素によって代謝を受けます。有効成分は、体内を循環するうちに代謝により徐々に分解されたり、他の物質と結合したりして構造が変化します。

排泄とは、代謝によって生じた物質（代謝物）が**尿**等で**体外**へ排出されることをいいます。

●体外への主な排泄経路

腎臓 ⇒ **尿**中へ
肝臓 ⇒ **胆汁**中へ
肺 ⇒ **呼気**中へ

体外への排出経路としては、ほかに汗中や母乳中などがある。体内からの消失経路としての意義は小さいものの、有効成分の母乳中への移行は、乳児への副作用という観点から軽視できない。

医薬品副作用被害救済制度

もう一つ、医薬品副作用被害救済制度の仕組みも確認して、得点力をアップしましょう。

医薬品副作用被害救済制度は、**医薬品を適正に使用したにもかかわらず**発生した**副作用**による被害者の迅速な救済を図るため、**製薬企業**の社会的責任に基づく**公的制度**です。試験では、**どのブロックでも毎年2～3問**（最低でも1問）出題されています。

問題は、「制度そのものに関するもの」「制度の仕組み（給付請求から給付までの流れ）」「給付の種類」「給付の対象」の4つの中から2つまたは3つが選ばれます。ここでは、制度の仕組みである「**給付請求から給付までの流れ**」を押さえた上で、「**給付の種類**」「**給付の対象**」についてコンパクトに整理して効率よく学びましょう。

●制度の仕組み（給付請求から給付までの流れ）

文章にするとわかりにくい流れは、チャート図でつかみましょう。

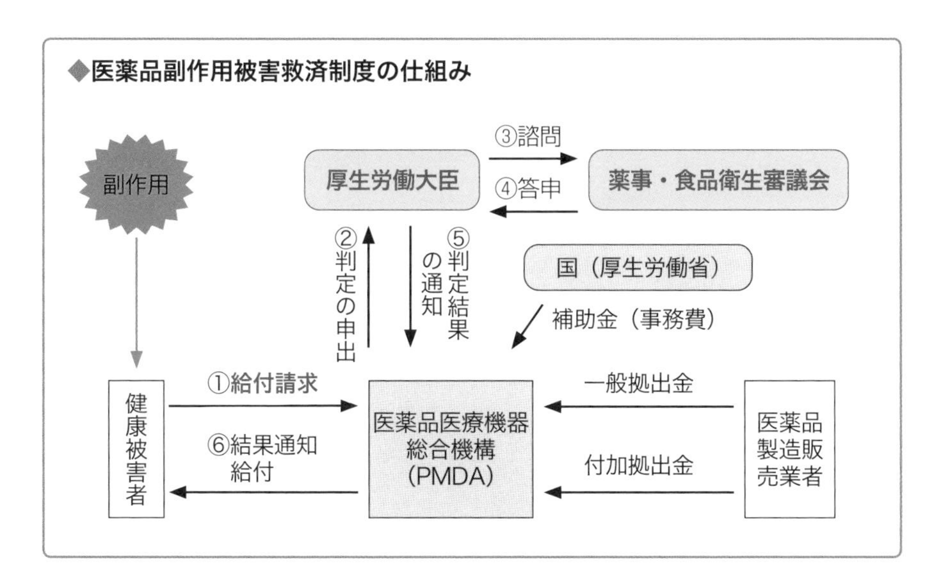

●給付の種類（請求の期限）

「給付の種類」については、それぞれの内容と併せて**請求期限**について問う問題が頻出です。必ずセットで覚えましょう。

■医薬品副作用被害救済制度の給付と内容

給付の種類	給付の内容	請求期限
医療費＊	医薬品の副作用による疾病の**治療費**（自己負担分の**実費**）	5年以内
医療手当＊	医薬品の副作用による疾病の治療に伴う**医療費以外**の費用（**定額**）	
障害年金	医薬品の副作用により障害状態にある**18歳以上**の人の生活保障等（**定額**）	なし
障害児養育年金	医薬品の副作用により障害状態にある**18歳未満**の人の養育者への給付（**定額**）	
遺族年金	生計維持者が医薬品の副作用により死亡した場合の遺族への給付（**定額**、最高10年間）	5年以内（遺族年金を受け取る先順位者が死亡した場合は、その死亡から2年以内）
遺族一時金	生計維持者が医薬品の副作用により死亡した場合の遺族への見舞金等（**定額**）	
葬祭料	医薬品の副作用により死亡した人の葬祭費等（**定額**）	

＊医療費、医療手当の対象となるのは、疾病が「入院治療を必要とする程度」の場合

医療費だけが**実費**で、それ以外はすべて**定額**と覚えよう。
また、請求期限は、**医療**（医療費、医療手当）は5年、**障害**（障害年金、障害児養育年金）は「なし」、**死亡した場合（遺族年金、遺族一時金、葬祭料）は5年（2年）**とセットで覚えよう。

●給付の対象となるもの

医薬品副作用被害救済制度の対象となるのは、**医薬品を適正に使用したにもかかわらず**、副作用によって**一定程度以上の健康被害**が生じた場合です。

一定程度以上の健康被害とは、副作用による疾病のため、**入院治療**を必要とする（やむをえず自宅療養を行った場合も含む）場合や、副作用による**重い後遺障害**（日常生活に著しい制限を受ける程度以上の障害）が残ったものをいいます。

●給付の対象とならないもの

医薬品副作用被害救済制度による救済は、添付文書や外箱等に記載されている用法・用量、使用上の注意に従って使用されていることが基本ですから、**医薬品の不適正な使用による健康被害**については、救済給付の対象となりません。

また、医薬品を適正に使用して生じた健康被害であっても、特に医療機関での治療を要さずに寛解したような**軽度のもの**については給付対象に含まれません。

また、医薬品副作用被害救済制度の対象とならない医薬品もあります。数が少ない上に頻出ですので、ここは必ず覚えておきましょう。

要指導医薬品または一般用医薬品では、

- **殺虫剤・殺鼠（そ）剤**
- **殺菌消毒剤**（人体に直接使用するものを除く）
- **一般用検査薬**
- 一部の**日局収載医薬品**（精製水、ワセリン等）

また、次の場合も除外されます。

- 製品不良など、**製薬企業に損害賠償責任がある場合**
- **無承認無許可医薬品**の使用による健康被害

「**無承認無許可医薬品**」とは、いわゆる**健康食品**として販売されたものや、**個人輸入**によって入手した医薬品等のことをいう。

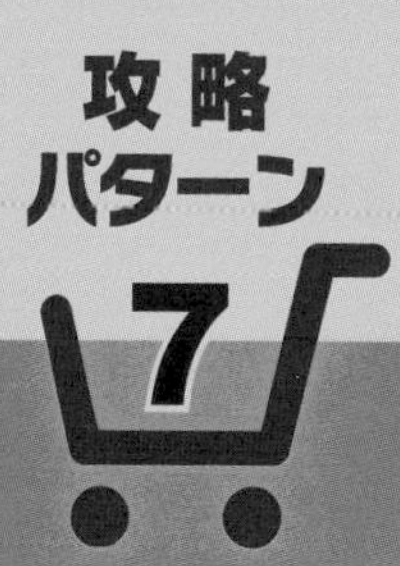

全体像でとらえれば答がみえてくる！

「脳・神経系」「血液」「添付文書」について知るには、まず全体像をとらえることから学習をスタートすれば理解が早い。

脳・神経系の構成

脳・神経系については、すべてのブロックで、**毎年1～2問出題**されています。内容は複雑ですので、すべてを網羅しようとすると大変な労力となります。

そこで、学習にあたっては、まず全体像をとらえることから始めましょう。下の図が整理されて頭に入ってしまえば、問題を解くときに大いに役立ちます。

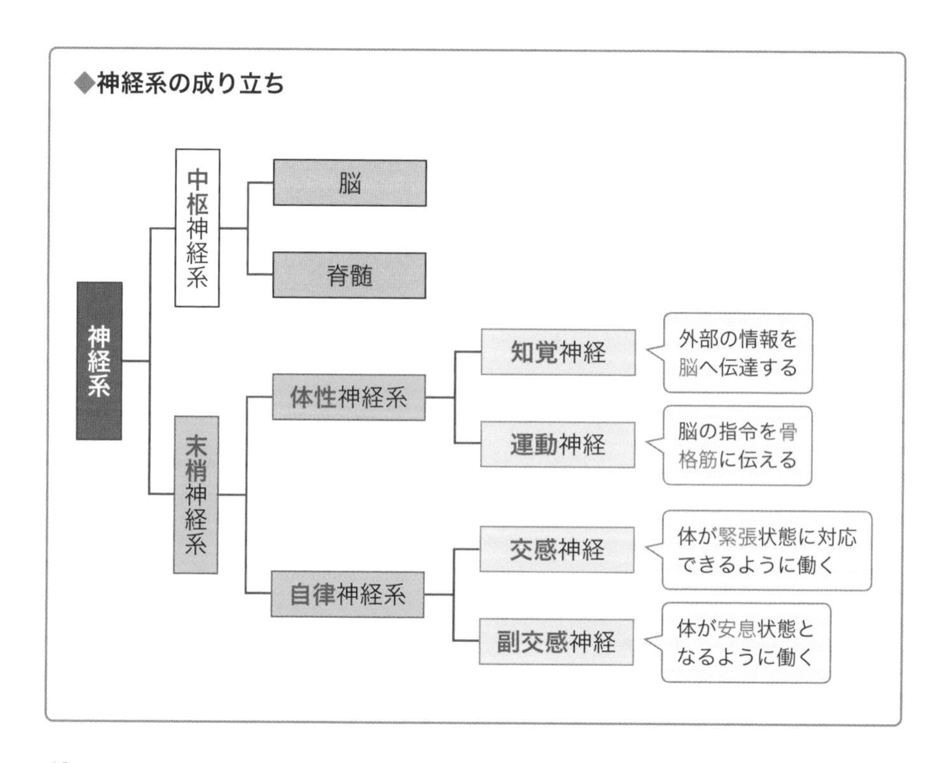

●中枢神経系

中枢神経系は、**脳**と**脊髄**(せきずい)から構成されます。試験では、それぞれの構造と働きについて問われます。

問題 超頻出

小児では、血液脳関門*が未発達であるため、循環血液中に移行した医薬品の成分が脳の組織に達しやすい。（答：○）

*血液脳関門：脳の毛細血管が**中枢神経**の間質液環境を血液内の組成変動から保護するように働く機能のこと

問題

脊髄は脊椎の中にあり、脳と末梢の間で刺激を伝えるほか、末梢からの刺激の一部に対して脳を~~介して~~（介さずに）刺激を返す場合があり、これを脊髄反射と呼ぶ。

（答：×）

●末梢神経系

末梢神経系は、**体性神経系**と**自律神経系**から構成されますが、試験で出題されるのは、ほとんどが**自律神経系**に関する問題です。

その自律神経系には、**交感神経**と**副交感神経**があり、拮抗(きっこう)して働いています。それぞれが各臓器や器官（効果器）に及ぼす効果について問われていますので、まとめて覚えておきましょう（⇒ p.18）。

血液の構成　2章

血液は、**各種の血液成分**から構成されています。それぞれの特徴や働きについては個々に学習することが必要ですが、まず初めにその分類について全体像を把握しておきましょう。

また、試験では**血液成分のそれぞれの割合**について**具体的な数字**を示して問われます。パターンとしては、問題文のなかの**数字自体が誤り**だったり、**白血球に占める好中球・リンパ球・単球の割合を入れ替えて誤り**にしたりしているものがみられます。

ここでは、血液全体を見ながら、ポイントとなる働きや数字をチェックしておきましょう。

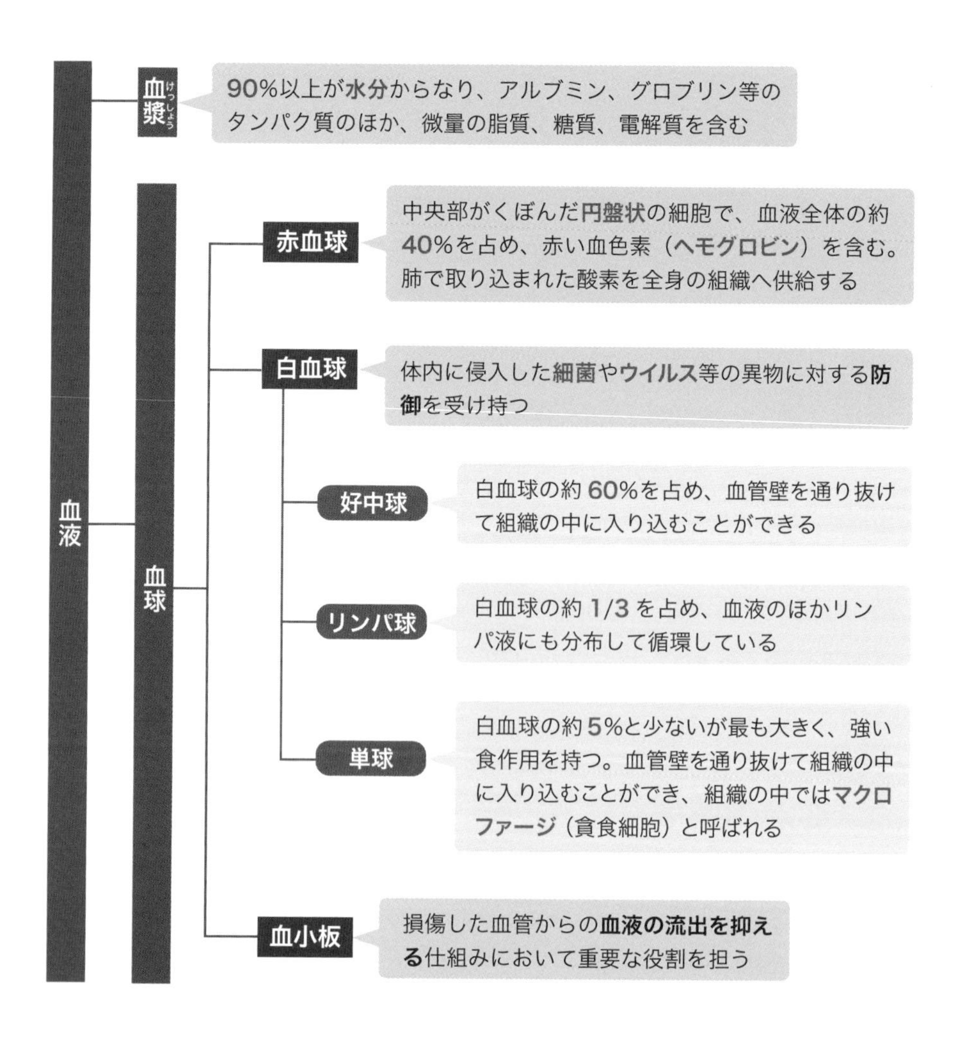

添付文書の構成　5章

一般用医薬品の**添付文書**には、その**医薬品を適正に使用するために必要な情報**が12項目にわたって記載されています。

「手引き」では12の項目について、具体的な内容が8ページにわたって記載されていますが、次ページの表で**添付文書の構成について全体像を確認**してから学習を始めると理解しやすいでしょう。

下の問題のように、「**相談すること**」「**してはいけないこと**」**についての問題は頻出**です。「手引き」別表5-1の「してはいけないこと」と別表5-2の「相談すること」はぜひ確認しておきたいところです（⇒ p.28 ～ 33）。

問題

「医師または歯科医師の治療を受けている人」は、自己判断で一般用医薬品が使用されると、治療の妨げとなることがあるため、「相談すること」の項目に記載されている。　（答：○）

その他添付文書については、必ずといってよいほど次のような問題が出題されています。

問題

添付文書の内容は、医薬品の有効性・安全性等に係る新たな知見や情報に基づき、必ず1年に1回改訂される。　（答：×）

「必ず1年に1回改訂される」の部分は「3年に1回定期的に」などの場合もありますが、添付文書の改訂は「**必要に応じて随時**」です。設問の1つであることが多いのですが、これがわかっていれば選択肢が1つ消せて得点に近づきますね。

一般用医薬品の添付文書の記載は、下のような構成になっています。

■添付文書の構成

1 改訂年月		
2 添付文書の必読及び保管に関する事項		
3 販売名、薬効名及びリスク区分 （人体に直接使用しない検査薬では「販売名及び使用目的」）		
4 製品の特徴		
5 使用上の注意	してはいけないこと	次の人は使用（服用）しないこと
		次の部位には使用しないこと
		本剤を使用（服用）している間は、次の医薬品を使用（服用）しないこと
		その他「してはいけないこと」
	（使用前に）相談すること	**医師**（または**歯科医師**）の治療を受けている人
		妊婦または**妊娠**していると思われる人
		授乳中の人
		高齢者
		薬などにより**アレルギー症状**を起こしたことがある人
		次の症状がある人
		次の診断を受けた人
	（使用後に）相談すること	**副作用**と考えられる症状を生じた場合
		薬理作用等から発現が予測される軽微な症状がみられた場合
		一定期間または一定回数使用したあとに症状の改善がみられない場合
	その他の注意	容認される軽微な症状を記載
6 効能または効果（一般用検査薬では「使用目的」）		
7 用法及び用量（一般用検査薬では「使用方法」）		
8 成分及び分量（一般用検査薬では「キットの内容及び成分・分量」）		
9 病気の予防・症状の改善につながる事項（いわゆる「養生訓」）		
10 保管及び取扱い上の注意		
11 消費者相談窓口		
12 製造販売業者の名称及び所在地		

攻略パターン 8

「アレルギー」はまとめて覚える！

アレルギーに関する知識は重要であり、頻出である。ここでは「手引き」の章を越え、効率よくまとめて一気に学習しよう。

「アレルギー」という言葉は、日常生活でもよく耳にしますし、自分自身がアレルギー体質だったり、身近にアレルギー体質の人がいたりすることも珍しくはないでしょう。登録販売者として知っておきたいアレルギーの知識は、一般的なものだけでなく、**医薬品と関係づけて身につける**必要があります。

「手引き」では章をまたいであちらこちらに記載がありますが、ここでは、**試験によく出るアレルギーに関する重要な項目をひとまとめに学習**しましょう。

アレルギーとは　1章　3章

免疫は、本来、**細菌**や**ウイルス**などが人体に取り込まれたときに人体を**防御する**ために生じる反応ですが、**免疫機構が過敏に反応**して好ましくない症状が引き起こされることがあります。

通常の免疫反応であれば、炎症やそれに伴う痛み、発熱等は、有害なものを体内から排除するために必要な過程ですが、アレルギーにおいては**過剰に組織に刺激を与える場合も多く**、炎症自体が過度な苦痛となります。

このように、アレルギーにより体の各部位に生じる炎症等の反応を**アレルギー症状**といいます。

アレルギーは、一般的に**あらゆる物質によって起こり得る**ものであり、医薬品の薬理作用等とは関係なく起こり得るものです。どのような物質が**アレルゲン**（抗原／アレルギーを引き起こす原因物質）となってアレルギーを生じるかは、人によって異なります。

●**よく見られる一般的なアレルギーの症状**

結膜炎症状＝流涙（りゅうるい）、日の痒（かゆ）みなど **鼻炎症状**＝鼻汁、くしゃみなど **皮膚症状**＝蕁麻疹（じんましん）、湿疹、かぶれなど **血管性浮腫（ふしゅ）**＝皮膚の下の毛細血管が拡張して局所的な腫れなどを生じる

●**主なアレルゲン（アレルギーを引き起こす原因物質）**

食品（小麦、**卵**、**乳**、そば、落花生、えび、かになど）、ハウスダスト、家庭用品が含有する化学物質や金属等、花粉（スギ、ヒノキ、ブタクサなど）

また、医薬品の有効成分だけでなく、**添加物**も**アレルゲン**となり得ることがあります。

●**アレルゲンとなり得る添加物**

黄色４号（タートラジン）、カゼイン、**亜硫酸塩**（亜硫酸ナトリウム、ピロ硫酸カリウム等）など

重篤なアレルギー性の副作用

【ショック（アナフィラキシー）】

ショック（アナフィラキシー）は、生体異物に対する即時型の**アレルギー反応**の一種です。医薬品により起こる可能性が高いのは、対象となる成分による**既往歴**のある人（過去にその医薬品でアレルギー症状を起こしたことがある人）が再度使用した場合です。

発症すると病態は**急速に悪化**することが多く、適切な対応が遅れると**チアノーゼ**や**呼吸困難**等を生じて死に至ることがあります。発症した場合、医薬品の使用者本人や家族等の冷静沈着な対応が非常に重要です。

●ショック（アナフィラキシー）の症状

◎次のような症状が複数現れる
顔や上半身の**紅潮・熱感**、皮膚の**痒み**、蕁麻疹、口唇や舌・**手足**のしびれ感、むくみ（浮腫）、吐きけ、顔面蒼白、手足の**冷感**、冷や汗、息苦しさ・胸苦しさなど

発症後の進行が非常に速く、通常、**2** 時間以内に急変するので、直ちに救急救命処置が可能な医療機関を受診する必要があります。

【皮膚粘膜眼症候群・中毒性表皮壊死融解症】

皮膚粘膜眼症候群（スティーブンス・ジョンソン症候群：**SJS**）と**中毒性表皮壊死融解症**（**TEN**）は関連のある病態で、症状などには共通点がみられ、試験でもよく出題されています。
どちらも発生は非常にまれですが、一旦発症すると多臓器障害の合併症等により致命的な転帰をたどることがあるため、重要です。

発症機序の詳細は不明で、**発症の予測は困難**ですが、関連が疑われる医薬品を使用した後に次のような症状が持続する場合には、**直ちに受診**することが必要です。いずれも原因医薬品の使用開始後 **2 週間**以内に発症することが多いですが、**1 ヶ月**以上経ってから起こることもあります。

●皮膚粘膜眼症候群・中毒性表皮壊死融解症の症状

- 発熱：**38**℃以上の高熱
- **目**の症状：目の充血、目やに（眼分泌物）、まぶたの腫れ、目が開けづらい
- 粘膜の症状：口唇の違和感、口唇や陰部のただれ
- 痛み：排尿・排便時の痛み、喉の痛み
- 皮膚の症状：**広範囲**の皮膚の発赤

＊相違点については⇒ p.20 ～ 21。

ショック（アナフィラキシー）やSJS、TEN等の**重篤なアレルギー性の副作用を引き起こす可能性のある成分**として「手引き」の本文に記載されているもののうち、試験にもよく出る代表的なものは下表のとおりです。

■アレルギー性の副作用を起こすことのある主な成分

解熱鎮痛成分（生薬成分を除く）	**かぜ薬**に配合 ＊「使用上の注意」では、配合成分によらず共通に記載されている
ポビドンヨード、ヨウ化カリウム、ヨウ素（**ヨウ素系殺菌消毒成分**）	**ヨウ素**に対するアレルギーのある人は使用を避ける ＊外用薬として用いた場合でも、まれに生じる
クロルヘキシジングルコン酸塩（殺菌消毒成分）	**口腔内**に適用される場合
タンニン酸アルブミン（止瀉成分）	**牛乳**にアレルギーがある人は使用を避ける ＊アルブミンが**牛乳**由来であるため
ロペラミド塩酸塩（止瀉成分）	・一般用医薬品に15歳未満の小児の適用はない ・乗物や機械類の運転操作を避ける ・**授乳婦**は使用を避けるか、使用期間中の**授乳**を避ける
ブチルスコポラミン臭化物（抗コリン成分）	・乗物や機械類の運転操作を避ける ・**排尿困難**の人、心臓病または**緑内障**の診断を受けた人は要相談
炭酸水素ナトリウムを主剤とする坐剤	直腸内で炭酸ガスの微細な気泡を発生して直腸を刺激する
リドカイン、リドカイン塩酸塩、アミノ安息香酸エチル、ジブカイン塩酸塩（局所麻酔成分）	坐剤・注入軟膏に配合
メキタジン（抗ヒスタミン成分）	肝機能障害、血小板減少を生じることがある

なお、「手引き」の第5章「別表5-1」にも一度は目を通しておきましょう。

アレルギー薬

【内服薬（鼻炎用内服薬を含む）】

内服アレルギー用薬は、蕁麻疹・湿疹・かぶれ、これらに伴う皮膚の痒み、鼻炎に用いられる内服薬の総称で、**ヒスタミン**の働きを抑える作用を示す成分（**抗ヒスタミン成分**）を主体として配合されています。

ここでは、主成分である抗ヒスタミンについて押さえておきましょう。

■主な抗ヒスタミン成分

成分名	注意事項
クロルフェニラミンマレイン酸塩、カルビノキサミンマレイン酸塩、クレマスチンフマル酸塩、**ジフェンヒドラミン塩酸塩**、ジフェニルピラリン塩酸塩、ジフェニルピラリンテオクル酸塩、トリプロリジン塩酸塩、**メキタジン**、アゼラスチン、エメダスチン、ケトチフェンフマル酸塩、エピナスチン塩酸塩、フェキソフェナジン塩酸塩、ロラタジン等	・服用後は、乗物や機械類の**運転操作を避ける** ・**抗コリン作用**もあるため、**排尿困難**の症状がある人、**緑内障**の診断を受けた人では、症状の悪化を招くおそれがあるため「**相談すること**」とされる

上記の抗ヒスタミン成分のうち、次の成分については特に注意が必要で、試験でもよく出題されますので、しっかり確認しておきましょう。

■特に注意が必要な成分

成分名	注意事項
メキタジン	まれに重篤な副作用として**ショック（アナフィラキシー）**、肝機能障害、血小板減少を生じることがある
ジフェンヒドラミン塩酸塩、ジフェンヒドラミンサリチル酸塩等の**ジフェンヒドラミン**を含む成分	吸収されたジフェンヒドラミンの一部が乳汁に移行して乳児に**昏睡**を生じるおそれがあるため、**母乳**を与える女性は使用を避けるか、使用する場合には**授乳**を避ける

なお、**内服アレルギー用薬**には抗ヒスタミン成分のほか、**抗炎症成分**、**アドレナリン作動成分**、**抗コリン成分**、**生薬**なども配合されます。これらの詳細については、「手引き」に目を通しておきましょう。

【鼻に用いる薬（点鼻薬）】

点鼻薬は、急性鼻炎、**アレルギー性鼻炎**、副鼻腔炎による諸症状のうち、鼻づまり、鼻みず（鼻汁過多）、くしゃみ、頭重（頭が重い）の緩和を目的として、鼻腔内に適用される**外用液剤**です。

鼻炎用内服薬との主な違いは、主体となる成分が**アドレナリン作動成分**であるという点です。抗ヒスタミン成分や抗炎症成分を組み合わせて配合されていても、それらは鼻腔内における**局所的な作用**を目的としています。

【眼科用薬（点眼薬）】

眼科用薬は、目の疲れ・かすみ・痒みの緩和等を目的として、結膜嚢（のう）に適用する外用薬（点眼薬、洗眼薬、コンタクトレンズ装着液）です。

アレルギー用点眼薬は、花粉、ハウスダスト等のアレルゲンによる目のアレルギー症状（流涙、目の痒み、結膜充血等）の緩和を目的とし、**抗ヒスタミン成分**や抗アレルギー成分等が配合されているものです。

■アレルギー用点眼薬

	作用	成分名	注意点
抗ヒスタミン成分	ヒスタミンの働きを抑えることにより、目の痒みを和らげる	ジフェンヒドラミン塩酸塩、クロルフェニラミンマレイン酸塩、ケトチフェンフマル酸塩等	鼻炎用点鼻薬と併用すると**眠気**が現れることがあるため、乗物や機械類の運転操作を避ける
抗アレルギー成分 ＊通常、抗ヒスタミン成分と組み合わせて配合される	結膜充血、痒み、かすみ、流涙、異物感を緩和する	**クロモグリク酸ナトリウム**（肥満細胞からのヒスタミン遊離を抑える）	まれに重篤な副作用として、**アナフィラキシー**を生じることがある

そのほか、アレルギーに関して試験でよく出る内容をチェックしておきましょう。

■ **チェックリスト**

- □ アレルギーには**体質的・遺伝的**な要素もある。
- □ アレルギーは、内服薬だけでなく**外用薬**等でも引き起こされることがある。
- □ アレルギー性皮膚炎の発症部位は、医薬品の接触部位に**限定**されない。
- □ 薬疹は医薬品の使用後１～２週間で起きることが多いが、長期使用後に現れることも**ある**。
- □ 薬疹はアレルギー体質の人や以前に薬疹を起こしたことがある人で生じやすいが、それまで薬疹を経験したことがない人であっても、**暴飲暴食**や**肉体疲労**が誘因となって現れることがある。
- □ 一般用医薬品のアレルギー用薬（鼻炎用内服薬を含む）は、一時的な症状の緩和に用いられるものであり、**長期の連用**は避ける。
- □ 皮膚症状が治まると喘息が現れるというように、種々のアレルギー症状が**連鎖的**に現れることがある。
- □ 一般用医薬品（漢方処方製剤を含む）には、アトピー性皮膚炎による慢性湿疹等の治療に用いることを**目的**とするものはない。
- □ カプセルの原材料として広く用いられているゼラチンはブタなどのタンパク質を主成分としているため、**ゼラチン**に対してアレルギーを持つ人は使用を避けるなどの注意が必要である。

ゴロ合わせ

ニュース！今世紀最大事件、ヒドラがほ乳類に！?
（乳児）（昏睡）（ジフェンヒドラミン）（母乳に）

見に行こう！
（移行）

「マーク問題」はこれだけ！

「手引き」に登場する「マーク」は多くないが、名称が似ているものは混乱しがちである。相違点を確認しながら学習しよう。

世の中にはさまざまなマークがあふれていますが、登録販売者として知っておくべきマークは限られています。

「手引き」に記載のマークを用いた出題がみられますので、マークとその名称、意味する内容について確認しておきましょう。

保健機能食品等に付されるマーク

「手引き」には、健康増進法に基づく**特別用途食品**、**特定保健用食品**、**条件付き特定保健用食品**に付されるマークが３つ掲載されています。

マークの上部には、いずれも「**消費者庁許可**」と明示されています。

試験では、マークそのものについて問うもの、マークとその意味をセットにして問うもの、それぞれの内容について問うものがあります。

マークと定義をあわせて頭に入れておけば万全です！

◆**食品とは？**

食品安全基本法、**食品衛生法**において、「食品とは、**医薬品**、**医薬部外品**及び**再生医療等製品**以外のすべての飲食物をいう」と規定されている。

なお、**食品**として販売されるものについて、健康の保持増進効果等について虚偽または誇大な表示をすることは、**健康増進法**で禁じられている。

■保健機能食品等

特別用途食品 （特定保健用食品を除く） 	乳児、幼児、妊産婦または病者の**発育**または**健康保持**もしくは回復の用に供することが適当な旨を医学的・栄養学的表現で記載し、かつ用途を限定したもの	・**健康増進法**に基づく許可または承認を受け、「特別の用途に適する旨の表示」をする食品 ・**消費者庁**の許可等のマークが付されている ・病者用食品、妊産婦、授乳婦用、乳児用、えん下困難者用
特定保健用食品 	食生活において**特定の保健**の目的で摂取することによりその目的が期待できるもの	・**健康増進法**に基づく許可または承認を受けて、食生活において特定の保健の目的で摂取する者に対し、その摂取により当該保健の目的が期待できる旨の表示をする食品 ・**個別**に生理的機能や特定の保健機能を示す有効性や安全性等に関する審査を受け、許可又は承認の取得が必要 ・**消費者庁**の許可等のマークが付されている
条件付き特定保健用食品 	有効性の**科学的根拠**が特定保健用食品のレベルに達しないものの、一定の有効性が確認されるもの	・**限定的**な科学的根拠である旨の表示を条件として許可 ・**消費者庁**の許可等のマークが付されている

栄養機能食品、**機能性表示食品**、いわゆる**健康食品**についても、定義と内容を確認しておきましょう。

■栄養機能食品・機能性表示食品等

栄養機能食品	1日当たりの摂取目安量に含まれる栄養成分量が基準に適合し、食品表示基準第2条第1項第11号の規定に基づき**栄養成分機能**が表示されたもの	・消費者庁長官の許可は**必要ない** ・「消費者庁長官の**個別審査**を受けたものではない旨」の表示義務 ・当該栄養成分摂取での注意事項を適正に表示
機能性表示食品	・**食品表示基準**（食品表示法第4条第1項の規定に基づく）に規定されている食品 ・事業者の責任において**科学的根拠**に基づいた機能性を表示し、販売前に安全性及び機能性の根拠に関する情報が**消費者庁長官**に届け出られたもの	・**特定**の保健の目的が期待できる（健康の維持・増進に役立つ）という食品の機能性表示は可能 ・**消費者庁長官**の個別の許可を受けたものではない
いわゆる健康食品	・「健康食品」という単語は、法令で定義された用語ではない ・法や食品衛生法等における取扱いは**一般食品**と同じ	特定の保健の用途に適する旨の効果等が表示・標榜または製品中に医薬品成分が検出される場合は**無承認無許可**医薬品とされ、取締りの対象となる

特定保健用食品、栄養機能食品、機能性表示食品を総称して**保健機能食品**という。また、特定保健用食品は、**特別用途食品制度**と**保健機能食品制度**の両制度に位置づけられている。

保健機能食品等について、ざっと頭に入ったでしょうか。ではここで、**試験に頻出の大事なポイント**についておさらいしておきましょう。それは、「**消費者庁長官の許可の有無**」です。

具体的な内容はやや複雑なのですが、よく出る問題をまとめましたので、最低限、このポイントだけはチェックしておきましょう。

問題

◎**特別用途食品**には、消費者庁の許可等のマークが付されている。（答：〇）

◎**栄養機能食品**は、栄養成分の機能表示に関して、消費者庁長官の許可は要さない。（答：〇）

◎**機能性表示食品**は、特定保健用食品とは異なり、消費者庁長官の個別の許可を受けたものではない。（答：〇）

◎**機能性表示食品**は、販売前に安全性及び機能性に関する審査を受け、消費者庁長官の許可を取得する必要がある。（答：×）

毒薬・劇薬

4章

毒薬とは、法第44条第1項の規定に基づき、**毒性が強いもの**として厚生労働大臣が薬事・食品衛生審議会の意見を聴いて指定する医薬品をいいます。

毒薬については、それを収める直接の容器等（容器または被包）に、**黒地に白枠、白字**をもって、当該医薬品の品名及び「**毒**」の文字が記載されていなければならない（法第44条第1項）。

劇薬とは、法第44条第2項の規定に基づき、**劇性が強いもの**として厚生労働大臣が薬事・食品衛生審議会の意見を聴いて指定する医薬品をいいます。

劇薬については、容器等（容器または被包）に、**白地に赤枠、赤字**をもって、当該医薬品の品名及び「**劇**」の文字が記載されていなければならない（法第44条第2項）。

毒薬・劇薬については、マークというより表記の決まりともいえます。文章で覚えるよりも、上記のマークをイメージした方が覚えやすいでしょう。ただし、

「手引き」では文章で記載されていますし、**試験でも文章で出題**されますので、下線部の赤色の文字に着目して違いを押さえておきましょう。

毒薬は「黒と白」なので、**「毒薬飲んで、お葬式」**、劇薬は「赤と白」なので、**「劇は喜劇でおめでたい」**などと覚えておくのもオススメ。

 使用上の注意に記載されるマーク 

一般用医薬品の添付文書に記載される「**使用上の注意**」は、「**してはいけないこと**」「**相談すること**」「**その他の注意**」から構成され、適正使用のために重要と考えられる項目が前段に記載されています。

「使用上の注意」「してはいけないこと」「相談すること」の各項目の見出しには、多くはそれぞれ例示された標識的マークが付されています。

使用上の注意：		使用上の注意
してはいけないこと：		してはいけないこと
相談すること：		相談すること

「使用上の注意」について問う問題パターンは２つあります。**マークを提示してマークそのものについて問う**ものと、それぞれの**内容について文章で問う**ものです。

(1) マークそのものについて問う問題

「**正しいマークを1つ提示**して、**それが示す項目を選択肢から選ぶ問題**」や、「**正誤が混在する5つのマークと項目の組合せを選択肢として提示**し、その中から**正しいものを選ぶ問題**」などがあります。

いずれも、**正しいマークを知っていればすぐに解けるサービス問題**といえます。

(2) それぞれの内容について文章で問う問題

「してはいけないこと」と「相談すること」について、その内容が問われます。「手引き」には具体的な内容が詳細に記載されていますが、最低限、下線の部分だけは覚えておきましょう。

してはいけないこと

「してはいけないこと」には、守らないと症状が**悪化**する事項、**副作用**または事故等が起こりやすくなる事項について記載されています。

相談すること

「相談すること」には、次の2種類があります。

①「**医薬品を使用する前**」に相談すること

その医薬品の**使用の適否について**専門家に相談**した上で適切な判断がなされるべきである場合**について記載するもの。

②「**医薬品を使用したあと**」に相談すること

その医薬品を使用したあとに、**副作用と考えられる症状等を生じた場合**や、**症状の改善がみられない場合**について、いったん使用を中止した上で適切な対応が円滑に図られるようにするための注意点。

添付文書に記載される「**その他の注意**」には、**容認される軽微なもの**について、「次の症状が現れることがある」として記載されている。標識的マークはない。

攻略パターン10

重要な定義はこれ！

登録販売者の試験では、定義についてもよく問われる。その中でもよく問われている定義を確認しておこう。

セルフメディケーション

近年、**セルフメディケーション**への関心が高まるとともに、**健康補助食品**（いわゆる**サプリメント**）などが**健康推進・増進**を目的として広く**国民**に使用されるようになりました。

ときには1問丸ごとの問題として出題されている**世界保健機関**（**WHO**）による**セルフメディケーション**の定義を下の問題を使って確認してみましょう。

問題

世界保健機関（WHO）によれば、セルフメディケーションとは、「自分自身の（　a　）に責任を持ち、（　b　）な身体の不調は自分で（　c　）すること」とされている。

	a	b	c
1	健康	軽度	手当て
2	健康	重度	予防
3	健康	軽度	予防
4	生活	重度	手当て
5	生活	軽度	予防

（答：1）

できましたか？　なお、登録販売者は、セルフメディケーションの的確な推進のため、一般用医薬品等に関する**正確**で**最新**の知識を常に修得するよう心がけるとともに、地域医療を支える医療スタッフや行政などと連携し、地域住民の**健康維持・増進、生活の質**（**QOL**）**の改善・向上**などに携わることが望まれています。

医薬品の副作用

医薬品等の副作用についてはさまざまな形で問われています。それぞれ重要なものが多いのでしっかりと確認しておくことが必要ですが、ここでは世界保健機関（WHO）による**医薬品の副作用についての定義**を確認しておきましょう。

問題

世界保健機関（WHO）の定義によれば、医薬品の副作用とは、「疾病の予防、診断、（　a　）のため、又は身体の機能を正常化するために、人に（　b　）で発現する医薬品の有害かつ（　c　）反応」とされている。

	a	b	c
1	治療	通常用いられる量	意図しない
2	検査	最大用いられる量	予測できる
3	治療	最大用いられる量	意図しない
4	検査	通常用いられる量	予測できる
5	治療	通常用いられる量	予測できる

（答：1）

この問題は上のように**穴埋め形式で1問丸ごと**問われることもありますし、**医薬品の副作用に関する問題の1つの肢**として出題されていることもあります。どちらにしても（　　）となっている部分をキーワードとしてしっかり覚えておけば対応できますね。

また、（　a　）の部分の代わりに〜〜〜の部分が問われることもありますから、「**予防、診断、治療**」とまとめて覚えておきましょう。

医薬品に関する定義

●医薬品

医薬品についての定義はいくつかありますが、まずは、医薬品医療機器等法による**医薬品の定義**を確認しておきましょう。**下の３点を満たすもの**が医薬品です。

◎**日本薬局方**に収められている物
⇒収載されている医薬品の中には、**一般用医薬品**として販売されている、または**一般用医薬品**の中に配合されているものも少なくない
◎人または動物の疾病の**診断**、**治療**、**予防**を目的とする物（機械器具等を除く）
⇒医薬品の多くが該当。**検査薬**、**殺虫剤**、器具用消毒薬など、人の身体に直接使用されない医薬品を含む
◎人または動物の身体の**構造**や**機能**に影響を及ぼすことを目的とする物（機械器具等、医薬部外品、化粧品、再生医療等製品を除く）
⇒やせ薬を標榜（ひょうぼう）したもの等、「**無承認無許可医薬品**」を含む

日本薬局方とは、厚生労働大臣が薬事・食品衛生審議会の意見を聴いて、保健医療上重要な医薬品について、必要な規格・基準及び標準的試験方法等を定めたもの。

●一般用医薬品と要指導医薬品

一般用医薬品と**要指導医薬品**の定義も一緒に確認しておきましょう。

一般用医薬品
医薬品のうち、その効能及び効果において**人体に対する作用が著しくないもの**で、薬剤師その他の医薬関係者から**提供された情報に基づく需要者の選択により使用される**ことが目的とされているもの（**要指導医薬品**を除く）

要指導医薬品

法４条５項３号のイからニに掲げる医薬品（主に**動物**に使用されるものを除く）のうち、

◎その効能及び効果において**人体に対する作用が著しくないもの**で、薬剤師その他の医薬関係者から**提供された情報に基づく需要者の選択により使用される**ことが目的とされているもの

◎適正な使用のために**薬剤師**の**対面による情報の提供**及び**薬学的知見に基づく指導**が行われることが必要なものとして、**厚生労働大臣**が**薬事・食品衛生審議会の意見を聴いて指定**するもの

法4条5項3号のイからニに掲げる医薬品に含まれるのは、**スイッチ直後の医薬品**や、**毒薬・劇薬**等。

どちらも「人体に対する作用が**著しくなく**、薬剤師等から提供された情報に基づいて、**必要とする者**が選択し、使用される」ことを目的とした医薬品です。

ちなみに、**医療用医薬品**は「医師もしくは歯科医師によって使用され、またはこれらの者の処方箋もしくは指示によって使用されることを目的として供給される」もの。

●一般用医薬品のリスク区分

一般用医薬品は、**保健衛生上のリスク**に応じて、３つに区分されています。この区分についても確認しておきましょう。

ここでチェックしておきたいのは、それぞれの医薬品がもたらす「**副作用等の健康被害の程度**」や「**厚生労働大臣の指定の有無**」です。

■リスク区分

分類	リスク	内容
第一類医薬品	特に高い	その副作用等により**日常生活に支障を来す程度**の健康被害が生ずるおそれがある医薬品のうち、その使用に関し特に注意が必要なものとして**厚生労働大臣が指定する**もの（承認を受けてから一定期間を経過していないものを含む）
第二類医薬品	比較的高い	その副作用等により**日常生活に支障を来す程度**の健康被害が生ずるおそれがある医薬品（**第一類医薬品**を除く）であり、**厚生労働大臣が指定する**もの
第三類医薬品	比較的低い	第一類医薬品、第二類医薬品以外の一般用医薬品。日常生活に支障を来す程度ではないが、副作用等により**身体の変調・不調**が起こるおそれがある（**厚生労働大臣による指定はない**）

第二類医薬品のうち、「特別の注意を要するもの」として**厚生労働大臣が指定**するものを指定第二類医薬品という。

リスク区分の変更についても、よく問われています。一緒に確認しておきましょう。

問題

◎一般用医薬品は、その保健衛生上のリスクに応じて区分されており、リスク区分は変更されることはない。（答：×）

◎一般用医薬品のリスク区分は、安全性に関する新たな知見や副作用の発生状況等を踏まえ、変更されることがある。（答：○）

常識的に考えても、区分指定しっぱなし、ということはなさそうなのはわかりますね。では、どんなときに見直され、区分変更されるのかはわかりますか？確認しておきましょう。

新たに一般用医薬品になった医薬品は、承認後、一定期間は**第一類医薬品**に分類されますが、その間の評価に基づいて、第二類医薬品、第三類医薬品に分類し直されることがあります。

また、第三類医薬品が**日常生活に支障を来すほどの副作用が生じるおそれ**があることが明らかになった場合、第一類医薬品、第二類医薬品に変更されることもあります。

この**リスク区分の見直しは適宜**（てきぎ）行われ、必要に応じて、**厚生労働大臣**が**分類指定を変更**しなければならないことになっています。**適宜行われる**の部分が「定期的に」見直される、という**ひっかけ問題**も見られますので注意が必要です。

●医薬部外品と化粧品

一般用医薬品については確認できましたね。では「**医薬部外品**」についても確認しておきましょう。

◎医薬部外品

・次のイからハまでに掲げる目的のために使用される物（医薬品、機械器具等を除く）で、人体に対する作用が**緩和**なもの

イ　吐きけその他の不快感、または口臭、体臭の防止

ロ　あせも、ただれ等の防止

ハ　脱毛の防止、育毛または除毛

・人または動物の保健のために、ねずみ、はえ、蚊、のみその他これらに類する生物の**防除**の目的のために使用される物（医薬品、機械器具等を除く）

・上記の目的のために使用される物のうち**厚生労働大臣**が指定するもの

主な該当商品は、**薬用歯みがき剤**、**制汗スプレー**、薬用クリーム、ベビーパウダー、**育毛剤**、**染毛剤**、入浴剤、薬用化粧品、**薬用石けん**などです。

一緒に問われることもある**化粧品の定義**についても確認しておきましょう。

化粧品は、人の身体を**清潔**にし、**美化**し、魅力を増し、容貌(ようぼう)を変え、または皮膚若しくは毛髪を**健やかに保つ**ために、身体に塗擦、散布その他これらに類似する方法で使用されることが目的とされている物で、人体に対する作用が**緩和**なもの。

化粧品は、医薬品のように「人の疾病の**診断**、**治療**、**予防**に使用されるもの」や「人の身体の**構造・機能**に影響を及ぼすことを目的とするもの」は含まれず、**医薬品的な効能効果を表示・標榜(ひょうぼう)することは一切認められていません**。

同様に、医薬品が化粧品的な効能効果を表示・標榜することも、承認された効能効果に含まれる場合を除き、**適当でない**とされています。

ただし、**医薬部外品**には化粧品的効能効果を標榜することを認められているものがあります。**薬用化粧品**、**薬用石けん**、**薬用歯みがき**等が認められていますのでできれば頭に入れておきましょう。

●生物由来製品

最後に、生物由来製品についても確認しておきましょう。

生物由来製品は、**人**その他の**生物**（**植物**を除く）に由来するものを原料または材料として製造（**小分け**を含む）される医薬品、医薬部外品、化粧品または医療機器のうち、保健衛生上**特別の注意**を要するものとして、**厚生労働大臣**が薬事・食品衛生審議会の意見を聴いて指定するものである。

生物由来製品は、製品の使用による**感染症の発生リスク**に着目して指定されています。そのため、生物由来の原材料が用いられているものでも、現在の科学的知見において、**感染症**の発生リスクが低いものは、指定の対象となりません。

一般用医薬品、要指導医薬品、医薬部外品、化粧品には、生物由来の原材料が用いられているものがあるが、現在のところ、**生物由来製品として指定されたものはない**。

定番の法律問題を攻略しよう！

手引きを読んだだけでは理解しにくい法律部分から、試験で特によく問われる部分をまとめて確認しておこう。

医薬品医療機器等法の目的

「医薬品、医療機器等の品質、有効性及び安全性の確保等に関する法律」は「**医薬品医療機器等法**」「**薬機法**」などと略されます（以下、「法」)。一般用医薬品の販売に関連する法令のなかでも最も重要な法令です。

法第１条は、「薬事に関する法規と制度」の１問目として**特に頻出**です。

問題 超頻出

第一条　この法律は、医薬品、医薬部外品、化粧品、医療機器及び再生医療等製品（以下「医薬品等」という。）の品質、有効性及び安全性の確保並びにこれらの使用による保健衛生上の危害の発生及び（　a　）のために必要な規制を行うとともに、（　b　）の規制に関する措置を講ずるほか、医療上特にその必要性が高い医薬品、医療機器及び再生医療等製品の研究開発の促進のために必要な措置を講ずることにより、（　c　）を図ることを目的とする。

	a	b	c
1	まん延の予防	指定薬物	保健衛生の向上
2	まん延の予防	向精神薬	健康の保持
3	拡大の防止	指定薬物	健康の保持
4	拡大の防止	向精神薬	保健衛生の向上
5	拡大の防止	指定薬物	保健衛生の向上

（答：**5**）

どうでしょうか。〜〜の部分は他に**よく穴埋めで問われている場所**です。かなりのバリエーションがあることがわかりますね。ここはできれば**第１条全体を暗記**するほど押さえておきたいですね。

どのような規制や措置を講ずることにより、保健衛生の向上を図るのかを頭に置いて覚えましょう。

「医薬品等」といわれるのは、医薬品、医薬部外品、化粧品、医療機器、再生医療等製品。また、法には、国民は、医薬品等の適正な使用と、これらの有効性及び安全性に関する知識と理解を深めるよう努めなければならないことも定められている。

医薬部外品・化粧品の製造販売

薬用化粧品や薬用石けんは**医薬部外品**です。医薬部外品の定義については攻略パターン 10 で確認しましたね。間違いやすい部分ですので、問題を見ながら確認しておきましょう。

問題

◎医薬部外品を製造販売する場合には、医薬部外品製造販売業の許可が必要であり、厚生労働大臣が基準を定めて指定するものを除き、品目ごとに承認を得る必要がある。（答：○）

◎薬局の開設または医薬品の販売業の許可を受けていない一般小売店において医薬部外品を販売する場合には、医薬部外品販売業の届出が必要である。（答：×）

医薬部外品の製造販売には**製造販売業の許可**が必要です。また、**厚生労働大臣**が基準を定めて指定するものを除いて、**品目ごと**に**厚生労働大臣**の承認を得る必要があります。

その一方で、販売等については、**販売業の許可は必要なく**、一般小売店で販売することができます。

また、薬用歯みがき等の直接の容器または、直接の被包に「**医薬部外品**」という表示があるのを見たことがあるのではないでしょうか。医薬部外品にはこの表示が**義務づけ**られています。

では化粧品はどうでしょうか。

化粧品の製造販売には、**製造販売業の許可**を受けた者が品目ごとの**届出**を行うことが必要です。**厚生労働大臣**が指定する成分を含有する場合は、**品目ごと**の承認を得る必要があります。

化粧品の販売等も、医薬部外品同様、**販売業の許可は必要なく**、一般小売店で販売することができます。ただし、**医薬品**的な効能効果の表示・標榜（ひょうぼう）がなされた場合には、**虚偽または誇大な広告**に該当し、その内容によっては医薬品または医薬部外品とみなされ、無承認無許可医薬品または無承認無許可医薬部外品として、**取り締まりの対象**となります。

■医薬部外品と化粧品の製造販売

製造販売業の許可と必要な承認等		販売業の許可
要 （品目ごとに承認）	**医薬部外品**	不要
要 （品目ごとに届出、指定成分を含有する場合は承認）	**化粧品**	不要

医薬品の販売許可と分割販売

ここでは、販売に関する法の決まりを確認します。

法では、**薬局開設者**または医薬品の**販売業の許可**を受けた者でなければ、業として医薬品を**販売・授与**、または販売・授与の目的で**貯蔵**、もしくは**陳列**（**配置**を含む）してはならないと定められています。

医薬品の販売業の許可は、**店舗販売業**の許可、**配置販売業**の許可、**卸売販売業**の許可に分かれています。このうち、一般の生活者に対して医薬品を販売等することができるのは、**店舗販売業**及び**配置販売業**の許可を受けた者のみです。

これらの許可は、**6**年ごとに更新を受けなければ、その**期間の経過**により効力を失う。

薬局における医薬品の販売行為は、**業務に付随して行われる**ので、医薬品販売業の許可は**必要としません**（ただし、薬局開設の許可は必要）。

また、**薬局**、**店舗販売業**、**卸売販売業**は、特定の購入者の求めに応じて、医薬品の包装を開封して**分割販売することができます**（配置販売業では不可）。ただし、医薬品を**あらかじめ小分けしておいて販売することはできません**。

■販売許可と販売方法等

	医薬品販売業の許可	一般生活者への販売等	販売・授与等	分割販売
薬局	不要	○	店舗のみ	○
店舗販売業	要	○	店舗のみ	○
配置販売業	要	○	配置のみ	×
卸売販売業	要	×	−	○

店舗販売業は「**ドラッグストア**」等、配置販売業は家庭や会社等への「**置き薬**」、卸売販売業者は、「**病院や薬局等へ販売等**」とイメージすると覚えやすくなる。

販売業態ごとの許可、販売できる医薬品の品目、管理者の関係は下の表で確認しておきましょう。

■販売業態と品目・管理者

	許可	販売品目	管理者等
薬局	**都道府県知事**（**保健所**設置市または特別区では市長または区長）	・**医療用医薬品**、要指導医薬品、一般用医薬品 ・**調剤**可能	・開設者が薬剤師の場合は、**開設者**または実務に従事する薬剤師から指定、開設者が薬剤師でない場合は、実務に従事する薬剤師から指定
店舗販売業	店舗ごとに所在地の**都道府県知事**（**保健所**設置市または特別区では市長または区長）	・要指導医薬品、一般用医薬品	・要指導医薬品または第一類医薬品を販売・授与する場合は、**薬剤師** ・第二類医薬品または第三類医薬品を販売・授与する場合は、**薬剤師**または**登録販売者**
配置販売業	配置しようとする区域を含む**都道府県**ごとの都道府県知事	・一般用医薬品のうち経年劣化しにくいもの	・第一類医薬品の配置販売は、**薬剤師** ・第二類医薬品または第三類医薬品配置販売は、**薬剤師**または**登録販売者**

この他に、地域における地域連携薬局、専門医療機関連携薬局、健康サポート薬局などもある。

薬局における薬剤師不在時間

「**薬剤師不在時間等**」についても、ここでさっと確認しておきましょう。

■ チェックリスト

- □ 開店時間のうち、当該薬局において調剤に従事する薬剤師が当該薬局以外の場所においてその業務を行うため、**やむを得ず**、かつ**一時的**に当該薬局において薬剤師が不在となる時間を**薬剤師不在時間**という。
- □ あらかじめ予定されている**定期的**な業務によって恒常的に薬剤師が不在となる時間は薬剤師不在時間とは認められないため、当該薬局における調剤応需体制を確保する必要がある。
- □ **薬局開設者**は、薬剤師不在時間内は、調剤室を**閉鎖**するとともに、調剤に従事する薬剤師が不在のため調剤に応じることができない旨等、薬剤師不在時間に係る掲示事項を当該薬局内の**見やすい場所**及び当該薬局の**外側**の見やすい場所に掲示しなければならない。
- □ 薬剤師不在時間内であっても、登録販売者が販売できる医薬品は、**第二類医薬品**、**第三類医薬品**である。
- □ 薬剤師不在時間内は、薬局開設者は、**調剤室**を閉鎖するとともに、**要指導医薬品**陳列区画または**第一類医薬品**陳列区画を閉鎖しなければならない。

リスク区分に応じた販売　4章

●販売従事者等

■リスク区分と販売従事者

分類	販売・授与する者
要指導医薬品	薬剤師
第一類医薬品	薬剤師
第二類医薬品及び第三類医薬品	薬剤師または登録販売者

要指導医薬品について重要なポイントは、**薬剤師**が販売・授与することに加えて、その要指導医薬品を使用する者以外には正当な理由なく**販売・授与してはならない**ということ（薬剤師、医師等を除く）です。

また、**薬局開設者**は、薬局医薬品、要指導医薬品または第一類医薬品を販売・授与したとき、**店舗販売業者**は、要指導医薬品または第一類医薬品を販売・授与したとき、**配置販売業者**は、第一類医薬品を配置したときは、次に掲げる事項を書面に記載し、**2年間保存**しなければなりません。

・品名　・数量　・販売、授与、配置した**日時**
・販売、授与、配置した薬剤師の**氏名**、情報提供を行った薬剤師の**氏名**
・医薬品の購入者等が情報提供の内容を理解したことの**確認**の結果

なお、第二類医薬品、第三類医薬品については**努力義務**であり、保存年数の決まりはない。

●情報提供

医薬品の販売にあたっては**リスク区分に応じた情報提供**がなされなければなりません。情報提供は店舗内等の情報提供を行う場所で行われますがまとめると下表のようになります。また、薬局開設者または店舗販売業者は、要指導医薬品を使用しようとする者が**お薬手帳**を所持しない場合は、所持を勧奨することとされており、要指導医薬品・第一類医薬品を使用する者が**お薬手帳**を所持する場合は、必要に応じ、**お薬手帳**を活用した情報提供・指導を行わせることとなっています。

■リスク区分と情報提供

リスク区分	対応する専門家	購入者側から質問等がなくても行う積極的な情報提供	情報提供を行う場所	購入者側から相談があった場合の応答
要指導医薬品	薬剤師	**対面**により、書面を用いた情報提供及び**薬学的知見**に基づく指導を義務づけ	当該薬局または店舗内の情報提供を行う場所（配置販売の場合は医薬品を配置する場所）	**義務**
第一類医薬品	薬剤師	**書面**を用いた情報提供を義務づけ	当該薬局または店舗内の情報提供を行う場所（配置販売の場合は医薬品を配置する場所）	**義務**
第二類医薬品	薬剤師または登録販売者	**努力義務**	当該薬局または店舗内の情報提供を行う場所（配置販売の場合は医薬品を配置する場所）	**義務**
第三類医薬品	薬剤師または登録販売者	法上の規定は特になし	当該薬局または店舗内の情報提供を行う場所（配置販売の場合は医薬品を配置する場所）	**義務**

リスク区分に応じた陳列等

リスク区分に応じた陳列のポイントは、**分ける**ことと、**リスクの高いものは購入者等の手にふれないところに置く**ことです。

■ チェックリスト

薬局及び店舗販売業の場合（薬局開設者または店舗販売業者）

- □ 医薬品は食品（保健機能食品を含む）、医薬部外品、化粧品など、他の物と**区別**して貯蔵・陳列しなければならない。
- □ **要指導医薬品、一般用医薬品（第一類医薬品、第二類医薬品、第三類医薬品）**を**混在**しないように陳列しなければならない。
- □ 要指導医薬品または一般用医薬品を販売・授与しない時間は、通常陳列・交付する場所を**閉鎖**しなければならない（**鍵**をかけたそれぞれの陳列設備に陳列している場合を除く）。
- □ **要指導医薬品**及び**第一類医薬品**は、それぞれの陳列区画の内部の設備に陳列しなければならない（要指導医薬品及び第一類医薬品を、①**鍵をかけた陳列設備**に陳列している場合、②購入者等が**直接手を触れることのできない陳列設備**に陳列している場合を除く）。
- □ **指定第二類医薬品**は、「**情報提供**を行うための設備」から **7** メートル以内の範囲に陳列しなければならない（①**鍵**をかけた陳列設備に陳列する場合、②指定第二類医薬品を陳列する陳列設備から **1.2** メートルの範囲に、購入しようとする者等が進入することができないようになっている場合を除く）。

なお、**配置販売業者**も、医薬品は他の物と区別して貯蔵・陳列し、一般用医薬品はその**区分**ごとに陳列しなければなりません。また、配置の際も**区分**ごとに**混在させない**ようにしなければなりません。

指定第二類医薬品の陳列範囲は「情報提供を行うための設備」から10メートル以内というひっかけが多いので注意しよう。ほかに、指定第二類医薬品と第三類医薬品等を入れ替えての出題も多く見られる。

濫用等のおそれのあるもの 4章

濫用等のおそれのあるものとして**厚生労働大臣**が指定する医薬品は下のものです。**該当するものをいくつか選ぶ**問題や、**成分を並べて該当するかどうかの正誤を問う**問題など、**丸ごと1問出題される**ことの多い部分です。

- エフェドリン
- コデイン（**鎮咳去痰薬**（ちんがいきょたんやく）に限る）
- ジヒドロコデイン（**鎮咳去痰薬**に限る）
- ブロモバレリル尿素
- プソイドエフェドリン
- メチルエフェドリン（鎮咳去痰薬のうち、**内用液剤**に限る）

水和物及びそれらの塩類を有効成分として含有する製剤を含む

行政庁による監視指導と処分 4章

行政庁による監視指導及び処分に関する問題も試験では**定番の頻出問題**です。ポイントは、「**誰が**」「**誰に対して**」「**何をすることができるのか**」です。

●行政庁による監視指導

薬局及び医薬品の販売業に関する**監視指導**は基本的に、当該薬局の開設許可、販売業の許可を所管する都道府県または保健所設置市もしくは特別区の**薬事監視員**が行います。

◎**都道府県知事等**が、**薬局開設者または医薬品販売業者**に対し、させることができること

- 必要な**報告**をさせる
- **薬事監視員**を、医薬品を業務上取り扱う場所に**立ち入り**、構造設備もしくは帳

簿書類等を**検査**させ、従業員その他の関係者に**質問**させる

・**薬事監視員**に、無承認無許可医薬品、不良医薬品または不正表示医薬品等の疑いのある物を、**試験のために必要な最小分量**に限り**収去**させる

薬事監視員は、厚生労働大臣、都道府県知事、保健所設置市の市長及び特別区の区長が、その職員のうちから命じる。

●行政庁による処分

行政庁の監視指導の結果、厚生労働大臣、都道府県知事等が必要があると認めたときには、「**改善命令**等」「**業務停止命令**等」「**廃棄・回収命令**等」を命じることができます。

■改善命令等

誰が	誰に	なにをできるのか
都道府県知事等	**薬局開設者**または**医薬品販売業者**	・基準に適合しない**構造設備**の改善命令または改善されるまでの**使用禁止**命令（**配置販売業者**を除く） ・基準（体制省令）に適合しなくなった**業務体制の整備**命令（措置が不十分な場合は**改善措置**命令） ・薬事に関する法令に違反する行為があった場合、**業務運営改善**命令 ・当該薬局の開設又は販売業の許可の際に付された条件に違反する行為があった場合、**改善措置**命令
	薬局の管理者または**店舗管理者**もしくは**区域管理者**	・薬事に関する法令やその処分に違反する行為があった場合、またはその者が管理者として不適当であると認める場合、**管理者の変更**命令

基本的に**改善命令**は、都道府県知事等が、**薬局開設者**または**医薬品販売業者**に対して行う、と覚えておけばよい。**管理者の変更命令**だけは対象が異なるので注意。

■業務停止命令等

誰が	誰に	なにをできるのか
都道府県知事	配置販売業者	・配置販売業の**配置員**が業務に関して法令等に違反した場合、その配置員による配置販売の**業務停止**命令（必要に応じて**配置員**の業務停止）
都道府県知事等	薬局開設者または医薬品販売業者	・薬事に関する法令またはこれに基づく処分に違反する行為があったときや許可の基準として定める事項に反する状態に該当する場合、許可の**取り消し**、または期間を定めてその業務の全部もしくは一部の**停止**命令
厚生労働大臣	薬局開設者または医薬品販売業者	・医薬品による保健衛生上の危害の発生または拡大防止のために必要があるときは、医薬品の販売・授与の**一時停止**命令、または保健衛生上の危害の発生または拡大防止のための緊急命令（応急措置）

■廃棄・回収命令等

誰が	誰に	なにをできるのか
厚生労働大臣または都道府県知事等	医薬品を業務上取り扱う者（薬局開設者、医薬品の販売業者を含む）	・不正表示医薬品、不良医薬品、無承認無許可医薬品等について、廃棄、回収その他公衆衛生上の危険の発生防止に足りる措置を採るべきことを命ずることができる（**廃棄等**の命令） ・従わないとき、または緊急の必要があるときは、**薬事監視員**に、廃棄・回収等の必要な処分をさせることができる

行政庁による命令がなくても、医薬品等の製造販売業者等が、その医薬品等の使用により保健衛生上の危害の発生・拡大のおそれがあることを知ったときは、廃棄、回収、販売停止、情報提供、その他必要な措置を講じなければならないこととされている。

超頻出の穴埋め問題はコレだ！

穴埋め問題の多くは、「手引き」から穴埋め問題に適した文章を抜き出したもの。定番問題をがっちりと押さえておこう。

穴埋め問題では、さまざまな要素を含んだ**ひとまとまりの文章**が提示され、空欄に入る正しい字句を選択します。

バラバラの肢として問うよりも**穴埋め問題に向いている内容に限定**されますし、ほとんどが「手引き」の抜き書きに手を加えたものなので、定番問題をチェックしておけば、効率のよい得点源となるでしょう。

●医薬品のリスク評価：1章

問題

医薬品の効果とリスクは、用量と作用強度の関係（　a　）関係に基づいて評価される。投与量と効果または毒性の関係は、薬物用量の増加に伴い、効果の発現が検出されない「無作用量」から、最小有効量を経て「治療量」に至る。治療量上限を超えると、やがて効果よりも有害反応が強く発現する「中毒量」となり、「最小致死量」を経て、「致死量」に至る。（　b　）により求められる（　c　）％致死量は、薬物の毒性の指標として用いられる。

	a	b	c
1	用法－用量	臨床試験	20
2	用法－用量	動物実験	100
3	用法－用量	臨床試験	50
4	用量－反応	臨床試験	100
5	用量－反応	動物実験	50

（答：**5**）

薬物の毒性の指標である **50%致死量**を臨床試験で行うことは考えにくいですよね。ここは**動物実験**です。ただし、**GCP** は**ヒト**を対象とした**臨床試験**の実施の**基準**ですから、間違えないようにしましょう（⇒ p.26）。

■**投与量と効果の関係（投与量は左にいくほど多くなる）**

無作用量	最　小 有効量	治療量 ＊治療に用いられる	治療量 上　限	中毒量	最　小 致死量	致死量
効果が**現れない量**	効果が現れる**最小**量	効果が現れ**毒性**は**少ない量**	治療に用いられる**上限量**	効果より**毒性**が強くなる量	**死に至る**最小量	多くの人が**死に至る量**

●**食品と医薬品の相互作用：1章**

問題

アルコールは、主として肝臓で代謝されるため、酒類（アルコール）をよく摂取する者では、肝臓の代謝機能が（　a　）ことが多い。その結果、肝臓で代謝されるアセトアミノフェンなどでは、通常よりも代謝（　b　）なり、（　c　）ことがある。

	a	b	c
1	高まっている	されにくく	十分な薬効が得られなくなる
2	低下している	されにくく	作用が強く出過ぎる
3	高まっている	されやすく	十分な薬効が得られなくなる
4	低下している	されやすく	作用が強く出過ぎる
5	低下している	されにくく	十分な薬効が得られなくなる

（答：3）

代謝機能が高まっていることで**代謝されやすく**なり、その結果、**体内から医薬品が速く消失する**ことで、**十分な薬効が得られなくなる**ことがあるのです。

この問題は「**肝臓**」の部分が穴埋めで問われることもある。その場合、誤りの選択肢は「**腎臓**」とされることが多い。

●消化器系器官と消化酵素：2章

問題

胃の内壁の粘膜の表面には無数の微細な孔があり、胃酸のほか（　a　）などを分泌している。（　a　）は胃酸によって、タンパク質を消化する酵素である（　b　）となり、胃酸とともに胃液として働く。タンパク質が（　b　）によって半消化された状態を（　c　）という。

	a	b	c
1	ペプシノーゲン	ペプシン	ペプトン
2	ペプシン	ペプシノーゲン	ペプトン
3	ペプトン	ペプシノーゲン	ペプシン
4	ペプシノーゲン	ペプトン	ペプシン
5	ペプトン	ペプシン	ペプシノーゲン

（答：1）

胃の消化酵素が穴埋め問題として出題される場合は、**ほぼ、この解答パターン**です。胃酸はこの他、胃内を強酸性に保ち、内容物が腐敗や発酵を起こさないようにする役目も果たしています。

・**ペプシノーゲン**は、胃酸により**タンパク質消化酵素ペプシン**となる
・**ペプシン**によってタンパク質が半消化された状態を、**ペプトン**という

また、**膵臓(すいぞう)の消化酵素**が穴埋め問題として出題される場合は、**ほぼ**、**次のパターン**です。問題文にあるように、膵液(すいえき)は多くの**消化酵素**を含んでいます。膵臓は、**炭水化物**、**タンパク質**、**脂質のそれぞれを消化するすべての酵素の供給**を担っています。

なお、**膵臓は**消化腺**であるとともに、血糖値を調整するホルモン**（インスリン及びグルカゴン）**等を血液中に分泌する内分泌腺でもある**ことも一緒に覚えておくとよいでしょう。

問題

膵液は、消化酵素の前駆体タンパクであり消化管内で活性体である（　a　）に変換される（　b　）のほか、デンプンを分解する（　c　）（膵液（　c　））、脂質を分解する（　d　）など、多くの消化酵素を含んでいる。

	a	b	c	d
1	トリプシン	トリプシノーゲン	アミラーゼ	リパーゼ
2	トリプシノーゲン	トリプシン	リパーゼ	アミラーゼ
3	トリプシン	トリプシノーゲン	リパーゼ	アミラーゼ
4	トリプシノーゲン	トリプシン	アミラーゼ	リパーゼ

（答：1）

●**医薬品の副作用情報等の評価及び措置：5章**

問題

各制度により集められた副作用情報については、（　a　）において（　b　）の意見を聴きながら調査検討が行われ、その結果に基づき、厚生労働大臣は、（　c　）の意見を聴いて、安全対策上必要な行政措置を講じている。

	a	b	c
1	（独）医薬品医療機器総合機構	製造販売業者	厚生科学審議会
2	（独）医薬品医療機器総合機構	専門委員	薬事・食品衛生審議会
3	日本製薬団体協議会	製造販売業者	薬事・食品衛生審議会
4	日本製薬団体協議会	専門委員	厚生科学審議会
5	日本製薬団体協議会	専門委員	薬事・食品衛生審議会

（答：2）

他に、aの誤りとして「厚生労働省」、bの誤りとして「厚生労働大臣」、cの誤りとして「製造販売業者」などが用いられていますから、正しい語句を入れた問題文を繰り返し読んで、ひっかからないように注意しましょう。

●一般用医薬品に関する安全対策：5章

問題

小柴胡湯（しょうさいことう）による（　a　）については、1991年4月以降、使用上の注意に記載されていたが、その後、小柴胡湯と（　b　）製剤の併用例による（　a　）が報告されたことから、1994年1月、（　b　）製剤との併用を禁忌とする旨の使用上の注意の改訂がなされた。しかし、それ以降も慢性肝炎患者が小柴胡湯を使用して（　a　）が発症し、死亡を含む重篤な転帰に至った例もあったことから、1996年3月、厚生省（当時）より関係製薬企業に対して（　c　）が指示された。

	a	b	c
1	重篤な副作用（ショック）	ロペラミド塩酸塩含有	用法及び用量の変更
2	重篤な副作用（ショック）	インターフェロン	緊急安全性情報の配布
3	間質性肺炎	インターフェロン	緊急安全性情報の配布
4	間質性肺炎	ロペラミド塩酸塩含有	緊急安全性情報の配布
5	間質性肺炎	インターフェロン	用法及び用量の変更

（答：3）

他に、aは、「出血性脳卒中」「糖尿病」など、bは「モノアミン酸化酵素阻害剤」など、cは「安全性速報の配布」などが誤りとされます。

小柴胡湯と**インターフェロン製剤**に関する問題は、穴埋め以外でも頻出です。キーワードでしっかり覚えておきましょう。

小柴胡湯 ── インターフェロン製剤 ── 間質性肺炎 ── 緊急安全性情報

ゴロ合わせ

そうさ、いいことがある。インターフォンで
（小柴　胡湯）　（インターフェロン製剤）

監視すればいい！
（間質性　肺炎）

このパターンの最後に、**塩酸フェニルプロパノールアミン（PPA）**に関する定番の穴埋め問題を見ておきましょう。

問題

日本では 2003 年 8 月までに、塩酸フェニルプロパノールアミン（PPA）が配合された一般用医薬品による脳出血等の副作用症例が複数報告され、それらの多くが用法・用量の範囲を超えた使用又は禁忌とされている（　a　）患者の使用によるものであった。そのため、厚生労働省から関係製薬企業等に対して、（　b　）の改訂、情報提供の徹底等を行うとともに、代替成分として（　c　）等への速やかな切替えにつき指示がなされた。

	a	b	c
1	高血圧症	効能または効果	プソイドエフェドリン塩酸塩（PSE）
2	高血圧症	使用上の注意	プソイドエフェドリン塩酸塩（PSE）
3	糖尿病	効能または効果	ピペラジンリン酸塩
4	糖尿病	使用上の注意	プソイドエフェドリン塩酸塩（PSE）
5	高血圧症	効能または効果	ピペラジンリン酸塩

（答：**2**）

「塩酸フェニルプロパノールアミン（PPA）」そのものが穴埋めとして伏せられて出題されるパターンもあります。

塩酸フェニルプロパノールアミン（PPA）は、鼻充血や結膜充血を除去し、鼻づまり等の症状の緩和を目的として、鼻炎用内服薬、鎮咳去痰（ちんがいきょたん）薬、かぜ薬等に配合されていた。

攻略パターン 13

コスパ最高の問題でがっつり稼ぐ！

「学習内容が少ないのに出題頻度が高い」問題は、絶好のポイントゲッター。出題パターンと併せて頭に入れておこう。

登録販売者の試験では、毎年、どのブロックでも必ず出ると言ってもよい問題があります。ここでは、そのなかでも「手引き」の内容量に対して点数を稼げる、いわば**コスパのいいテーマ**をピックアップしました。ここをしっかり確認して、**少ない労力で確実に得点**しましょう。

プラセボ効果

プラセボ効果について学習する内容は、「手引き」のわずか 11 行です。それなのに**試験では頻出**で、しかも**これだけで 1 問として出題**されるので、大変コスパがいいといえるでしょう。

次の 4 点を覚えておけば、確実に得点できます。

①プラセボ効果（**偽薬効果**）とは、医薬品を使用したとき、結果的または偶発的に**薬理作用**によらない作用を生じることをいう。
②プラセボ効果は、医薬品を使用したこと自体による**楽観的な結果**への期待（**暗示効果**）や、条件付けによる**生体反応**、時間経過による**自然発生的**な変化（**自然緩解**など）等が関与して生じると考えられている。
③プラセボ効果によってもたらされる反応や変化にも、**望ましいもの（効果）と不都合なもの（副作用）とがある**。
④プラセボ効果は、主観的な変化だけでなく、**客観的に測定可能な変化として現れることもある**が、不確実であり、**それを目的として医薬品が使用されるべきではない**。

①についてはほぼすべての選択肢が、②についてもほとんどが**正しい選択肢**として出題されています。

③の誤りパターンは、「プラセボ効果によってもたらされる反応や変化には、望ましいもの(効果) しかない」。
④の誤りパターンは、次の 2つのどちらか。
「プラセボ効果は、客観的に測定可能な変化として現れることはない」
「プラセボ効果が現れたときには、それを目的として医薬品の使用を継続するべきである」

下の問題のように、穴埋めで出題されることもあります。キーワードをしっかり覚えておきましょう。

問題

医薬品を使用したとき、結果的又は偶発的に（　a　）によらない作用を生じることをプラセボ効果（（　b　）効果）という。プラセボ効果は、医薬品を使用したこと自体による楽観的な結果への期待（暗示効果）や、条件付けによる生体反応、時間経過による（　c　）な変化等が関与して生じると考えられている。

	a	b	c
1	薬理作用	偽薬	人為的（意図的）
2	生理作用	相乗	自然発生的
3	生理作用	偽薬	人為的（意図的）
4	薬理作用	相乗	人為的（意図的）
5	薬理作用	偽薬	自然発生的

（答：5）

「プラセボ効果」が穴埋めで問われることもある。その場合、誤りの選択肢は「副作用」「相互作用」などとされる。

薬害の歴史

「薬害の歴史」は、4つの薬害（**サリドマイド**訴訟、**スモン**訴訟、**HIV**訴訟、**CJD**訴訟）についてそれぞれ1問ずつ、**計4問出題されることも多い**重要なテーマです。「医薬品に共通する特性と基本的な知識」で出題される20問のうちの4問ですから、**最強のポイントゲッター**といえます。

加えて、最新版の「手引き」では**C型肝炎**訴訟の記述が追加されました。これら5つの薬害を、覚え分けておきたいですね。

出題は、下の問題のように**穴埋め**で問われることもありますし、**複数の選択肢の正誤の組み合わせ、正しいもの（誤っているもの）を1つまたは2つ選ぶ**など、さまざまなパターンがあります。また、4つの薬害を「薬害の歴史」として**1つに集約した問題**が出たこともありました。

問題

HIV訴訟とは、（ a ）患者がHIV（ヒト免疫不全ウイルス）が混入した（ b ）から製造された（ c ）製剤の投与を受けたことにより、HIVに感染したことに対する損害賠償訴訟である。

	a	b	c
1	白血病	原料血漿	アルブミン
2	血友病	血小板	免疫グロブリン
3	白血病	血小板	血液凝固因子
4	血友病	原料血漿	血液凝固因子
5	白血病	血小板	アルブミン

（答：4）

答についてはこのあとの内容で確認してください。

「薬害の歴史」は、どれも似ているように思えて、「手引き」を何度読んでも頭に入ってこない、ということはないでしょうか。そこで、「薬害（副作用）そのもの」と「訴訟と制度創出」の2つに分けて整理しました。

それぞれの薬害（副作用）や訴訟についての基本知識を確認し、さらに5つの薬害の共通点と相違点を押さえましょう。

●薬害（副作用）そのもの

赤字は、試験で問われることの多い**正誤のポイント**となる部分です。

	原因	薬害	症状
サリドマイド	妊婦が**催眠鎮静剤**等として販売されていたサリドマイド製剤を使用した	サリドマイド胎芽症	出生児に四肢欠損、視聴覚等の感覚器や心肺機能の障害等の**先天異常**
スモン	**整腸剤**として販売されていた**キノホルム**製剤を使用した	**亜急性脊髄視神経症***	腹部膨満感、下痢、下半身の痺れや脱力、歩行困難、視覚障害（失明に至ることもある）
HIV	**血友病**患者が、HIVが混入した原料血漿から製造された**血液凝固製剤**の投与を受けた	**HIV（ヒト免疫不全ウイルス）**感染	感染後の経緯はさまざまであり、「手引き」に記述はない
CJD	脳外科手術等で、**プリオン**に汚染された**ヒト乾燥硬膜**が用いられた	**クロイツフェルト・ヤコブ病**	認知症に似た症状が現れ、死に至る（神経難病）
C型肝炎	出産や手術での大量出血の際に特定の**フィブリノゲン**製剤や**血液凝固第IX因子**製剤の投与を受けた	**C型肝炎**	「手引き」に症状の記述はない

*「**亜急性脊髄視神経症**」は、他の疾病名と入れ替えた問題だけでなく、「急性脊髄視神経症」（亜がない。こんな細かいところが狙われることもある！）「慢性脊髄視神経症」「亜急性延髄視神経症」等、疾病名自体の一部を誤りとした形で出題されることもある。「なんとなく」ではなく、ここは正確に覚えておかないと悔しい思いをしかねないので注意！

●「訴訟と制度創出」の共通点と相違点

薬害では、訴訟とその訴訟の結果創出された制度についても頻出です。試験では、下のようなパターンの出題が多く見られます。

問題

◎サリドマイド訴訟は国と製薬業者を被告としたもので、それを受けて、生物由来製品による感染等被害救済制度が創設された。（答：×）

◎サリドマイド訴訟、スモン訴訟を契機として、医薬品副作用被害救済制度が創設された。（答：○）

◎生物由来の医薬品等によるHIVやCJDの感染被害が多発したことから、独立行政法人医薬品医療機器総合機構による生物由来製品による感染等被害救済制度の創設等がなされた。（答：○）

〰〰の部分のどこかを誤りとした形で正誤を問うバリエーションもあります。

これを文章のまま覚えようとしてもなかなか頭に入ってきませんので、**共通点と相違点にポイントを絞って学習**しましょう。

■薬害訴訟と創出された制度

訴訟名	被告	創出された制度等
サリドマイド訴訟	国、製薬業者	医薬品副作用被害救済制度
スモン訴訟	国、製薬業者	医薬品副作用被害救済制度
HIV訴訟	国、製薬業者	生物由来製品による感染等被害救済制度
CJD訴訟	国、製薬業者、**輸入販売業者**	生物由来製品による感染等被害救済制度
C型肝炎訴訟	国、製薬業者	医薬品等**行政評価・監視委員会**

薬害に関する問題は、**穴埋め問題**として出題されることも多い。ポイントを整理したら、自分の受けようとするブロックで実際に出題された問題を解いて確認しよう。

医薬品 PL センター

5章

医薬品 PL センターについて学習する内容は、「手引き」ではたった 10 行です。試験ではよく出題されていて、しかもこれだけで 1 問として出題されるので、**コスパは最高**といえるでしょう。

次の 4 点を覚えておけば、確実に得点できます。

①平成 6 年、**PL 法**（**製造物責任法**）の成立にあたり、「**裁判**によらない迅速（じんそく）、公平な被害救済システムの有効性に鑑（かんが）み、裁判外の紛争処理体制を充実強化すること」が衆参両院で附帯決議され、各業界に対して**裁判**によらない**紛争処理機関**の設立が求められた。

②医薬品 PL センターは、上記を受けて、**日本製薬団体連合会**において、PL 法の施行と同時に開設された（平成 7 年 7 月）。

②の誤りパターンは、「**日本製薬団体連合会**」の部分が「厚生労働省」「独立行政法人医薬品医療機器総合機構」と入れ替えられることが多い。

③医薬品 PL センターは、**医薬品副作用被害救済制度**の対象とならないケースのうち、製品不良など、**製薬企業**に損害賠償責任がある場合の相談先として推奨される。

④医薬品 PL センターは、消費者が、医薬品や医薬部外品に関する苦情（**健康被害以外の損害も含まれる**）について製造販売元の企業と交渉するに当たって、**公平・中立な立場**で申立ての相談を受け付け、交渉の**仲介**や**調整・あっせん**を行い、裁判によらずに迅速な解決に導くことを目的としている。

④の誤りパターンとしては、**健康被害以外の損害も「含まれる」**が「含まれない」とされたり、「**公平・中立な立場**」の部分が「消費者の立場」とされることが多い。

なお、①、③のパターンは、**ほぼすべてが正しい選択肢として出題**されています。

医薬品の適正使用のための啓発活動

5章

医薬品の適正使用のための啓発活動は、「手引き」における5章「医薬品の適正使用・安全対策」の最後の項目で、試験でも「医薬品の適正使用・安全対策」の最後に多く出されます。

「手引き」では**わずか16行**の記述で、しかも**常識で判断できる**ような易しい内容でありながら、試験ではまず**絶対に出る**（ごくまれに出題のない場合もありますが、レアケース）といえるボーナス問題です。

切り口は「**適正利用のための啓発**」と「**薬物乱用を防ぐための啓発**」の2つです。必ず出る内容ですので、チェックしておきましょう。

●適正使用のための啓発

登録販売者は、一般用医薬品の販売等に従事する**医薬関係者（専門家）**として、適切な**セルフメディケーション**の普及定着、医薬品の適正使用の推進のため、啓発活動に積極的に参加、協力することが期待されています。

医薬品の特質や使用・取扱い等について**正しい知識**を浸透させ、**保健衛生の維持向上に貢献**することを目的とし、毎年**10月17日～23日の1週間**を「**薬と健康の週間**」として、国、自治体、関係団体等による広報活動やイベント等が実施されている。

●薬物乱用を防ぐための啓発

薬物乱用を防ぐための啓発について、よく問われる内容についてはチェックリストで確認しておきましょう。

■ **チェックリスト**

- □ 薬物乱用や薬物依存は、違法薬物（麻薬、覚醒剤、大麻等）によるものばかりでなく、**一般用医薬品**によっても生じる。
- □ 特に、青少年では、薬物乱用の危険性に関する認識や理解が十分でなく、好奇心から身近に入手できる薬物（**一般用医薬品**を含む）を**興味本位**で乱用することがある。
- □ 要指導医薬品や一般用医薬品の乱用をきっかけとして、**違法な薬物**の乱用につながることもある。
- □ 薬物の乱用は、乱用者自身の健康を害するだけでなく、**社会的な弊害**を生じるおそれが大きい。
- □ 医薬品の適正使用の重要性等に関しては、**小中学生**のうちからの啓発が重要である。

「**6・26 国際麻薬乱用撲滅デー**」を広く普及し、**薬物乱用防止**を一層推進するため、毎年**6月20日～7月19日までの1ヶ月間**、国、自治体、関係団体等により、「**ダメ。ゼッタイ。**」普及運動が実施されている。

「薬と健康の週間」と「ダメ。ゼッタイ。」普及運動について出題される場合、日程が入っていれば、**ほぼ例外なく○**と考えてよい。

問題

◎毎年10月17日～23日の1週間を「薬と健康の週間」として、国、自治体、関係団体等による広報活動やイベント等が実施されている。　（答：○）

◎薬物乱用防止を推進するため、毎年6月20日～7月19日までの1ヶ月間、国、自治体、関係団体等により、「ダメ。ゼッタイ。」普及運動が実施されている。　（答：○）

そのまま覚えるのがベストなパターン

ここでは「そのままスッキリと覚えることがベスト」と思われる頻出事項を整理した。出題例もチェックし、慣れておこう。

「手引き」はほとんどが文章で記載されています。読んでいると、「ああ、ここは見やすくまとめられていたらいいのに…」と思われることもあるのではないでしょうか。

本書では、そうした内容を効率よく学習できるようにさまざまな角度からまとめていますが、ここでは、**そのままスッキリと覚えることがベスト**と思われる項目について、「手引き」の文章を表などでわかりやすくまとめました。

それぞれの特徴や相違点を意識しながら学習しましょう。

 医薬品の剤形

2章

医薬品がどのような形状（剤型）で使用されるかは、その医薬品の**使用目的**と**有効成分の性状**によって決められます。

剤型は、大きく次の２つに分けられます。

◎有効成分を**消化管**から吸収させ、**全身に分布させる**ことで薬効をもたらす剤型

錠剤（内服）、口腔(こうくう)用錠剤、カプセル剤、散剤・顆粒剤、経口液剤・シロップ剤など

◎有効成分を**患部局所**に直接適用する剤形

軟膏(なんこう)剤、クリーム剤、外用液剤、貼付剤、スプレー剤など

■剤形の特徴と使用方法

剤形		特徴と使用方法	備考（注意点）
錠剤（内服）		**水**か**ぬるま湯**とともに服用する	口中で**噛み砕いて**服用しない
口腔用錠剤	**口腔内崩壊錠**	口の中で唾液によって溶けるため、**水なし**でも使用できる	高齢者や**乳幼児**でも使用しやすい
	チュアブル錠	口の中で**舐めたり**噛み砕いたりして服用する	**水なし**でも服用できる
	トローチ、ドロップ	飲み込まずに口の中で**舐めて**徐々に溶かして使用する	薬効を口の中や**喉**に作用させる場合に多く用いられる
散剤		口中に入れる**前**に少量の水（ぬるま湯）を含んでから使用する	粉末状なので、口中に**分散**したり、苦味や渋味を感じることがある
顆粒剤		口中に入れる**前**に少量の水（ぬるま湯）を含んでから使用する	粒の表面が**コーティング**されているものもある。噛み砕かず飲み込む
経口液剤、シロップ剤		液状で飲み込みやすく、**吸収**されやすい。シロップ剤は**糖類**を混ぜたもので、**小児**に用いられる	**習慣性**や**依存性**のある成分が配合されているものでは不適正な使用がされることがある
カプセル剤		**散剤**、**顆粒剤**、**液剤**などをカプセル内に充填したもの。喉や食道に貼りつくことがあるので水なしで服用しない	カプセルの原材料となる**ゼラチン**はブタなどのタンパク質であるため、**アレルギー**を持つ人は使用を避ける
外用局所に適用する剤形	**軟膏剤、クリーム剤**	有効成分が**適用部位**にとどまりやすい。水から遮断する場合は**軟膏剤**、水で洗い流しやすくする場合は**クリーム剤**を用いることが多い	**軟膏剤**は油性の基剤で皮膚への刺激が弱く、患部が乾燥・浸潤していても使用できる。**クリーム剤**は油性基剤に水分を加えたもので、皮膚への刺激が強いため傷等への使用は避ける
	外用液剤	適用した表面が**乾き**やすい	適用部位に直接的な**刺激感**を与えることがある
	貼付剤	皮膚に**貼り付け**て用いる。有効成分がとどまり薬効が**持続**する	適用部位に**かぶれ**などが起こることがある
	スプレー剤	有効成分を**霧状**にして局所に吹き付けて使用する	手指等で塗りにくい部位や**広範**な部位に用いる

下の問題は試験で頻出です。確実に覚えておきましょう。

問題

一般的には、適用する部位の状態に応じて、~~クリーム剤~~（軟膏剤）は適用部位を水から遮断したい場合等に用い、~~軟膏剤~~（クリーム剤）は患部を水で洗い流したい場合等に用いる。

（答：×）

下のゴロ合わせでバッチリですね！

ゴロ合わせ

難攻不落！　幹部　自ら守る。
（軟膏剤）　（患部を水から遮断）

「推薦したい、シュークリーム」。
（水洗い）　（クリーム剤）

外皮系の機能

2章

外皮系とは、①体を覆う**皮膚**、②**皮膚腺**（汗腺、皮脂腺、乳腺など）、③**角質**（爪や毛など）の総称です。

●皮膚の機能

皮膚には、主に次のような4つの機能があります。

身体の維持と保護	・体表面を包み、体の形を維持し、保護する（**バリア機能**） ・細菌等の異物の**体内への侵入**を防ぐ
体水分の保持	体の水分が体外に蒸発しないように、または逆に水分が体内に浸透しないよう**遮断**する
熱交換	外界と体内の熱のやり取りをして**体温**を一定に保つ
外界情報の感知	**皮膚感覚**として、触覚、圧覚、痛覚、温度感覚などを得る

また、皮膚は、①**表皮**、②**真皮**、③**皮下組織**の3つの層からなっています。

表皮	・最も外側にある**角質層**と生きた**表皮細胞**の層に分けられる ・角質層は細胞膜が丈夫な線維性のタンパク質（ケラチン）でできた板状の角質細胞と、セラミド（リン脂質の一種）を主成分とする細胞間脂質で構成され、皮膚の**バリア機能**を担っている
真皮	・線維芽細胞とその細胞で産生された線維性の**タンパク質**（コラーゲン、フィブリリン、エラスチン等）からなる結合組織の層で、皮膚に**弾力**と**強さ**を与えている ・**毛細血管**や**知覚神経**の末端が通っている
皮下組織	・真皮の下に脂肪細胞が多く集まって**皮下脂肪層**となっている ・皮下脂肪層は、①**外気**の熱や寒さから体を守り、②衝撃から体を保護し、③脂質として**エネルギー源**を蓄える

●汗腺

皮膚腺の一つである汗腺には、**アポクリン腺**（体臭腺）と**エクリン腺**の2種類があります。違いを確認しておきましょう。

	分布する場所	交感神経線維の末端から放出される神経伝達物質
アポクリン線（体臭腺）	腋窩（えきか）（脇（わき）の下）などの**毛根部**	**ノルアドレナリン**
エクリン腺（汗を分泌）	手のひらなど毛根がないところも含め**全身**	**アセチルコリン**

体温調節のための発汗は全身の皮膚に生じるが、精神的緊張による発汗は手のひらや足底、脇の下、顔面などの限られた皮膚に生じる。自らの経験を思い出してみよう。

外皮系にも、特に頻出の問題があります。まずは「**手引き**」**の記述そのままパターン**です。試験ではほとんどの場合がこのままのフレーズで出題されています。

問題 超頻出

◎爪や毛等の角質は皮膚の一部が変化してできたもので、皮膚に強度を与えて体を保護している。（答：○）

◎皮膚の色は、表皮や真皮に沈着したメラニン色素によるものである。（答：○）

「手引き」そのままの記述ですから、もちろん答は「○」ですね。

では、今度は**キーワードの入れ替えパターン**です。

問題

汗腺には、腋窩（脇の下）などの毛根部に分布する~~エクリン腺~~アポクリン腺と、手のひらなど毛根のないところも含め全身に分布する~~アポクリン腺~~エクリン腺の２種類がある。（答：×）

こんなゴロ合わせはどうでしょうか。

ゴロ合わせ

もう！ 昆布にはアポ、九厘銭がいるのよ。
（毛根部に）　（アポクリン腺）

もう昆布がなくても前進しよう。えっ!? 栗1000ある！
（毛根部がないところを含め全身）　（エクリン腺）

汗腺の問題では、ほかに、交感神経線維の末端から放出される**神経伝達物質の入れ替えパターン**も見られますので、キーワードを組み合わせて覚えておきましょう。

アポクリン腺 ―― 毛根部 ―― **ノルアドレナリン**
エクリン腺 ―― 全身 ―― **アセチルコリン**

骨格系の機能

骨格系は**骨**と**関節**からなり、骨と骨が関節で接合し、相連（あいつら）なって体を支えています。骨は体の器官のうち最も硬い組織の一つです。その基本構造は、①主部となる**骨質**、②骨質表面を覆う**骨膜**、③骨質内部の**骨髄**、④骨の接合部にある**関節軟骨**の4つの組織からなり、主に次のような5つの機能があります。

身体各部の支持機能	頭部や内臓を支える身体の**支柱**となる
臓器保護機能	**骨格内**に臓器を収め、保護する
運動機能	骨格筋の収縮を効果的に体躯（たいく）の**運動**に転換する
造血機能	**骨髄**で産生される造血幹細胞から赤血球、白血球、血小板が分化することにより、体内に供給する
貯蔵機能	カルシウムやリンなどの**無機質**を蓄える

骨の破壊（**骨吸収**）と修復（**骨形成**）についても、試験では「手引き」のままの文章で、頻出です。

問題

骨は生きた組織であり、成長が停止した後も一生を通じて破壊（骨吸収）と修復（骨形成）が行われている。（答：○）

また、問題文の下線部を「骨自体は生きた組織ではないが、……」や「(破壊と修復は）成長が停止した後は停止する」などに変えて「×」とする問題も見られますので、このポイントを押さえておきましょう。

関節は、広義には**骨と骨の連接全般**を指しますが、狭義には**可動関節**（複数の骨が互いに運動できるように連結したもの）をいいます。

骨の関節面は**関節軟骨**（弾力性に富む柔らかな軟骨層）に覆われ、これが衝撃を和らげて関節の動きを滑らかにしています。

関節周囲を包む**滑膜**（かつまく）は軟骨の働きを助け、**靭帯**（じんたい）は骨を連結し、関節部を補強しています。

知識直球勝負！主な医薬品のポイント

漢方処方製剤・生薬以外の医薬品の成分と作用を中心に、成分名を特定できるキーワードを交えてしっかり学習しよう。

「手引き」3章の「主な医薬品とその作用」については、範囲が広いうえに、医薬品の成分は似たような名前が多くて苦手な人も多いのでは。最低限押さえておきたい項目をまとめました（漢方処方製剤・生薬は、パターン16参照）。

ビタミン

ビタミンの作用についての誤肢問題が繰り返し出題されています。まずはビタミンの作用について確認しておきましょう。

■ビタミンとその作用

ビタミンA	**夜間視力**、皮膚・粘膜機能の維持
ビタミンB_1	**炭水化物**からのエネルギー産生、神経機能の維持、**腸管運動**促進
ビタミンB_2	**脂質**の代謝、皮膚・粘膜機能の維持
ビタミンB_6	**タンパク質**の代謝、皮膚・粘膜機能の維持、神経機能の維持
ビタミンB_{12}	**赤血球**の形成を助ける、神経機能の維持
ビタミンC	**抗酸化**作用、皮膚・粘膜機能維持、**メラニン**産生抑制
ビタミンD	腸管での**カルシウム**吸収と尿細管での**カルシウム**再吸収を促し、**骨の形成**を助ける
ビタミンE	**抗酸化**作用、細胞の活動を助ける、血流改善、下垂体や副腎系に作用して**ホルモン分泌**調整

かぜ薬

かぜの症状は、**くしゃみ**、**鼻汁・鼻閉**（**鼻づまり**）、**咽喉痛**、**咳**、**痰**等の呼吸器症状と、**発熱**、**頭痛**、**関節痛**、**全身倦怠感**等、様々な全身症状が組み合わさって現れます。かぜ薬（総合感冒薬）はこれらの症状の**緩和**を図る**対症療法薬**です。かぜ薬の配合成分で特に問われているものをキーワードと一緒に覚えましょう。

■かぜ薬の必修成分

成分名	期待される主な作用	キーワード
アセトアミノフェン	**中枢**作用による解**熱鎮痛**	作用**弱い**、**抗炎症**作用は期待できない
アスピリン	**解熱鎮痛**	**サリチル酸**系、**胃腸**障害、血液**溶解**作用、**15**歳未満の小児への使用禁止
イブプロフェン	**解熱鎮痛**、**抗炎症**	**15**歳未満の小児への使用禁止
コデインリン酸塩水和物	**鎮咳**（ちんがい）	**麻薬**性、依存性、**12**歳未満には使用禁忌
トラネキサム酸	**抗炎症**	**凝固**した血液を**溶解**されにくくする
グリチルリチン酸二カリウム	**抗炎症**	**偽アルドステロン症**発症
ジヒドロコデインリン酸塩	**鎮咳**	**麻薬**性、依存性、**12**歳未満には使用禁忌
ブロムヘキシン塩酸塩	**去痰**（きょたん）	**粘液分泌**促進、粘性タンパク質**溶解低分子化**、**線毛運動**促進
クレマスチンフマル酸塩	**抗ヒスタミン**（くしゃみ、鼻汁抑制）	**緑内障**、**排尿障害**悪化
デキストロメトルファン臭化水素酸塩水和物	**鎮咳**	**非麻薬**性
ベラドンナ総アルカロイド	**抗コリン**（くしゃみ、鼻汁抑制）	**副交感神経**抑制

問題

かぜの約８割は細菌の感染が原因であるが、それ以外にウイルスの感染などがある。（答：×）

かぜの約８割はウイルス感染である。この問題は頻出なので間違わないように！

解熱鎮痛薬

痛みや発熱は、**生体防御機能の一つ**として引き起こされる症状です（**月経痛**は除く）。

病気や外傷があるときに活発に産生され、痛みのシグナルを増幅することで痛みの感覚を強めているのが**プロスタグランジン**です。**プロスタグランジン**は、温熱中枢に作用して、体温を通常よりも**高く**維持するように調節するほか、**炎症**の発生にも関与するので、解熱鎮痛薬は主として、**プロスタグランジン**を抑制する成分が配合されています。

プロスタグランジンには胃酸分泌調節作用や胃腸粘膜保護作用があるため、産生を抑制することで消化管粘膜の防御機能が低下することに注意が必要。

■解熱鎮痛薬の必修成分

成分名	期待される主な作用	キーワード
ブロモバレリル尿素	鎮静	脳の**興奮**を抑え、痛覚を鈍くする。**依存性**に注意

イソプロピルアンチピリン	解熱鎮痛	ピリン系、解熱鎮痛作用は比較的強いが、抗炎症作用は弱い
エテンザミド	解熱鎮痛	サリチル酸系、痛みの神経伝達抑制が強い、水痘（水疱瘡）またはインフルエンザにかかっている15歳未満の小児への使用禁止
リボフラビン	ビタミン成分（消耗ビタミン補給）	ビタミン B_2
サリチルアミド	解熱鎮痛	サリチル酸系、水痘（水疱瘡）またはインフルエンザにかかっている15歳未満の小児への使用禁止
サザピリン	解熱鎮痛	サリチル酸系、15歳未満の小児への使用禁止
サリチル酸ナトリウム	解熱鎮痛	サリチル酸系、15歳未満の小児への使用禁止
酸化マグネシウム	制酸（胃酸中和）	胃腸障害軽減

＊他に、アセトアミノフェン、アスピリンなど（かぜ薬参照）。

眠気を促す薬と防ぐ成分

●眠気を促す薬

日常生活における様々な要因により、寝つきが悪い、眠りが浅い、いらいら感、緊張感、精神興奮、精神不安といった精神神経症状を生じることがあります。**催眠鎮静薬**は、そのような症状が生じたときに睡眠を促したり、精神の昂ぶりを鎮めたりすることを目的に使用されます。

◎抗ヒスタミン成分

生体内情報伝達物質である**ヒスタミン**は、睡眠・覚醒に関与する部位で神経細胞の刺激を介して、**覚醒の維持や調節**を行う働きを担っています。脳内における**ヒスタミン**刺激が低下すると、眠気を促します。

・**ジフェンヒドラミン塩酸塩**は特に抗ヒスタミンの中枢作用が強い
・**一時的**な睡眠障害の緩和に用いる
・**妊娠中**に生じる睡眠障害は、睡眠改善薬の適用対象外
・小児及び若年者は、**神経過敏**等が現れることがあるため、**15**歳未満の小児の使用は避ける

◎ブロモバレリル尿素、アリルイソプロピルアセチル尿素

・脳の興奮を**抑え**、痛覚を**鈍く**する作用
・少量でも**眠気**を催しやすく、重大な事故を招くおそれがある
・使用後は乗物や危険を伴う機械類の運転操作は避ける
・反復摂取で**依存性**あり

●カフェイン（眠気を防ぐ薬）

眠気防止薬は、眠気や倦怠感（けんたいかん）を除去する目的で使用されます。特に**カフェイン**については、**どのブロックでもほぼ毎回、何らかの形で出題**されています。

■カフェイン

・脳に軽い興奮状態を引き起こし、**一時的**に眠気や倦怠感を抑える
・**利尿**作用、**胃液分泌亢進**作用もある
・副作用：振戦（震え）、めまい、不安、不眠、頭痛、胃腸障害（食欲不振、悪心・嘔吐）、動悸等
・眠気防止薬におけるカフェインの1回摂取量はカフェインとして**200**mg、1日摂取量はカフェインとして**500**mgが上限

成長期の小児の発育には睡眠が重要であることから**小児用の眠気防止薬はない。**

鎮暈薬（乗物酔い防止薬）

鎮暈薬（ちんうん）は、乗物酔い（動揺病）による**めまい**、**吐きけ**、**頭痛**を防止し、緩和することを目的とします。3歳未満では乗物酔いが起こることがほとんどないため、3歳未満の乳幼児向けの鎮暈薬はありません。

鎮暈薬の代表的な配合成分である、**抗めまい成分**、**抗ヒスタミン成分**、**抗コリン成分**、**鎮静成分**等には、いずれも**眠気**を促す作用があります。

■鎮暈薬の必修成分

成分名	期待される主な作用	キーワード
アミノ安息香酸エチル	**局所麻酔**	胃粘膜への麻酔作用により吐き気軽減、6歳未満には使用しない
ジフェニドール塩酸塩	**抗めまい**	抗ヒスタミン・抗コリン成分と同様の副作用（**排尿困難**、異常な眩（まぶ）しさ、**口渇**等）
スコポラミン臭化水素酸塩水和物	**抗コリン**（自律神経・消化管調整）	古くから乗り物酔い防止薬、持続**短い**
ジプロフィリン	キサンチン系（中枢神経興奮、気管**拡張**）	脳に軽い興奮、**平衡感覚**の混乱によるめまい軽減 ＊同様の効果を期待して**カフェイン**
メクリジン塩酸塩	**抗ヒスタミン**（嘔吐（おうと）中枢刺激・自立神経反射抑制）	作用が現れるのが**遅く**持続長い
ジメンヒドリナート	**抗ヒスタミン**（嘔吐中枢刺激・自立神経反射抑制）	専ら**乗り物酔い**防止薬

不安や緊張などの心理的な要因の緩和を目的に、ブロモバレリル尿素やアリルイソプロピルアセチル尿素が配合される場合もある。

鎮咳去痰薬

鎮咳去痰薬（ちんがいきょたん）は、**咳（せき）を鎮め**たり、**痰（たん）の切れをよくし**たり、**喘息（ぜんそく）症状を和らげる**ことを目的とする医薬品の総称です。

錠剤、カプセル剤、顆粒剤、散剤、内用液剤、シロップ剤等のほか、口腔咽喉（こうくういんこう）薬の目的を兼ねたトローチ剤やドロップ剤があります。

●鎮咳成分

咳は、異物が誤って気管に入るなど、**気管**や**気管支**に何らかの異変が起こったときに、その刺激が**中枢神経**系に伝わり、延髄にある**咳嗽（がいそう）中枢**の働きによって引き起こされ、反射的に出るものです。むやみに抑え込むべきではありませんが、長く続く咳は体力の消耗や睡眠不足をまねくなどの悪影響があります。

かぜ薬にも配合される**コデインリン酸塩水和物**、**ジヒドロコデインリン酸塩**は鎮咳成分として**試験にも頻出**ですが、作用本体が**モルヒネ**と同じ基本構造をもち、**依存性**があるため**麻薬性鎮咳成分**とも呼ばれます。妊婦の使用は避け、授乳中の人は避けるか、授乳を避ける必要があります。

また、呼吸抑制発生リスクを避けるため、**一般用医薬品・医療用医薬品とも、**原則、12 歳未満の小児には使用しないことになっています。

■その他の主な鎮咳成分（非麻薬性）

・**ノスカピン**	・**ノスカピン**塩酸塩水和物
・**デキストロメトルファン臭化水素酸塩水和物**（主にトローチ剤、ドロップ剤）	

●その他の成分

その他、鎮咳去痰薬には気管支拡張成分、去痰成分、抗炎症成分、抗ヒスタミン成分、殺菌消毒成分などが配合されます。

アドレナリン作動成分は、**交感神経**系を刺激して気管支を拡張させ、呼吸を楽にして症状を鎮めることを目的として用いられますが、**心臓病**、**高血圧**、**糖尿病**、

甲状腺機能亢進症の人には注意が必要です。

また、自律神経系を介さず、気管支の**平滑筋**に直接作用して弛緩(しかん)させ、気管支を拡張させる**キサンチン系成分**は、**心臓刺激**作用を示し、副作用として**動悸**(どうき)が現れることがあります。

下の問題のように、配合成分と組み合わせて**アドレナリン作動成分やキサンチン系成分の働き**についても問われますので注意が必要です。

問題

メチルエフェドリン塩酸塩は、副交感神経系を刺激して気管支を拡張させる作用を示し、呼吸を楽にして咳や喘息の症状を鎮めることを目的として用いられる。
（答：×）

■鎮咳去痰薬に配合されるその他の必修成分

成分名	期待される主な作用	キーワード
メチルエフェドリン塩酸塩	気管支拡張（アドレナリン作動成分）	心臓病、高血圧、糖尿病、甲状腺機能亢進症悪化
ジプロフィリン	気管支拡張（キサンチン系成分）	てんかん、甲状腺機能障害悪化、動悸
ブロムヘキシン塩酸塩	去痰	分泌促進・**溶解低分子**化
カルボシステイン	去痰	痰の**粘性**減少
メトキシフェナミン塩酸塩	気管支拡張（アドレナリン作動成分）	心臓病、高血圧、糖尿病、甲状腺機能亢進症悪化
トリメトキノール塩酸塩水和物	気管支拡張（アドレナリン作動成分）	心臓病、高血圧、糖尿病、甲状腺機能亢進症悪化
グアイフェネシン	去痰	粘液分泌**促進**

アドレナリン作動成分と同様に気管支拡張の作用を示す生薬成分としてマオウ(⇒ p.116) が配合されることがあり、他に発汗促進、利尿作用も期待される。

 胃腸に作用する薬

●胃の薬

◎**制酸薬**は、胃液の**分泌亢進**による胃酸過多や、胸やけ、吐きけ等の症状の緩和を目的とする医薬品で、中和反応により胃酸の働きを弱める成分や胃液の分泌を抑える成分が配合されます。

◎**健胃薬**は、弱った胃の働きを高めること（健胃）を目的とする医薬品で、主に配合されている**生薬成分**（⇒ p.116）は、独特の味や香りで唾液や胃液の分泌を促し、胃の働きを活発にするとされます。

◎**消化薬**は、炭水化物、脂質、タンパク質等の分解に働く**酵素**を補う等により、胃や腸の内容物の**消化**を助けることを目的とします。

■胃の薬に配合される必修成分

成分名	期待される主な作用	キーワード
アルジオキサ **スクラルファート**	**胃粘膜保護・修復**	**アルミニウム**含有、**透析治療**を受けている人は避ける
炭酸水素ナトリウム **酸化マグネシウム**	**制酸**	炭酸飲料で飲まない、腎臓病の人は注意
ピレンゼピン塩酸塩	**胃液分泌抑制** **（アセチルコリン抑制）**	**消化管**運動には影響を与えないが、**消化管**以外では**抗コリン**作用で排尿困難、動悸、目のかすみ等の副作用
アズレンスルホン酸ナトリウム（水溶性アズレン）	**胃粘膜保護・修復**	口腔咽喉薬、眼の薬にも組**織修復**成分として配合

●腸の薬

腸で消化、**栄養成分**や**水分**の吸収が正常に行われなかったり、腸管がその内容物を送り出す運動に異常が生じたりすると、便秘や軟便、下痢といった症状が現れます。

急性の下痢が起こる主な要因には、体の冷えや消化不良、細菌やウイルス等の**消化器感染**（食中毒など）、緊張等の精神的な**ストレス**によるもの、**慢性の下痢**については、腸自体に病変を生じている可能性があります。

一過性の便秘が起こる主な要因は、環境変化等の**ストレス**や医薬品の**副作用**など、**慢性の便秘**については、**加齢**や病気による**腸の働き**の低下、便意を我慢し続けたこと等による腸管の**感受性**の低下などがあります。

◎**整腸薬**は、腸の調子や便通を整える（**整腸**）、腹部膨満感、軟便、便秘に用いられることを目的とし、**腸内細菌**の数やバランスに影響を与えたり、腸の活動を**促す**成分が主として配合されます。

◎**止瀉薬**（しゃ）は、**下痢**、食あたり、吐き下し、水あたり、軟便等に用いられることを目的とし、腸やその機能に直接働きかけたり、腸管内の環境を整えて腸に対する**悪影響を減らす**ことによる効果を期待するものが配合されます。

◎**瀉下薬**（下剤）は、**便秘**症状及び**便秘**に伴う肌荒れ、頭重、のぼせ、吹き出物、食欲不振、腹部膨満、腸内異常発酵、痔の症状の緩和、または腸内容物の排除（**瀉下**）等を目的とし、腸管を**直接刺激**するもの、**腸内細菌**の働きによって生成した物質が腸管を刺激するもの、糞便の**かさ**や**水分量**を増すもの等が配合されます。

■**腸の薬に配合される必修成分**

成分名	期待される主な作用	キーワード
ロペラミド塩酸塩	止瀉（食あたり・水あたりによるものは適用外）	**15**歳未満の小児に適用なし、使用は**短期間**、まれに重篤な副作用として**イレウス**様症状
タンニン酸アルブミン	止瀉（収斂（しゅうれん））	**牛乳アレルギー**の人は使用しない、ショック（アナフィラキシー）
酸化マグネシウム	瀉下	浸透圧を高める、高マグネシウム血症に注意
トリメブチンマレイン酸塩	整腸	**平滑筋**に直接作用、消化管の運動調整
木（もく）クレオソート	止瀉	腸管蠕動（ぜんどう）運動正常化
マルツエキス	瀉下	作用が比較的穏やか、乳幼児の便秘

●胃腸鎮痛鎮痙薬

急な胃腸の痛みは、主として**胃腸の過剰な動き**（痙攣）によって生じます。消化管の運動は**副交感神経**系の刺激により亢進し、また、副交感神経系は**胃液分泌**の亢進にも働きます。

胃腸鎮痛鎮痙薬に主に配合される**抗コリン**成分は、副交感神経の伝達物質である**アセチルコリン**と**受容体**の反応を**妨げる**ことで、胃痛等を鎮めること（鎮痛鎮痙）や、胃酸過多や胸やけに対する効果を期待して用いられます。**効果は消化管に限られない**ため、**散瞳**による目のかすみや異常なまぶしさ、顔のほてり、頭痛、**眠気**、**口渇**、便秘、**排尿困難**等の副作用が現れることがあります。

■胃腸鎮痛鎮痙薬に配合される必修成分

成分名	期待される主な作用	キーワード
パパベリン塩酸塩	鎮痙（胃液分泌抑制作用は見られない）	**平滑筋**に直接作用、**眼圧**上昇作用
アミノ安息香酸エチル	（消化管粘膜、平滑筋に対する）**局所麻酔**	6歳未満の小児禁止（**メトヘモグロビン血症**を起こすおそれ）
ブチルスコポラミン臭化物	**抗コリン**	まれに重篤な副作用として**ショック**（アナフィラキシー）
ロートエキス	**抗コリン**	成分の一部が**母乳**に移行、乳児の脈が**速く**なる（**頻脈**）おそれ

ロートエキスはロートコン（ナス科のハシリドコロ、*Scopolia carniolica* Jacquin又は *Scopolia parviflora* Nakai（チョウセンハシリドコロ）の根茎及び根を基原とする生薬）の抽出物である。

外皮の殺菌消毒、鎮痒鎮痛等に用いる薬

●きず口等の殺菌消毒成分のあるもの

通常、人間の外皮表面には「皮膚常在菌」が存在しており、化膿の原因となる**黄色ブドウ球菌**、**連鎖球菌**等の増殖を防いでいます。

■きず口等の殺菌消毒必修成分

成分名	対応効果など
アクリノール	黄色の色素で、一般細菌類の一部（**連鎖球菌**、**黄色ブドウ球菌**などの化膿菌）に効果。**真菌**、結核菌、**ウイルス**には効果なし
ポビドンヨード	結核菌を含む一般細菌類、**真菌類**、**ウイルス**に効果。原液を口腔粘膜に適用しない
ヨードチンキ	結核菌を含む一般細菌類、**真菌類**、**ウイルス**に効果。皮膚刺激性が**強い**、**化膿**部位には使用しない
クロルヘキシジングルコン酸塩 **クロルヘキシジン塩酸塩**	一般細菌類、**真菌類**に比較的広く効果。**結核菌**、**ウイルス**には効果なし

●痒（かゆ）み、腫（は）れ、痛み等を抑える成分

痒み、腫れ、痛み等を抑える配合成分には、主に下記のような成分があります。

◎**ステロイド性抗炎症成分**：**副腎皮質ホルモン**（**ステロイドホルモン**）の持つ抗炎症作用に着目し、それと共通する化学構造（ステロイド骨格）を持つ化合物が人工的に合成されたもの。患部局所の**痒み**や**発赤**などの皮膚症状を抑える。

◎**非ステロイド性抗炎症成分**：**ステロイド骨格**を持たず、**プロスタグランジン**の産生を抑える作用を示す。皮膚の炎症による**ほてり**や**痒み**等の緩和、筋肉痛、関節痛、打撲等による**鎮痛**を目的とするもの等がある。

◎**局所麻酔成分**：きり傷、擦り傷等の**創傷面**の痛みや、湿疹、皮膚炎、かぶ

れ、虫さされ等による皮膚の**痒み**を和らげることを目的とする。
◎**抗ヒスタミン成分**：痒みの発生に関与する**ヒスタミン**の働きを抑制する。
◎**局所刺激成分**：皮膚表面に**冷感**刺激を与え、軽い炎症を起こし、反射的な血管拡張による患部の血行促進や知覚神経を麻痺させることで鎮痛・鎮痒効果を期待するものと、皮膚表面に**温感**刺激を与え、末梢血管拡張による患部の血行促進を目的とするものがある。

ステロイド性抗炎症成分は、好ましくない作用として末梢組織の**免疫機能**を低下させる作用を示し、細菌、真菌、ウイルス等による皮膚感染（みずむし・たむし等の白癬（はくせん）症、にきび、化膿症状）等が現れることがある。

■**痒み、腫れ、痛み等を抑える必修成分**

成分名	期待される主な作用	キーワード
デキサメタゾン **プレドニゾロン酢酸エステル**	**痒み**、**発赤**など	**ステロイド性抗炎症**成分
インドメタシン **ケトプロフェン** **フェルビナク**	**鎮痛**	**非ステロイド性抗炎症**成分、骨格筋や関節部まで浸透して**プロスタグランジン**産生を抑制
ジフェンヒドラミン塩酸塩	**一時的**かつ**部分的**な皮膚症状の緩和（湿疹、皮膚炎、かぶれ、虫さされ等によるもの）	**抗ヒスタミン**成分、副作用として患部の**腫れ**

剤形ごとの特徴と使用方法は、⇒ p.93。

禁煙補助剤

ニコチンと**禁煙補助剤**については、問題を解きながら確認しましょう。

問題

◎ニコチン置換療法は、喫煙しながら徐々にその摂取量を減らしていき、離脱症状の軽減を図りながら最終的にニコチン摂取をゼロにする方法である。 (答：×)

◎禁煙補助剤（咀嚼（そしゃく）剤）は、禁煙達成を早めたいときには、1度に2個以上使用するとよい。 (答：×)

◎口腔内がアルカリ性になるとニコチンの吸収が低下するため、コーヒーや炭酸飲料などを摂取した後しばらくは禁煙補助剤の使用を避けることとされている。 (答：×)

ニコチン置換療法は、ニコチンの摂取方法を**喫煙以外**に換えて**離脱症状の軽減を図りながら徐々に摂取量を減らし**、最終的にニコチン摂取を**ゼロ**にする方法です。咀嚼剤は、大量に使用しても禁煙達成が早まるものでなく、ニコチン過剰摂取による副作用のおそれがあるため、**1度に2個以上の使用は避ける**必要があります。

また、口腔内が**酸性**になるとニコチンの吸収が低下します。下のゴロ合わせで覚えましょう。

ゴロ合わせ

こわくない？ 賛成！ ニコちゃん、九州低気圧だって。
（口腔内） （酸性） （ニコチン） （吸収低下）

知識直球勝負！漢方処方製剤・生薬

医薬品の中でも苦手とする人の多い漢方処方製剤・生薬だが、
内容をぎゅっと絞って押さえておけば得点力は確実にあがる！

漢方処方製剤

漢方薬は、古来中国から伝わり日本で発展してきた**日本の伝統医学**に基づくもので、現代の中国で利用されている中医学に基づく中薬や、韓国の伝統医学で用いられる韓方薬とは区別されます。

まずは漢方の特徴と基本的な考え方を確認しておきましょう。

■チェックリスト

- □ 漢方薬は、漢方医学の考え方に沿うように、基本的に**生薬**を組み合わせて構成された漢方処方に基づくものである。
- □ 漢方薬は、**漢方独自の病態認識である**「**証**」（体質及び症状）に**基づいて用いる**ことが有効性及び安全性を確保するために重要である。
- □「証」には**虚実**、**陰陽**、**気血水**、**五臓**などがある。
- □「証」は、医薬品の効能効果の表現には、「**しばり**」（使用制限）として記載される。
- □「漢方薬は作用が穏やかで**副作用**が少ない」というのは誤った認識であり、まれに**間質性肺炎**や肝機能障害のような重篤な**副作用**を引き起こす場合もある。（⇒ p.82）
- □ 漢方処方製剤は、用法用量において適用年齢の下限が設けられていない場合でも、生後**3ヶ月**未満の乳児には使用しないこととされている。
- □ 漢方処方製剤は、症状の原因となる体質の改善を主眼としているものが多く、比較的**長期間**（1ヶ月位）継続して使用されることもある。

●しばり（使用制限）と作用（効能効果）

試験では、「**しばり**」と「**作用**」のうち、一方または両方を変えて出題されるものが多く見られます。漢方処方製剤の最大の特徴である「**しばり**」と「**作用**」の関係を理解しているかどうかがポイントとなりますので、ここは直球勝負でしっかり覚えておきましょう。

特に漢方処方製剤の出題の多い分野から、よく出題される漢方処方製剤の「しばり」と「作用」をまとめました。

■かぜ薬と鎮咳去痰薬（し：しばり、作：作用、副：重篤な副作用）

葛根湯（かっこんとう）	し 体力**中等度以上**のもの 作 **感冒の初期**（汗をかいていないもの）、鼻かぜ、鼻炎、頭痛、肩こり、筋肉痛、手や肩の痛み 副 まれに肝機能障害、偽アルドステロン症
麻黄湯（まおうとう）	し 体力**充実**して、かぜのひきはじめで、寒気がして発熱、頭痛があり、咳が出て身体のふしぶしが痛く汗が**出ていない**もの 作 感冒、鼻かぜ、気管支炎、鼻づまり
小柴胡湯（しょうさいことう）	し 体力**中等度**で、ときに脇腹（腹）からみぞおちあたりにかけて苦しく、食欲不振や口の苦味があり、舌に白苔（こけ）がつくもの 作 食欲不振、吐きけ、胃炎、胃痛、胃腸虚弱、疲労感、かぜの後期の諸症状 副 まれに**間質性肺炎**、**肝機能障害**
小青竜湯（しょうせいりゅうとう）	し 体力**中等度**又は**やや虚弱**で、うすい水様の痰（たん）を伴う咳（せき）や鼻水が出るもの 作 気管支炎、気管支喘息、鼻炎、アレルギー性鼻炎、むくみ、感冒、花粉症 副 まれに、肝機能障害、間質性肺炎、偽アルドステロン症
半夏厚朴湯（はんげこうぼくとう）	し 体力**中等度**をめやすとする 作 気分がふさいで、咽喉・食道部に異物感があり、ときに動悸（どうき）、めまい、嘔気（おうき）などを伴う不安神経症、神経性胃炎、つわり、咳、しわがれ声、のどのつかえ感

麦門冬湯(ばくもんどうとう)	し 体力**中等度以下**で、痰が切れにくく、ときに強く咳こみ、又は咽頭の乾燥感があるもの 作 から咳、気管支炎、気管支喘息、咽頭炎、しわがれ声 副 まれに間質性肺炎、肝機能障害
柴朴湯(さいぼくとう) (別名:小柴胡合半夏厚朴湯)	し 体力**中等度**で、気分がふさいで、咽喉、食道部に異物感があり、かぜをひきやすく、ときに動悸、めまい、嘔気などを伴うもの 作 小児喘息、気管支喘息、気管支炎、咳、不安神経症、虚弱体質 副 まれに間質性肺炎、肝機能障害
五虎湯(ごことう) **麻杏甘石湯**(まきょうかんせきとう) **神秘湯**(しんぴとう)	・**五虎湯**は し 体力**中等度以上**で、咳が強くでるものの 作 咳、気管支喘息、気管支炎、小児喘息、感冒、痔の痛み ・**麻杏甘石湯**は し 体力**中等度以上**で、咳が出て、ときにのどが渇くものの 作 咳、小児喘息、気管支喘息、気管支炎、感冒、痔の痛み ・**神秘湯**は し 体力**中等度以上**で、咳、喘鳴、息苦しさがあり、痰が少ないものの 作 小児喘息、気管支喘息、気管支炎 ・いずれも構成生薬として**マオウ**を含む

■**鎮痛薬**

芍薬甘草湯(しゃくやくかんぞうとう)	し 体力に**関わらず**使用でき、筋肉の急激な痙攣を伴う痛みのあるもの 作 こむらがえり、筋肉の痙攣、腹痛、腰痛 副 まれに肝機能障害のほか、間質性肺炎、うっ血性心不全や心室頻拍
疎経活血湯(そけいかっけつとう)	し 体力**中等度**で、痛みがあり、ときにしびれがあるもの 作 関節痛、神経痛、腰痛、筋肉痛
呉茱萸湯(ごしゅゆとう)	し 体力**中等度以下**で手足が冷えて肩がこり、ときにみぞおちが膨満するもの 作 頭痛、頭痛に伴う吐きけ・嘔吐、しゃっくり
薏苡仁湯(よくいにんとう)	し 体力**中等度**で、関節や筋肉のはれや痛みがあるもの 作 関節痛、筋肉痛、神経痛

■婦人薬

温経湯（うんけいとう）	し 体力**中等度以下**で、手足がほてり、唇が乾くもの 作 月経不順、月経困難、こしけ（おりもの）、更年期障害、不眠、神経症、湿疹・皮膚炎、足腰の冷え、しもやけ、手あれ（手の湿疹（しん）・皮膚炎）
温清飲（うんせいいん）	し 体力**中等度**で、皮膚はかさかさして色つやが悪く、のぼせるもの 作 月経不順、月経困難、血の道症、更年期障害、神経症、湿疹・皮膚炎 副 まれに肝機能障害
加味逍遙散（かみしょうようさん）	し 体力**中等度以下**で、のぼせ感があり、肩がこり、疲れやすく、精神不安やいらだちなどの精神神経症状、ときに便秘の傾向のあるもの 作 冷え症、虚弱体質、月経不順、月経困難、更年期障害、血の道症、不眠症 副 まれに肝機能障害、腸間膜静脈硬化症
桂枝茯苓丸（けいしぶくりょうがん）	し 比較的**体力があり**、ときに下腹部痛、肩こり、頭重、めまい、のぼせて足冷えなどを訴えるもの 作 月経不順、月経異常、月経痛、更年期障害、血の道症、肩こり、めまい、頭重、打ち身（打撲症）、しもやけ、しみ、湿疹・皮膚炎、にきび 副 まれに肝機能障害
四物湯（しもつとう）	し 体力**虚弱**で、冷え症で皮膚が乾燥、色つやの悪い体質で胃腸障害のないもの 作 月経不順、月経異常、更年期障害、血の道症、冷え症、しもやけ、しみ、貧血、産後あるいは流産後の疲労回復
当帰芍薬散（とうきしゃくやくさん）	し 体力**虚弱**で、冷え症で貧血の傾向があり疲労しやすく、ときに下腹部痛、頭重、めまい、肩こり、耳鳴り、動悸などを訴えるもの 作 月経不順、月経異常、月経痛、更年期障害、産前産後あるいは流産による障害（貧血、疲労倦怠、めまい、むくみ）、めまい・立ちくらみ、頭重、肩こり、腰痛、足腰の冷え症、しもやけ、むくみ、しみ、耳鳴り

生薬

生薬について試験でよく問われているのは、下の問題のような**基原と期待される作用**です。「生薬名」と、「基原と期待される作用」の組み合わせの正誤を問われることもあります。しっかり確認しておきましょう。

問題

セキサンは、バラ科のヤマザクラ又はカスミザクラの樹皮を基原とする生薬で、去痰作用を期待して用いられる。　（答：×）

「セキサン」は**ヒガンバナ**科の**ヒガンバナ鱗茎**(りんけい)を基原とする生薬で、**去痰作用を期待**して用いられます。問題文の基原をもつ生薬は**オウヒ**です。期待される作用は**同じ作用をもつものと入れ替えられることが多い**ので、まとめて覚えておくとよいでしょう。

よく出題されている生薬の基原と期待される作用を、**植物を基原とするもの**と**動物を基原とするもの**に分けてまとめました。

■植物を基原とするもの

生薬名	基原と期待される作用
カンゾウ	マメ科の *Glycyrrhiza uralensis* Fischer 又は *Glycyrrhiza glabra* Linné（ウラルカンゾウ又はグリキルリザ・グラブラ）の根及びストロンで、ときには周皮を除いたもの（皮去りカンゾウ） 抗炎症、気道粘膜分泌等
マオウ	マオウ科の *Ephedra sinica* Stapf、*Ephedra intermedia* Schrenk et C. A. Meyer 又は *Ephedra equisetina* Bunge（シナマオウ、チュウマオウ又はモクゾウマオウ）の地上茎 気管支拡張、発汗促進、利尿等
ダイオウ	タデ科の *Rheum palmatum* Linné、*Rheum tanguticum* Maximowicz、*Rheum officinale* Baillon、*Rheum coreanum* Nakai（ショウヨウダイオウ、タングートダイオウ、ダイオウ、チョウセンダイオウ）又はそれらの種間雑種の、通例、根茎 瀉(しゃ)下等
カッコン	マメ科のクズの周皮を除いた根 解熱、鎮痙(ちんけい)作用

ブシ	キンポウゲ科の**ハナトリカブト**又は**オクトリカブト**の塊根 血液循環改善作用
ブクリョウ	サルノコシカケ科の**マツホド**の菌核で外層をほとんど除いたもの 利尿、健胃、鎮静作用等
シャクヤク	ボタン科の**シャクヤク**の根 鎮痛鎮痙、鎮静作用
セキサン	ヒガンバナ科の**ヒガンバナ**鱗茎 去痰作用
オウヒ	バラ科の**ヤマザクラ**又はカスミザクラの樹皮 去痰作用
オウバク	ミカン科の**キハダ**又は *Phellodendron chinense* Schneider（フェロデンドロン・キネンセ）の周皮を除いた樹皮 健胃作用
オウレン	キンポウゲ科の**オウレン**、*Coptis chinensis* Franchet、*Coptis deltoidea* C. Y. Cheng et Hsiao 又は *Coptis teeta* Wallich（コプティス・キネンシス、コプティス・デルトイデア又はコプティス・テータ）の根をほとんど除いた根茎 健胃作用
センブリ	リンドウ科の**センブリ**の開花期の全草 健胃作用
ヒマシ油	トウダイグサ科の**トウゴマ**の種子（ヒマシ）を圧搾して得られた脂肪油 瀉下作用

■動物を基原とするもの

生薬名	基原と期待される作用
ユウタン	クマ科の *Ursus arctos* Linné 又はその他近縁動物の胆汁を乾燥したもの 健胃作用
ジリュウ	フトミミズ科の *Pheretima aspergillum* Perrier 又はその近縁動物の内部を除いたもの 感冒時の解熱作用
ゴオウ	ウシ科の**ウシ**の胆嚢中に生じた**結石** 強心作用、血液降下、興奮鎮静作用
ロクジョウ	シカ科の *Cervus nippon* Temminck、*Cervus elaphus* Linné、*Cervus canadensis* Erxleben（ニホンジカ、アカシカ、キジリジカ）又はその他同属動物の雄鹿の角化していない**幼角** 強心作用、強壮、血行促進作用
センソ	ヒキガエル科の**アジアヒキガエル**等の耳腺の分泌物を集めたもの 強心作用、局所麻酔作用
ジャコウ	シカ科の**ジャコウジカ**の雄の**麝香**（じゃこう）**腺分泌物** 強心作用、呼吸中枢刺激作用

シンジュ	ウグイスガイ科のアコヤガイ、シンジュガイ又はクロチョウガイ等の外套膜組成中に病的に形成された顆粒状物質 鎮静作用
レイヨウカク	ウシ科のサイカレイヨウ（高鼻レイヨウ）等の角 鎮静作用

問題

ジャコウは、ボタン科のシャクヤクの根を基原とする生薬で、強心作用のほか、呼吸中枢を刺激して呼吸機能を高めたり、意識をはっきりさせる等の作用がある。（答：×）

ジャコウが動物を基原とすることがわかっていれば簡単に答えられますね。期待される作用はジャコウのものですが、「ボタン科のシャクヤクの根」を基原とする生薬については、植物を基原とする生薬の表で確認してください。

ちなみに、**強心作用が期待される生薬**は、ジャコウの他、**センソ**、**ゴオウ**、**ロクジョウ**等の動物を基原としたものです。数が少ないうえに、強心作用については頻出となっていますのですべて覚えておきましょう。

鎮咳去痰薬、胃腸薬に配合される生薬成分

ここでは特に出題の多い、鎮咳去痰薬、胃腸薬に配合されているものをピックアップしました。学習の参考にしてください。

■鎮咳去痰薬に配合される生薬成分

キョウニン	バラ科のホンアンズ、アンズ等の種子 呼吸中枢、咳嗽中枢の鎮静作用
ナンテンジツ	メギ科のシロミナンテン（シロナンテン）又はナンテンの果実 知覚神経・末梢運動神経作用（咳止め）
ゴミシ	マツブサ科のチョウセンゴミシの果実 鎮咳作用

シャゼンソウ	**オオバコ**科の**オオバコ**の花期の全草 去痰作用

＊他に、キキョウ、セネガ、オンジ、シャゼンソウ、セキサン、バクモンドウなど

■胃腸薬に配合される生薬成分

ゲンチアナ	**リンドウ**科の *Gentiana lutea* Linné（**ゲンチアナ**・ルアナ）の根及び根茎 **健胃**作用
リュウタン	**リンドウ**科の**トウリンドウ**等の根及び根茎 **健胃**作用
ケイヒ	**クスノキ**科の *Cinnamomum cassia* J. Presl（**シンナモムム・カッシア**）の樹皮又は周皮の一部を除いた樹皮 **健胃**作用
センナ、 **センノシド** （センナから抽出）	**マメ**科の *Cassia angustifolia* Vahl 又は *Cassia acutifolia* Delile（**チンネベリセンナ**又は**アレキサンドリアセンナ**）の小葉 **瀉下**作用

＊他に、オウバク、オウレン、センブリ、ユウタンなど

生薬成分と漢方処方製剤

漢方処方製剤では、含有する生薬成分に関する問題も繰り返し出題されています。特に、**カンゾウ**、**マオウ**と**ダイオウ**については頻出です。主なものをまとめました。太字は２種以上含有するものです。

カンゾウ	甘草湯、**大黄甘草湯**、**葛根湯**、**麻黄湯**、小柴胡湯、**小青竜湯**、麦門冬湯、**清上防風湯**、**防風通聖散**、防已黄耆湯、苓桂朮甘湯、桂枝加竜骨牡蛎湯、**薏苡仁湯**、抑肝散、小建中湯、十味敗毒湯、釣藤散、安中散、**麻杏甘石湯**、**乙字湯**、**桃核承気湯**
マオウ	**麻黄湯**、**葛根湯**、**麻杏甘石湯**、**小青竜湯**、**薏苡仁湯**、**防風通聖散**
ダイオウ	大柴胡湯、**大黄甘草湯**、大黄牡丹皮湯、麻子仁丸、**防風通聖散**、柴胡加竜骨牡蛎湯、**乙字湯**、三黄瀉心湯、**桃核承気湯**

攻略パターン17

正誤のヒントは問題文の中にある！

どんなに学習しても、実際の試験では迷うこともあるだろう。ここでは、試験で役立つ必殺テクニックを紹介しよう。

ここまで、いろいろな角度から登録販売者試験の学習内容をとりあげてきました。ここでは、知識を集積する学習からすっぱり外れて、**解答のテクニック**をご紹介します。**問題文（選択肢）にはパターンがある**こと、その中にはさまざまな**正誤のポイントがある**ことを知っておけば、本番で迷ったときに必ず役に立つでしょう。

正答肢（○）となるパターン

登録販売者の試験は「手引き」の内容から出題されます。当然ながら**「手引き」に記載されていることはすべて正しいとみなされる**ので、正答肢には、**「手引き」からの抜き書き**が多くみられます。なかには**常識で判断できるもの**もありますので、ヒントをつかんでとりこぼさないようにしましょう。

●「～が重要（大切）である」

このパターンは、**内容そのものが常識的**な場合に多くみられます。読んで違和感のない選択肢の末尾に「**～が重要（大切）である**」とあれば、正解である確率が高いといえるでしょう。

問題

一般用医薬品では、購入された後、すぐに使用されるとは限らないことから、使用期限から十分な余裕をもって販売がなされることが**重要である。**

（答：○）

●「〜する必要がある」

このパターンも、**内容そのものが常識的**な場合に多くみられます。必要のないことをわざわざ問題文にすることは考えにくいので、**読んで違和感がなければ**、正解である確率が高いといえるでしょう。

問題

医薬品が保管・陳列されている場所については、清潔性を保つとともに、品質が十分保持される環境となるよう留意する**必要がある。**　（答：○）

●「〜（こと）もある」

「〜（こと）もある」は、広い可能性を示す場合にみられるフレーズです。**可能性を否定しない**という意味で用いられていれば、正解である確率が高いといえるでしょう。

問題

検体としては、尿中の hCG が検出されやすい起床直後の尿が向いているが、尿が濃すぎると、かえって正確な結果が得られない**こともある。**　（答：○）

●「〜やすい」

「〜やすい」は、「そうなることもあれば、そうならないこともある」という含みを持たせたフレーズで、**断言はできない**という場合に多く用いられます。**読んで違和感がない文章**の最後に「**〜やすい**」とあれば、正解である確率が高いといえるでしょう。

問題

◎心不全の既往がある人は、薬剤による心不全を起こし**やすい。**　（答：○）

◎体の成長が著しい年長乳児や幼児は、鉄欠乏状態を生じ**やすい。**（答：○）

●常識的に考えて「そうだよね」と思うもの

問題文を読んで、そりゃそうだよね、と思うものは、やっぱり○肢である確率が高いものです。

問題

◎品質が承認された基準に適合しない医薬品や、その全部又は一部が変質・変敗した物質からなっている医薬品は、販売等が禁止されている。（答：○）
◎医薬品の過度な消費や乱用を助長する広告は、適正な広告とはいえない。（答：○）

基準に適合しない医薬品も変質した物質からなる医薬品もダメに決まっていますよね。また、過度な消費・乱用を助長する広告もどう考えても適正な広告とはいいがたいですね。

誤答肢（×）となるパターン

先述のように、「手引き」の記載内容はすべて正しいので、それを誤りの選択肢とするためには、内容の一部に手を加えなければならず、**文章が不自然になりがち**です。最後まで読んだときに**違和感が生じる**かどうかがポイントになります。

●「〜する必要はない」

これは、本来「〜する必要がある」という正答肢を「〜する必要はない」とひっくり返すことで誤答にしているパターンです。そもそも、必要でないことをわざわざ問題として出すこと自体が不自然です。読んで違和感のない内容なのに末尾に「〜する必要はない」とあれば、誤りである確率が高いといえるでしょう。

問題

◎複数の疾病を有する人では、疾病ごとにそれぞれ医薬品が使用されるので、医薬品同士の相互作用に関しては特に注意する**必要はない。**（答：×）
◎妊婦または妊娠していると思われる女性でも、抗ヒスタミン成分を主薬とする睡眠改善薬の使用を避ける**必要はない。**（答：×）

●「～（こと）はない」

「～（こと）はない」という表現は、**例外を一切認めない**ものです。そのように言い切れるものは、あったとしてもわずかでしょう。「**～（こと）もある**」と**読み替えた方が自然**であれば、誤りである確率が高いといえるでしょう。

問題

◎複数の疾病を有する人の場合、ある疾病のために使用された医薬品が、別の疾病に対して症状を悪化させたり、治療を妨げたりする**ことはない。**

（答：×）

◎一般の生活者は、一般用医薬品に添付されている添付文書を見れば、効能効果や副作用について誤解や認識不足が生じる**ことはない。**　（答：×）

●「すべて～である」

「すべて～である」は、「**100%～である**」と断言するフレーズです。正答肢となる確率の高い「～（こと）もある」の反対で、そうではない可能性を完全に否定しているといえます。「**本当にそうだろうか？**」と疑われる場合は、誤りである確率が高いといえるでしょう。

問題

すべての副作用は、容易に異変を自覚できるもの**である。**　（答：×）

●「～しなくてもよい」

これは、本来「**～しなくてはならない**」という正答肢を「～しなくてもよい」とひっくり返すことで誤答肢にしているパターンです。読んでみるといかにも不自然ではありませんか。「～する必要はない」と同様、そもそも、しなくてよいことをわざわざ問題として出すだろうかという疑問が湧きます。

「**～しなくてはならない**」と読み替えた方が自然であれば、誤りである確率が高いといえるでしょう。

問題

◎配置販売業者は、第一類医薬品、第二類医薬品、第三類医薬品を区分ごとに配置**しなくてもよい。** （答：×）
◎内服薬は、食品との相互作用を考慮する必要があるが、外用薬は、食品との相互作用を考慮**しなくてもよい。** （答：×）

●常識的に考えて「変だな」と思うもの

先ほどの○となるパターンと同様、常識的に考えて「それはなんだか変だよね」、と思うものも、間違いであることが多いといえます。

問題

◎消費生活センターでは、生活用品に関する相談のみを受け付けており、医薬品に関する相談は受け付けていない。 （答：×）
◎一般用医薬品では、重大な副作用の兆候が現れたときでも、使用中断による不利益を回避するため、使用を継続することが必要である。 （答：×）

医薬品に関する相談だけをピンポイントで受け付けないなんて、これもなんだか変ですよね。

また、重大な副作用の兆候があるのに継続はないでしょう？　ここはいったん使用を中断したいけど、語尾が「必要である」だから○肢のパターンなの？

いいえ！　先ほどのパターンには「**読んで違和感がなければ**」という条件がついていました。ここには大きな違和感があると思います。**使用を中止する不利益よりも重大な副作用を回避することを優先**するべき、というその感覚が正解です。

◎注意!!

ここで紹介した内容は、あくまでも「正答（○）または誤答（×）である**確率が高い**」ということであり、**すべてがあてはまるわけではありません。**迷っているけれど、もう時間がない！などというときの参考にしていただければと思います。

Part 2

一問一答で知識を確認&プラスしよう！

ここでは、登録販売者試験でよく出題されている問題を一問一答形式にしました。Part 1で学習したことを確認しながら、Part 1では掲載しきれなかった知識もプラスしていきましょう。
頻出のマークは特に頻出の問題です。

医薬品概論（1）

頻出

問1
本来、医薬品は人体にとって異物であるため、好ましくない反応を生じる場合もある。

問2
人体に対して使用されない医薬品は、人の健康に影響を与えることはない。

問3
一般用医薬品のリスクは、医療用医薬品に比べ相対的に低いため、保健衛生上のリスクについて特に注意を払う必要はない。

問4
医薬品は、効能効果、用法用量、副作用等の必要な情報が適切に伝達されることを通じて、購入者等が適切に使用することにより、初めてその役割を発揮するものである。

問5
医薬品は市販後にも、医学・薬学等の新たな知見、使用成績等に基づき、その有効性、安全性等の確認が行われる仕組みになっている。

問6
医薬品医療機器等法では、健康被害の発生の可能性の有無にかかわらず、異物等の混入、変質等がないよう努めなければならない旨を定めている。

問7
一般用医薬品として販売される製品は、製造物責任法（PL 法）の対象ではない。

問8
医薬品の投与量と効果の関係は、薬物用量の増加に伴い、効果の発現が検出されない「無作用量」から、「最小有効量」を経て「治療量」に至る。

答1 ○

本来、医薬品は人体にとって**異物（外来物）**であるため、必ずしも期待される有益な効果（**薬効**）のみをもたらすとは限らず、好ましくない反応（**副作用**）を生じる場合もある。

答2 ×

殺虫剤の中には誤って人体がそれに曝（さら）されれば健康を害するおそれのあるものもあり、検査薬は検査結果について**正しい解釈**や**判断**がなされなければ適切な治療を受ける機会を失うおそれがある。

答3 ×

医療用医薬品と比較すればリスクは相対的に**低い**と考えられる一般用医薬品であっても、医療用医薬品と同様、**保健衛生上のリスク**について注意を払う必要がある。

答4 ○

医薬品は、必要な情報が**適切に伝達**され、購入者等が**適切に使用**することによって初めてその役割を十分に発揮する。そうした情報を伴わなければ、単なる**薬物**（有効成分を含有する化学物質）に過ぎない。

答5 ○

医薬品は、市販後にも**有効性**や**安全性**等の確認が行われ、その結果を踏まえて**リスク区分**や**承認基準**の見直し等がなされ、必要に応じて**添付文書**や**製品表示**の記載に反映される。

答6 ×

医薬品医療機器等法では、健康被害の発生の可能性の有無にかかわらず、異物等の混入、変質等が**ある医薬品**を**販売等してはならない**旨を定めている。

答7 ×

一般用医薬品として販売される製品は、製造物責任法（**PL法**）の対象でもある。販売した一般用医薬品に明らかな欠陥があった場合などは、**PL法**の対象となりえる。

答8 ○

「治療量」に達した後、治療量上限を超えると、やがて効果よりも有害反応が強く発現する「**中毒量**」となり、「**最小致死量**」を経て、「**致死量**」に至る。

医薬品概論（2）／副作用／不適正な使用

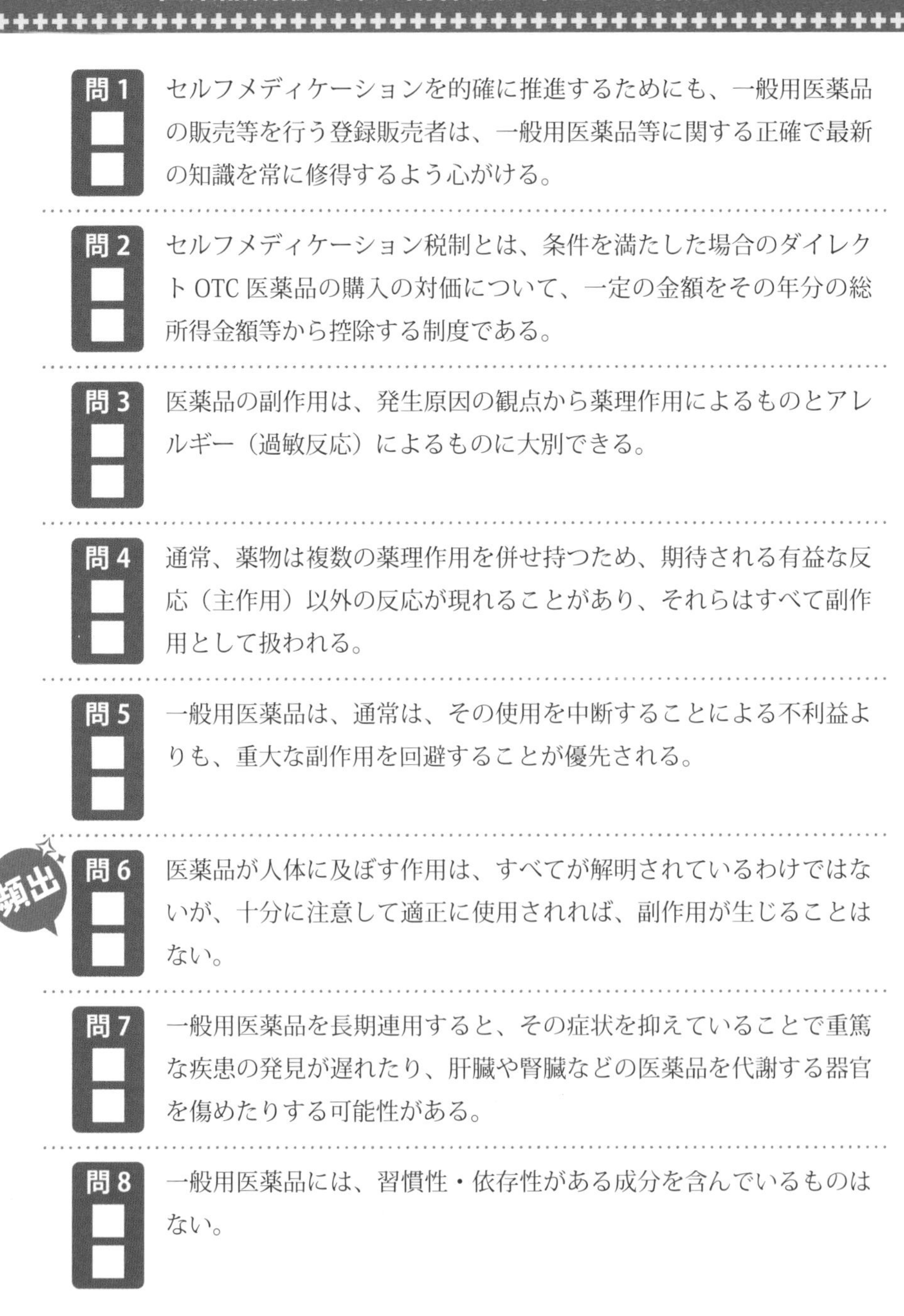

問1
セルフメディケーションを的確に推進するためにも、一般用医薬品の販売等を行う登録販売者は、一般用医薬品等に関する正確で最新の知識を常に修得するよう心がける。

問2
セルフメディケーション税制とは、条件を満たした場合のダイレクトOTC医薬品の購入の対価について、一定の金額をその年分の総所得金額等から控除する制度である。

問3
医薬品の副作用は、発生原因の観点から薬理作用によるものとアレルギー（過敏反応）によるものに大別できる。

問4
通常、薬物は複数の薬理作用を併せ持つため、期待される有益な反応（主作用）以外の反応が現れることがあり、それらはすべて副作用として扱われる。

問5
一般用医薬品は、通常は、その使用を中断することによる不利益よりも、重大な副作用を回避することが優先される。

問6
医薬品が人体に及ぼす作用は、すべてが解明されているわけではないが、十分に注意して適正に使用されれば、副作用が生じることはない。

問7
一般用医薬品を長期連用すると、その症状を抑えていることで重篤な疾患の発見が遅れたり、肝臓や腎臓などの医薬品を代謝する器官を傷めたりする可能性がある。

問8
一般用医薬品には、習慣性・依存性がある成分を含んでいるものはない。

答1 ○

また、薬剤師や医師、看護師など地域医療を支える医療スタッフあるいは行政などとも連携をとって、地域住民の**健康維持・増進**、**生活の質**（**QOL**）の改善・向上などに携わることが望まれる。

答2 ×

記述は、ダイレクトOTC医薬品ではなく、**スイッチOTC医薬品**のものである。この他、令和4年1月の見直しにより、**腰痛**や**肩こり**、**風邪**や**アレルギー**の諸症状に対応する一般用医薬品も対象となった。

答3 ○

医薬品の有効成分である薬物が生体の生理機能に影響を与えることを**薬理作用**といい、人体を防御する免疫機構が過敏に反応して好ましくない症状を引き起こすものを**アレルギー**（**過敏反応**）という。

答4 ×

主作用以外の反応が現れても、**特段の不都合**を生じないものであれば、通常、副作用として扱われることはない。一般には、好ましくない反応が生じた場合、副作用という。

答5 ○

一般用医薬品の使用により副作用の兆候が現れたときには基本的に**使用を中止する**こととされており、必要に応じて医師、薬剤師などに**相談**がなされるべきである。

答6 ×

医薬品が人体に及ぼす作用は、すべてが解明されているわけではないため、十分注意して適正に使用された場合であっても、**副作用が生じる**ことがある。

答7 ○

ほかに、長期連用により精神的な**依存**がおこり、使用量が増え、購入するための経済的な**負担**も大きくなる例も見られる。

答8 ×

一般用医薬品にも**習慣性・依存性**がある成分を含んでいるものがあり、そうした医薬品の乱用が繰り返されると慢性的な**臓器障害**等を生じるおそれがある。

相互作用／小児、高齢者等への配慮（1）

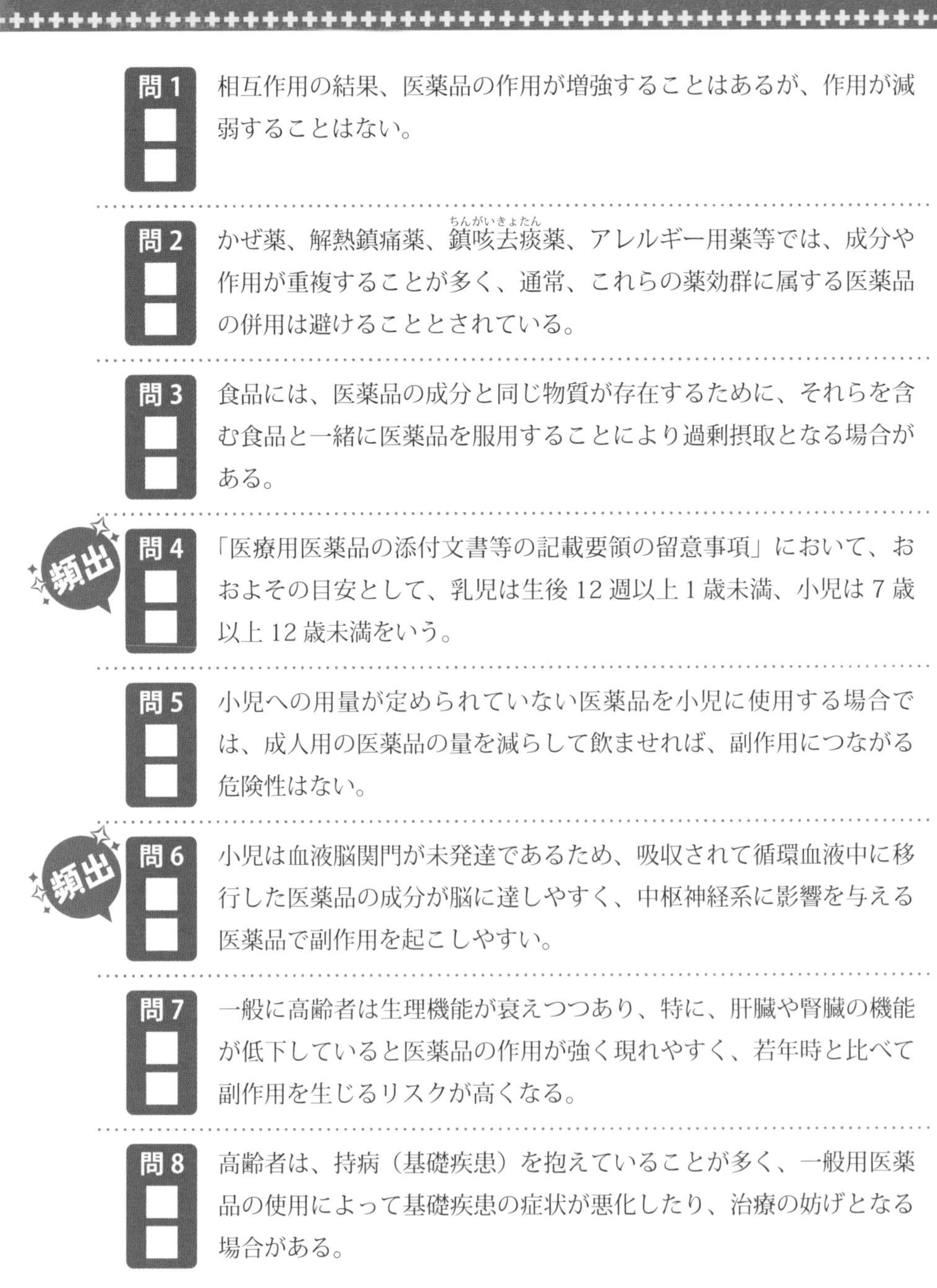

問1　相互作用の結果、医薬品の作用が増強することはあるが、作用が減弱することはない。

問2　かぜ薬、解熱鎮痛薬、鎮咳去痰薬（ちんがいきょたん）、アレルギー用薬等では、成分や作用が重複することが多く、通常、これらの薬効群に属する医薬品の併用は避けることとされている。

問3　食品には、医薬品の成分と同じ物質が存在するために、それらを含む食品と一緒に医薬品を服用することにより過剰摂取となる場合がある。

頻出
問4　「医療用医薬品の添付文書等の記載要領の留意事項」において、おおよその目安として、乳児は生後12週以上1歳未満、小児は7歳以上12歳未満をいう。

問5　小児への用量が定められていない医薬品を小児に使用する場合では、成人用の医薬品の量を減らして飲ませれば、副作用につながる危険性はない。

頻出
問6　小児は血液脳関門が未発達であるため、吸収されて循環血液中に移行した医薬品の成分が脳に達しやすく、中枢神経系に影響を与える医薬品で副作用を起こしやすい。

問7　一般に高齢者は生理機能が衰えつつあり、特に、肝臓や腎臓の機能が低下していると医薬品の作用が強く現れやすく、若年時と比べて副作用を生じるリスクが高くなる。

問8　高齢者は、持病（基礎疾患）を抱えていることが多く、一般用医薬品の使用によって基礎疾患の症状が悪化したり、治療の妨げとなる場合がある。

答1 ×

医薬品の作用は、相互作用によって**増強**したり**減弱**したりする。作用が増強すると作用が**強く**出たり**副作用**が起こりやすくなったりし、作用が減弱すると**十分な効果**が得られないなどの不都合を生じる。

答2 ○

緩和を図りたい症状が明確である場合には、**相互作用**による**副作用**のリスクを減らす観点から、なるべくその**症状**に合った**成分のみ**が配合された医薬品が選択されることが望ましい。

答3 ○

カフェインや**ビタミンA**のように、それらを含む医薬品（総合感冒薬など）と食品（**コーヒー**など）を一緒に服用すると、過剰摂取となる場合がある。

答4 ×

おおよその目安として、新生児は生後4週未満、乳児は生後4週以上1歳未満、幼児は1歳以上7歳未満、小児は7歳以上15歳未満とされる。

答5 ×

小児には必ず**年齢**に応じた**用法用量**が定められているものを使用し、成人用の医薬品の量を減らして小児へ与えるような**安易な使用は避ける**よう、保護者等に対して説明することが重要である。

答6 ○

また、小児は**肝臓**や**腎臓**の機能が未発達であるため、医薬品の成分の**代謝**・**排泄**（はいせつ）に時間がかかり、作用が強く出過ぎたり、**副作用**がより強く出ることがある。

答7 ○

「医療用医薬品の添付文書等の記載要領の留意事項」では、おおよその目安として65歳以上を「高齢者」としている。ただし、基礎体力や生理機能の衰えの度合いは**個人差**が大きく、年齢のみから一概に判断することは難しい。

答8 ○

一般用医薬品の使用によって基礎疾患の症状が**悪化**したり、治療の**妨げ**となる場合があるほか、**複数**の医薬品が**長期間**にわたって使用される場合には、副作用を生じるリスクも**高い**。

小児、高齢者等への配慮（2）／プラセボ効果／医薬品の品質

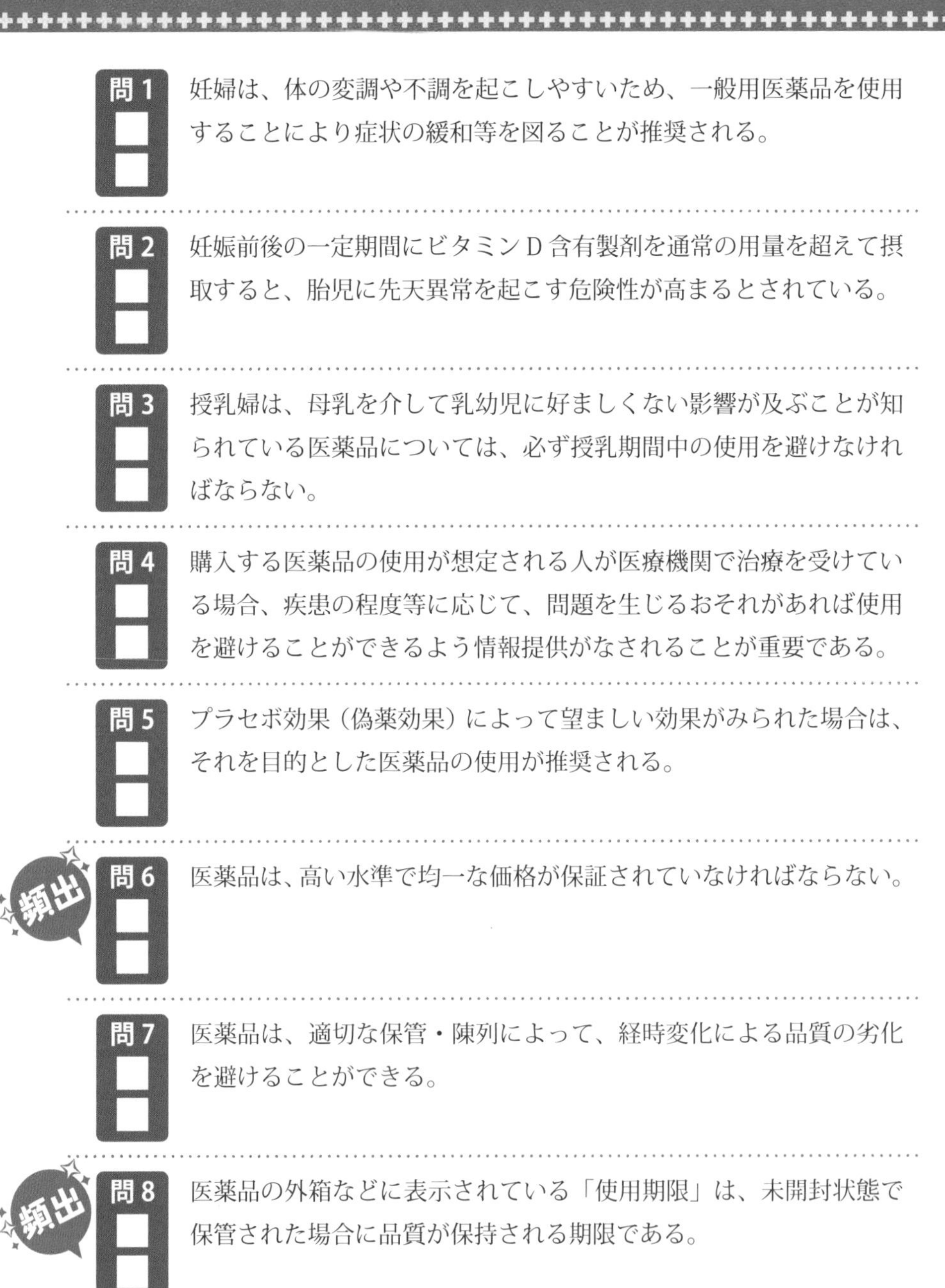

問1　妊婦は、体の変調や不調を起こしやすいため、一般用医薬品を使用することにより症状の緩和等を図ることが推奨される。

問2　妊娠前後の一定期間にビタミンD含有製剤を通常の用量を超えて摂取すると、胎児に先天異常を起こす危険性が高まるとされている。

問3　授乳婦は、母乳を介して乳幼児に好ましくない影響が及ぶことが知られている医薬品については、必ず授乳期間中の使用を避けなければならない。

問4　購入する医薬品の使用が想定される人が医療機関で治療を受けている場合、疾患の程度等に応じて、問題を生じるおそれがあれば使用を避けることができるよう情報提供がなされることが重要である。

問5　プラセボ効果（偽薬効果）によって望ましい効果がみられた場合は、それを目的とした医薬品の使用が推奨される。

頻出
問6　医薬品は、高い水準で均一な価格が保証されていなければならない。

問7　医薬品は、適切な保管・陳列によって、経時変化による品質の劣化を避けることができる。

頻出
問8　医薬品の外箱などに表示されている「使用期限」は、未開封状態で保管された場合に品質が保持される期限である。

答1 ×
妊婦の一般用医薬品の使用については、**胎児**に影響を及ぼすことがないよう配慮する必要があり、一般用医薬品による対処が適当かどうかを含めて**慎重**に考慮されるべきである。

答2 ×
妊娠前後の一定期間に通常の用量を超えて摂取すると胎児に**先天異常**を起こす危険性が高まるとされているのは、**ビタミンA**含有製剤である。

答3 ×
授乳婦は、母乳を介して乳幼児に好ましくない影響が及ぶことが知られている医薬品については、**使用**を避けるか、または医薬品を使用後しばらくの間、**授乳**を避けるようにする。

答4 ○
疾患の程度やその医薬品の種類等に応じて、問題を生じるおそれがあれば使用を避けることができるよう**情報提供**がなされることが重要である。また、必要に応じ、いわゆる**お薬手帳**を活用する。

答5 ×
プラセボ効果は、**主観的**な変化だけでなく、**客観的**に測定可能な変化として現れることもあるが、**不確実**であり、それを目的として医薬品が使用されるべきではない。

答6 ×
医薬品は、人の**生命**や**健康**に密接に関連するものであるため、高い水準で均一な**品質**が保証されていなければならない。

答7 ×
医薬品に配合されている成分には、**高温**、**多湿**、光（**紫外線**）等によって品質の劣化を起こしやすいものが多く、適切な保管・陳列がなされたとしても、**経時変化**による品質の劣化は避けられない。

答8 ○
医薬品に表示される「使用期限」は、**未開封状態**で保管された場合に品質が保持される期限であり、いったん開封されると記載されている期日まで品質が**保証されない**場合がある。

適切な医薬品選択と受診勧奨（1）

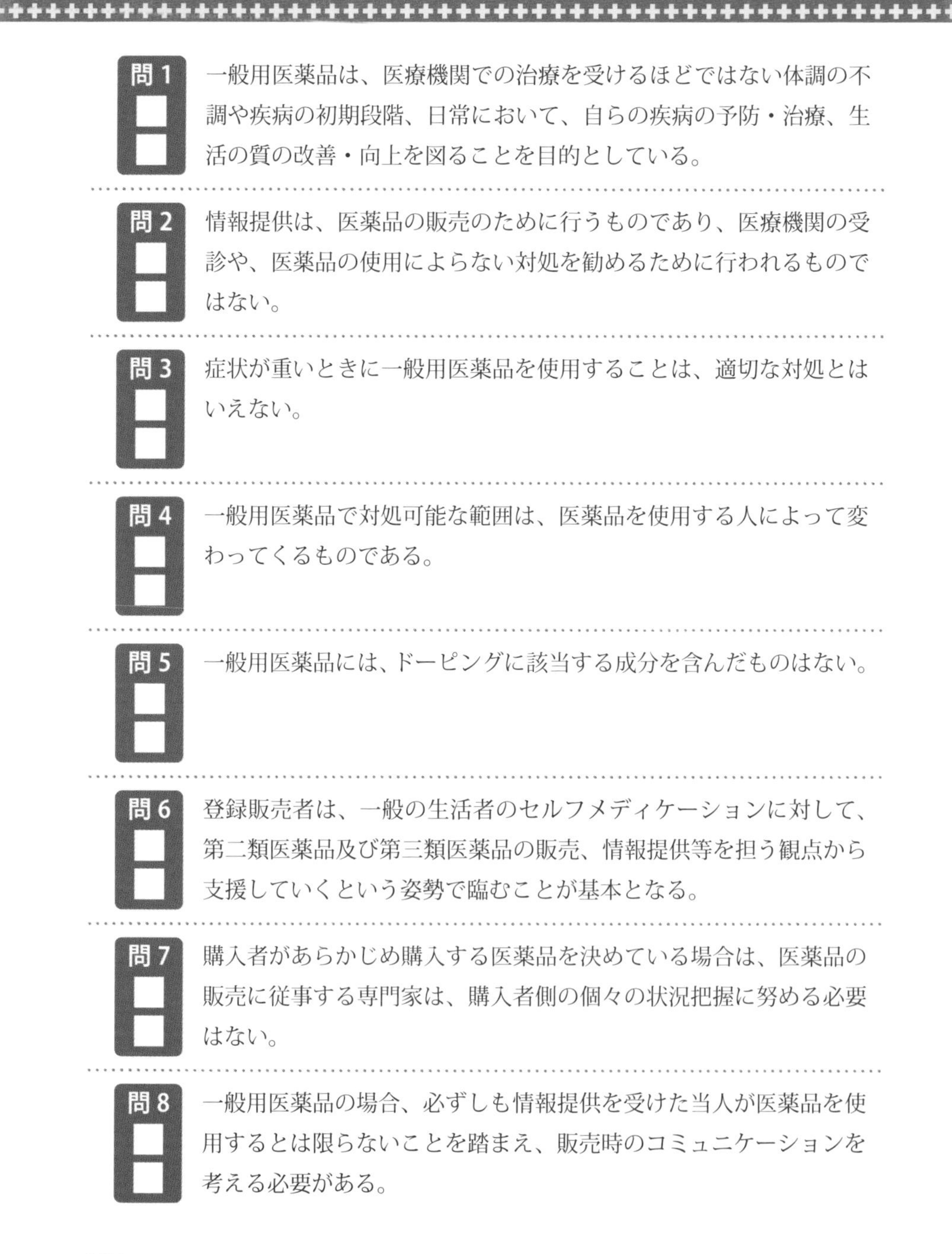

問1 一般用医薬品は、医療機関での治療を受けるほどではない体調の不調や疾病の初期段階、日常において、自らの疾病の予防・治療、生活の質の改善・向上を図ることを目的としている。

問2 情報提供は、医薬品の販売のために行うものであり、医療機関の受診や、医薬品の使用によらない対処を勧めるために行われるものではない。

問3 症状が重いときに一般用医薬品を使用することは、適切な対処とはいえない。

問4 一般用医薬品で対処可能な範囲は、医薬品を使用する人によって変わってくるものである。

問5 一般用医薬品には、ドーピングに該当する成分を含んだものはない。

問6 登録販売者は、一般の生活者のセルフメディケーションに対して、第二類医薬品及び第三類医薬品の販売、情報提供等を担う観点から支援していくという姿勢で臨むことが基本となる。

問7 購入者があらかじめ購入する医薬品を決めている場合は、医薬品の販売に従事する専門家は、購入者側の個々の状況把握に努める必要はない。

問8 一般用医薬品の場合、必ずしも情報提供を受けた当人が医薬品を使用するとは限らないことを踏まえ、販売時のコミュニケーションを考える必要がある。

答1 ○

一般用医薬品の役割として、軽度な疾病に伴う症状の**改善**、生活習慣等に伴う症状発現の**予防**、生活の質の**改善・向上**、健康状態の**自己検査**、健康の**維持・増進**、その他**保健衛生**がある。

答2 ×

情報提供は必ずしも医薬品の販売に結びつけるのではなく、医療機関の受診を勧めたり（**受診勧奨**）、**医薬品の使用によらない対処**を勧めることが適切な場合もある。

答3 ○

症状が**重い**とき（高熱や激しい腹痛がある場合、患部が広範囲な場合等）に一般用医薬品を使用することは、**一般用医薬品の役割**にかんがみて、適切な対処とはいえない。

答4 ○

乳幼児や**妊婦**等では、通常の成人の場合に比べて一般用医薬品で対処可能な範囲は**限られてくる**ため、特に留意される必要がある。

答5 ×

一般用医薬品にも使用すれば**ドーピング**に該当する成分を含んだものがあるため、スポーツ競技者から相談があった場合は、専門知識を有する**薬剤師**などへの確認が必要である。

答6 ○

登録販売者においては、購入者等が自分自身や家族の**健康**に対する**責任感**を持ち、適切な医薬品を**選択**して適正に**使用**するよう働きかけていくことが重要である。

答7 ×

体質や症状等にあった製品を事前に調べて選択しているのではなく、広告や価格等に基づいて漠然と選択している場合もある。適切な**選択**と適正な**使用**のため、働きかけていくことが重要である。

答8 ○

コミュニケーションのポイントは、その医薬品を使用する人として**小児**や**高齢者**、**妊婦**等が想定されるか、**医療機関**で治療を受けていないか、アレルギーや医薬品による**副作用**の経験がないかなどである。

適切な医薬品選択と受診勧奨（2）／薬害の歴史

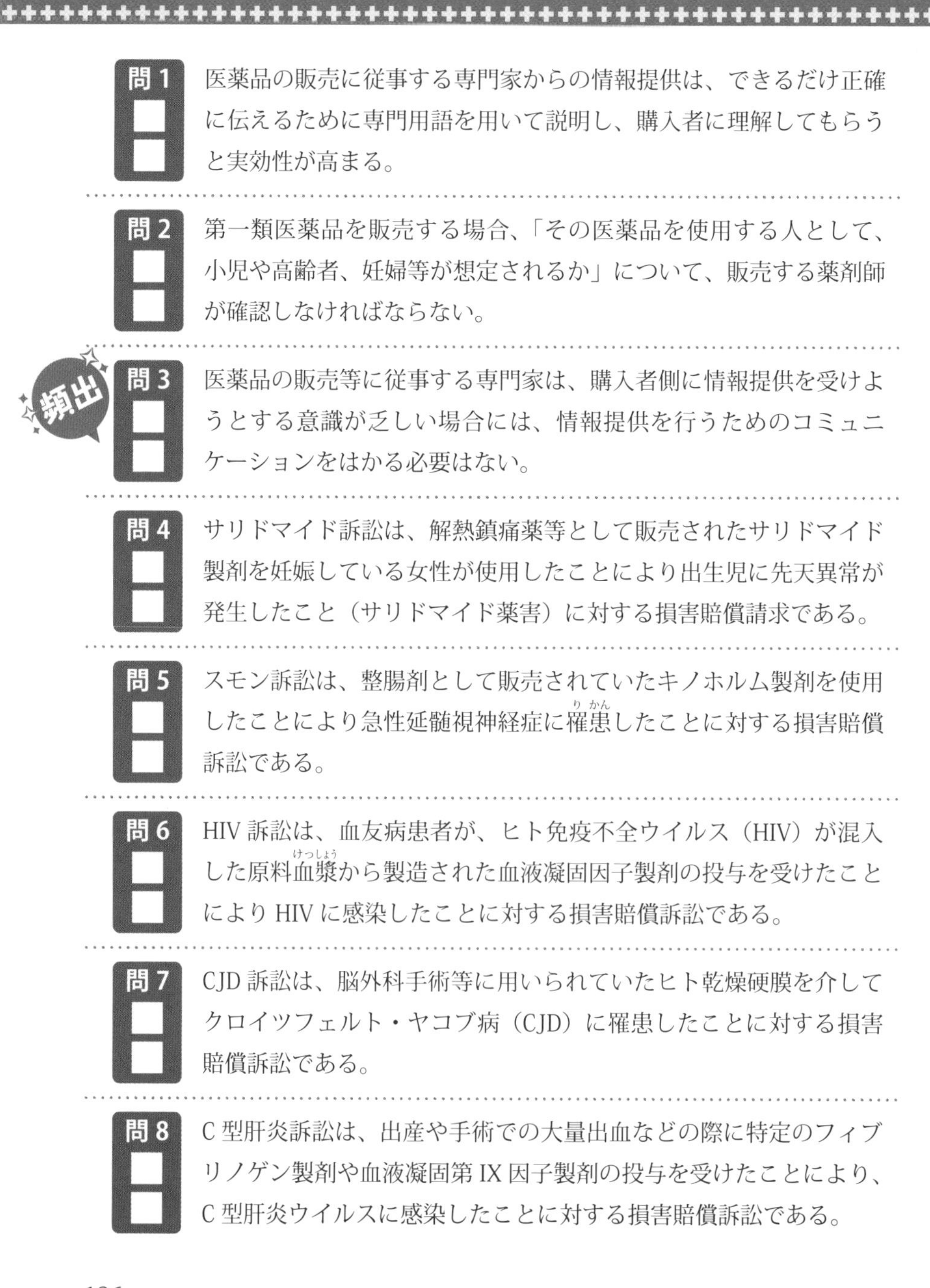

問1 医薬品の販売に従事する専門家からの情報提供は、できるだけ正確に伝えるために専門用語を用いて説明し、購入者に理解してもらうと実効性が高まる。

問2 第一類医薬品を販売する場合、「その医薬品を使用する人として、小児や高齢者、妊婦等が想定されるか」について、販売する薬剤師が確認しなければならない。

問3 医薬品の販売等に従事する専門家は、購入者側に情報提供を受けようとする意識が乏しい場合には、情報提供を行うためのコミュニケーションをはかる必要はない。

問4 サリドマイド訴訟は、解熱鎮痛薬等として販売されたサリドマイド製剤を妊娠している女性が使用したことにより出生児に先天異常が発生したこと（サリドマイド薬害）に対する損害賠償請求である。

問5 スモン訴訟は、整腸剤として販売されていたキノホルム製剤を使用したことにより急性延髄視神経症に罹患（りかん）したことに対する損害賠償訴訟である。

問6 HIV訴訟は、血友病患者が、ヒト免疫不全ウイルス（HIV）が混入した原料血漿（けっしょう）から製造された血液凝固因子製剤の投与を受けたことによりHIVに感染したことに対する損害賠償訴訟である。

問7 CJD訴訟は、脳外科手術等に用いられていたヒト乾燥硬膜を介してクロイツフェルト・ヤコブ病（CJD）に罹患したことに対する損害賠償訴訟である。

問8 C型肝炎訴訟は、出産や手術での大量出血などの際に特定のフィブリノゲン製剤や血液凝固第IX因子製剤の投与を受けたことにより、C型肝炎ウイルスに感染したことに対する損害賠償訴訟である。

答1 ×

情報提供は、専門用語を分かりやすい**平易な表現**で説明し、説明した内容が購入者等にどう理解され、行動に反映されているかなどの実情を**把握しながら**行うことにより実効性が高まる。

答2 ○

第二類医薬品を販売する場合は、販売する**薬剤師**又は**登録販売者**が確認するよう努めなければならない。

答3 ×

購入者側に情報提供を受けようとする意識が乏しくても、できる限り医薬品の使用状況に係る情報を引き出し、可能な情報提供を行うための**コミュニケーション技術**を身につけるべきである。

答4 ×

サリドマイド薬害は、妊婦が**催眠鎮静剤等**として販売されたサリドマイド製剤を使用したことにより、出生児に四肢欠損、耳の障害等の**先天異常**が発生したものである。

答5 ×

スモン訴訟は、キノホルム製剤の使用により**亜急性脊髄視神経症**に罹患したことに対する損害賠償訴訟である。亜急性脊髄視神経症の初期には、腹部の**膨満感**から激しい腹痛を伴う**下痢**を生じる。

答6 ○

訴訟の和解を踏まえ、**国**は、HIV 感染者に対する**恒久対策**として、エイズ治療研究開発センター及び拠点病院の整備や**治療薬**の早期提供等の様々な取り組みを推進してきている。

答7 ○

CJD は、細菌でもウイルスでもないタンパク質の一種である**プリオン**が脳の組織に感染し、次第に**認知症**に類似した症状が現れ、死に至る重篤な**神経難病**である。

答8 ○

C 型肝炎ウイルス感染者の早期・一律救済の要請にこたえるべく、2008 年 1 月に**特別措置法**が制定、施行された。国では、この法律に基づく給付金の支給の仕組みに沿って、現在和解を進めている。

内臓器官（消化器系①）

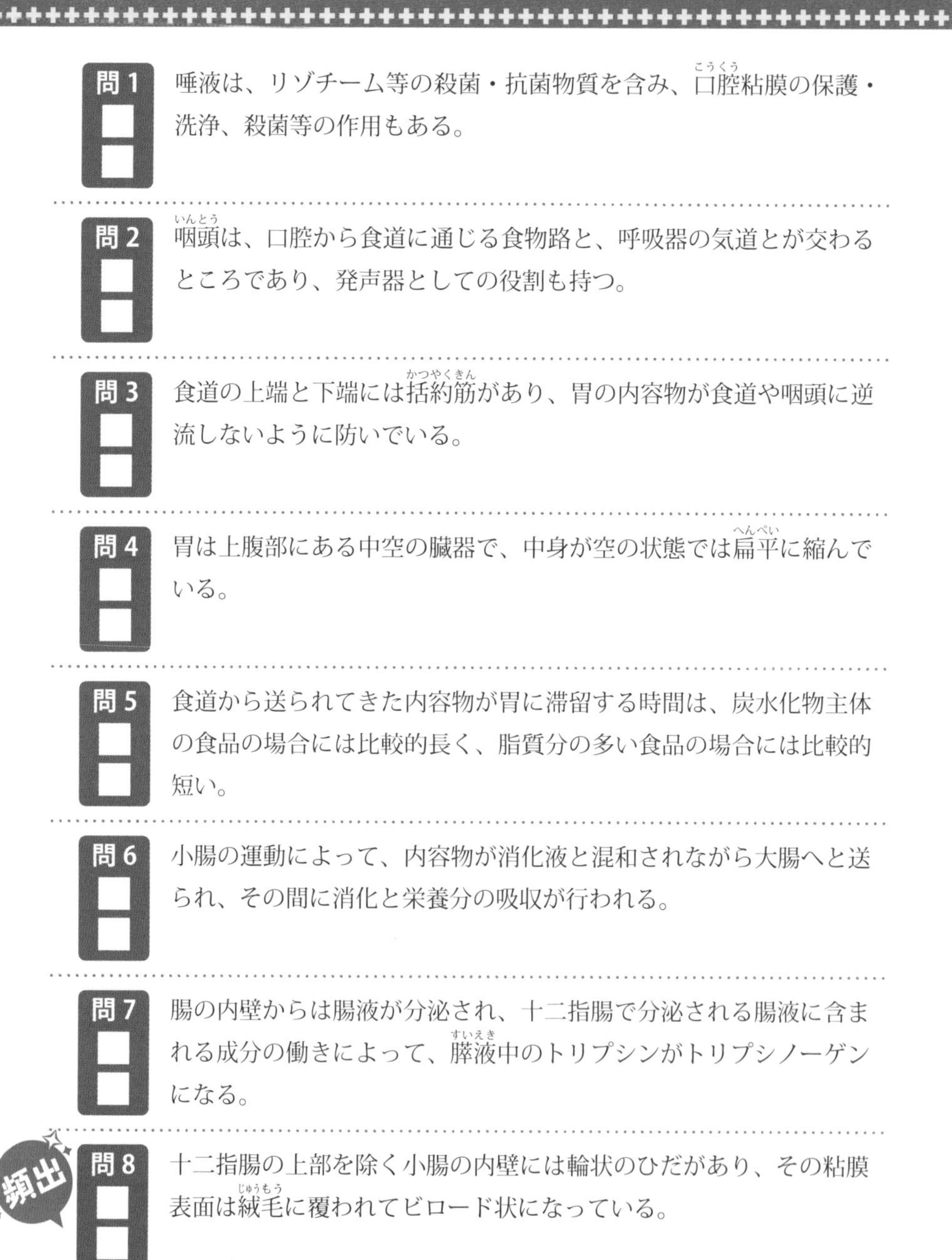

問1　唾液は、リゾチーム等の殺菌・抗菌物質を含み、口腔粘膜の保護・洗浄、殺菌等の作用もある。

問2　咽頭は、口腔から食道に通じる食物路と、呼吸器の気道とが交わるところであり、発声器としての役割も持つ。

問3　食道の上端と下端には括約筋があり、胃の内容物が食道や咽頭に逆流しないように防いでいる。

問4　胃は上腹部にある中空の臓器で、中身が空の状態では扁平に縮んでいる。

問5　食道から送られてきた内容物が胃に滞留する時間は、炭水化物主体の食品の場合には比較的長く、脂質分の多い食品の場合には比較的短い。

問6　小腸の運動によって、内容物が消化液と混和されながら大腸へと送られ、その間に消化と栄養分の吸収が行われる。

問7　腸の内壁からは腸液が分泌され、十二指腸で分泌される腸液に含まれる成分の働きによって、膵液中のトリプシンがトリプシノーゲンになる。

頻出
問8　十二指腸の上部を除く小腸の内壁には輪状のひだがあり、その粘膜表面は絨毛に覆われてビロード状になっている。

答1 ○

唾液は、口腔粘膜の**保護・洗浄**、**殺菌**等の作用を持つ。また、口腔内の pH をほぼ**中性**に保ち、酸による歯の齲蝕（うしょく）を防いでいる。

答2 ×

咽頭は、**食物路**と**気道**とが交わるところであり、飲食物を飲み込むときには、喉頭の入り口にある弁（喉頭蓋（こうずがい））が反射的に閉じて**誤嚥（ごえん）**を防ぐ。発声器としての役割を持つのは、**喉頭**である。

答3 ○

食道の上端と下端にある**括約筋**は、胃の内容物が食道や咽頭に**逆流**しないように防ぐ働きをしている。胃液が食道に逆流すると、**むねやけ**が起きる。

答4 ○

胃は上腹部にある中空の臓器で、中身が空の状態では**扁平**に縮んでいるが、食道から内容物が送られてくると、その刺激に反応して胃壁の平滑筋が**弛緩（しかん）**し、容積が**拡がる**（胃適応性弛緩）。

答5 ×

食道から送られてきた内容物は、**胃の運動**によって胃液と混和され、**数時間**、胃内に滞留する。滞留時間は、**炭水化物**主体の食品の場合には比較的短く、**脂質分**の多い食品の場合には比較的長い。

答6 ○

小腸の運動によって、内容物が**消化液**（膵液、胆汁、腸液）と混和されながら**大腸**へと送られ、その間に**消化**と栄養分の**吸収**が行われる。

答7 ×

十二指腸で分泌される腸液によって、膵液中の**トリプシノーゲン**が**トリプシン**になる。トリプシンは、胃で半消化されたタンパク質（**ペプトン**）をさらに細かく消化する酵素である。

答8 ○

小腸は栄養分の**吸収**に重要な器官である。内壁には輪状の**ひだ**を持ち、内壁の**表面積**を大きくする構造となっている。

内臓器官（消化器系②）

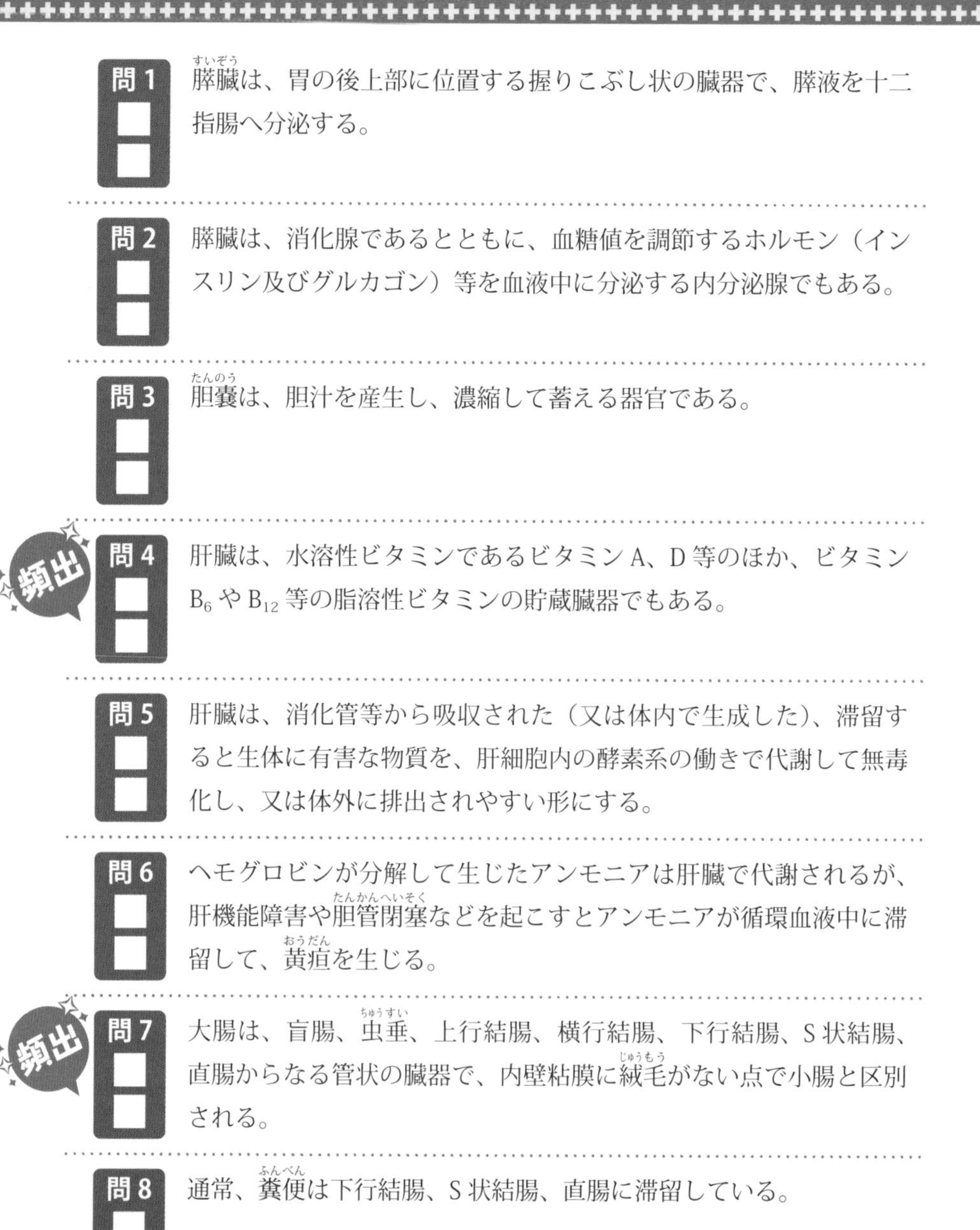

問1 膵臓は、胃の後上部に位置する握りこぶし状の臓器で、膵液を十二指腸へ分泌する。

問2 膵臓は、消化腺であるとともに、血糖値を調節するホルモン（インスリン及びグルカゴン）等を血液中に分泌する内分泌腺でもある。

問3 胆嚢は、胆汁を産生し、濃縮して蓄える器官である。

頻出

問4 肝臓は、水溶性ビタミンであるビタミンA、D等のほか、ビタミンB_6やB_{12}等の脂溶性ビタミンの貯蔵臓器でもある。

問5 肝臓は、消化管等から吸収された（又は体内で生成した）、滞留すると生体に有害な物質を、肝細胞内の酵素系の働きで代謝して無毒化し、又は体外に排出されやすい形にする。

問6 ヘモグロビンが分解して生じたアンモニアは肝臓で代謝されるが、肝機能障害や胆管閉塞などを起こすとアンモニアが循環血液中に滞留して、黄疸を生じる。

頻出

問7 大腸は、盲腸、虫垂、上行結腸、横行結腸、下行結腸、S状結腸、直腸からなる管状の臓器で、内壁粘膜に絨毛がない点で小腸と区別される。

問8 通常、糞便は下行結腸、S状結腸、直腸に滞留している。

答1
×

膵臓は、胃の**後下部**に位置する**細長い**臓器で、膵液を十二指腸へ分泌する。膵液は**弱アルカリ性**で、胃で**酸性**となった内容物を中和するのに重要である。

答2
○

膵臓は、消化腺であるとともに**内分泌腺**でもあり、**血糖値**を調節するホルモン（**インスリン**及び**グルカゴン**）等を血液中に分泌している。

答3
×

胆嚢は、**肝臓**で産生された**胆汁**を濃縮して蓄える器官で、**十二指腸**に内容物が入ってくると**収縮**して腸管内に胆汁を送り込む。

答4
×

肝臓は、**脂溶性ビタミン**であるビタミンA、D等のほか、ビタミンB_6やB_{12}等の**水溶性ビタミン**の貯蔵臓器でもある。

答5
○

肝臓は、滞留すると生体に有害な物質を、肝細胞内の酵素系の働きで**代謝**して**無毒化**し、又は体外に**排出**されやすい形にする。医薬品として摂取された物質の多くも、肝臓において代謝される。

答6
×

ヘモグロビンが分解して生じた**ビリルビン**は肝臓で代謝されるが、肝機能障害や胆管閉塞などを起こすと**ビリルビン**が循環血液中に滞留して、**黄疸**（皮膚や白目が黄色くなる症状）を生じる。

答7
○

腸の内容物は、大腸に入ってきたときは**かゆ状**であるが、大腸の運動によって腸管内を通過するに従って**水分**と**電解質**（ナトリウム、カリウム、リン酸等）の**吸収**が行われ、固形状の**糞便**（ふんべん）が形成される。

答8
×

糞便は**下行結腸**、**S状結腸**に滞留し、**直腸**は空になっている。**S状結腸**に溜まった糞便が**直腸**へ送られてくると、その刺激に反応して**便意**が起こる。

内臓器官（呼吸器系／泌尿器系）

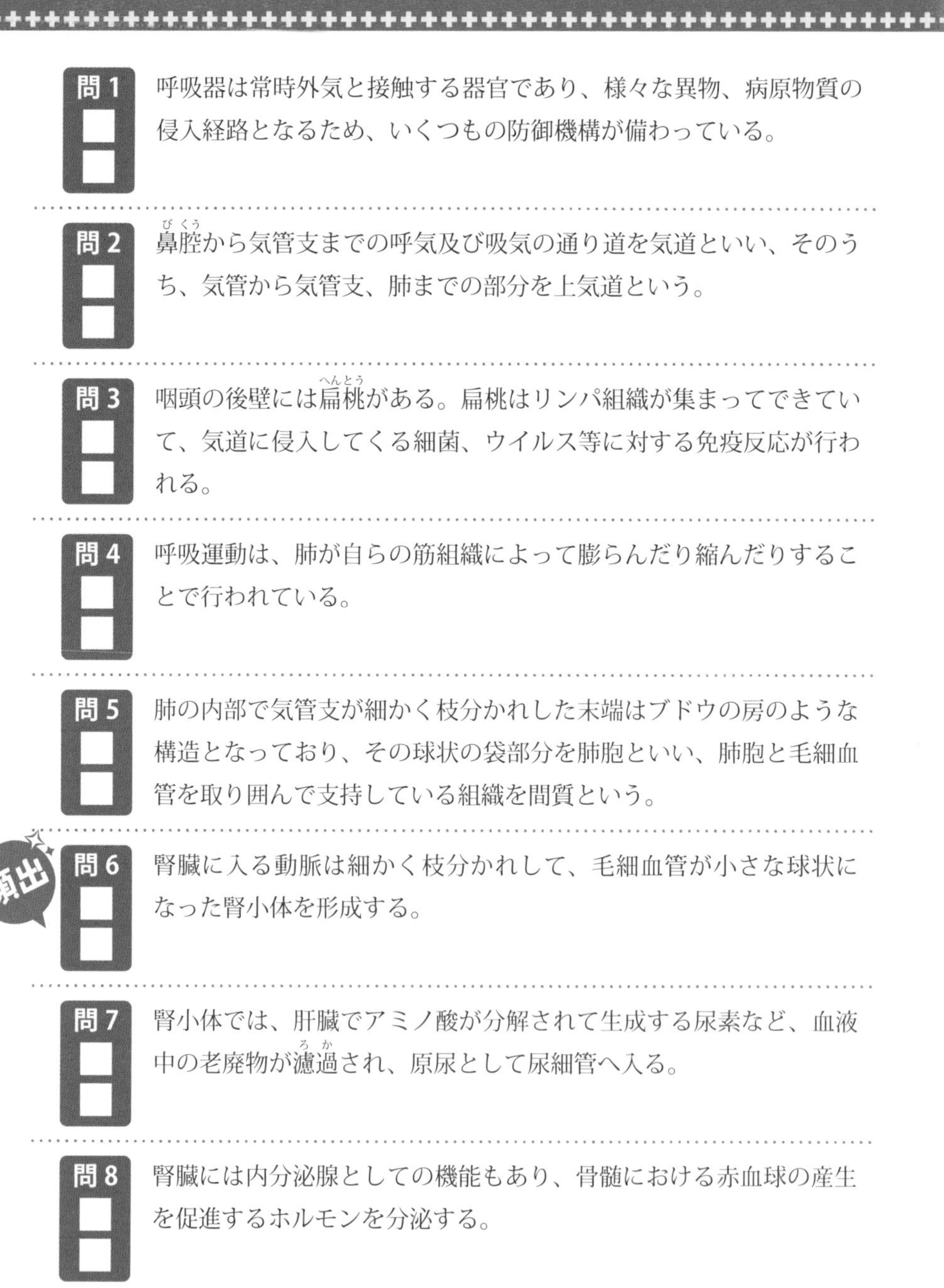

問1　呼吸器は常時外気と接触する器官であり、様々な異物、病原物質の侵入経路となるため、いくつもの防御機構が備わっている。

問2　鼻腔（びくう）から気管支までの呼気及び吸気の通り道を気道といい、そのうち、気管から気管支、肺までの部分を上気道という。

問3　咽頭の後壁には扁桃（へんとう）がある。扁桃はリンパ組織が集まってできていて、気道に侵入してくる細菌、ウイルス等に対する免疫反応が行われる。

問4　呼吸運動は、肺が自らの筋組織によって膨らんだり縮んだりすることで行われている。

問5　肺の内部で気管支が細かく枝分かれした末端はブドウの房のような構造となっており、その球状の袋部分を肺胞といい、肺胞と毛細血管を取り囲んで支持している組織を間質という。

頻出

問6　腎臓に入る動脈は細かく枝分かれして、毛細血管が小さな球状になった腎小体を形成する。

問7　腎小体では、肝臓でアミノ酸が分解されて生成する尿素など、血液中の老廃物が濾過（ろか）され、原尿として尿細管へ入る。

問8　腎臓には内分泌腺としての機能もあり、骨髄における赤血球の産生を促進するホルモンを分泌する。

答1 ○

鼻腔の入り口（鼻孔）にある**鼻毛**は、空気中の塵、埃等を吸い込まないようにする**フィルター**の役目を果たしている。

答2 ×

鼻腔から気管支までの呼気及び吸気の通り道を**気道**といい、そのうち、咽頭・喉頭までの部分を**上気道**、気管から気管支、肺までの部分を**下気道**という。

答3 ○

扁桃は**リンパ組織**（白血球の一種である**リンパ球**が密集する組織）が集まってできていて、気道に侵入してくる細菌、ウイルス等に対する**免疫反応**が行われる。

答4 ×

肺自体には肺を動かす**筋組織**がないため、自力で膨らんだり縮んだりするのではなく、**横隔膜**や**肋間筋**によって拡張・収縮して呼吸運動が行われている。

答5 ○

肺胞の壁は非常に薄くできていて、周囲を**毛細血管**が網のように取り囲んでいる。肺胞と毛細血管を取り囲んで支持している組織を**間質**という。

答6 ×

腎臓に入る動脈は細かく枝分かれして、毛細血管が小さな球状になった**糸球体**を形成する。**糸球体**は外側を袋状の**ボウマン囊**に包み込まれており、これを**腎小体**という。

答7 ○

腎小体では、尿素など、血液中の**老廃物**が濾過され、原尿として尿細管へ入る。そのほか、血球やタンパク質以外の**血漿成分**も、腎小体で濾過される。

答8 ○

腎臓には、**内分泌腺**としての機能もある。また、食品から摂取あるいは体内で生合成されたビタミンDは、腎臓で**活性型ビタミンD**に転換されて、**骨**の形成や維持の作用を発揮する。

内臓器官（循環器系）

問1
心臓の内部は、上部左右の心室、下部左右の心房の4つの空洞に分かれている。

頻出
問2
心臓の上側部分（右心房、左心房）は、全身から集まってきた血液を肺へ送り出し、肺でのガス交換が行われた血液は、心臓の下側部分（右心室、左心室）に入り、そこから全身に送り出される。

問3
消化管壁を通っている毛細血管の大部分は、門脈と呼ばれる血管に集まって肝臓に入る。

問4
アルブミンは、その多くが、免疫反応において、体内に侵入した細菌やウイルス等の異物を特異的に認識する抗体としての役割を担う。

問5
赤血球は骨髄で産生されるが、赤血球の数が少なすぎたり、赤血球中のヘモグロビン量が欠乏すると、血液は酸素を十分に供給できず、疲労や血色不良などの貧血症状が現れる。

頻出
問6
白血球は、体内に侵入した細菌やウイルス等の異物を防御する細胞であり、形態や機能等の違いにより数種類に細分類されるが、その数や割合が一定に保たれることで防御機能が維持される。

問7
生体には損傷した血管からの血液の流出を抑える仕組みが備わっており、血小板がその仕組みにおいて重要な役割を担っている。

問8
脾臓（ひぞう）は、握りこぶし大のスポンジ状臓器で、胃の後方の左上腹部に位置し、その内部を流れる血液から古くなった赤血球を濾（こ）し取って処理している。

答1 ×

心臓の内部は、上部左右の**心房**、下部左右の**心室**の４つの空洞に分かれており、**心房**で血液を集めて**心室**に送り、**心室**から血液を拍出する。このような心臓の動きを**拍動**という。

答2 ×

心臓の**右側**部分（**右心房**、**右心室**）は、全身から集まってきた血液を肺へ送り出し、肺でのガス交換が行われた血液は、心臓の**左側**部分（**左心房**、**左心室**）に入り、そこから全身に送り出される。

答3 ○

消化管ではアルコールなど生体に悪影響を及ぼす物質が取り込まれることがあるため、消化管で吸収された物質が一度**肝臓**で**代謝**や**解毒**を受けた後、血流に乗って全身を循環する仕組みとなっている。

答4 ×

免疫反応において、体内に侵入した異物を特異的に認識する抗体としての役割を担うのは**グロブリン**（**免疫グロブリン**）である。アルブミンは、血液の**浸透圧**を保持する等の働きをする。

答5 ○

赤血球が減少する原因には、赤血球の産生に必要なビタミンが不足する**ビタミン欠乏性貧血**や、血液損失等のためヘモグロビンの生合成に必要な鉄分が不足することによる**鉄欠乏性貧血**などがある。

答6 ×

白血球には、**好中球**（こうちゅうきゅう）、**リンパ球**、**単球**などがあり、これらが協働して生体の**免疫機能**が発揮される。感染や炎症などが起きると全体の数が**増加**するとともに、種類ごとの**割合**も変化する。

答7 ○

損傷した血管は、血管壁が**収縮**することで血流を**減少**させ、大量の血液が**流出**するのを防ぐ。同時に、損傷部位に**血小板**が粘着、凝集して傷口を覆う。

答8 ○

健康な赤血球には**柔軟性**があるので脾臓内の網目構造をすり抜けられるが、古くなって**柔軟性**が失われた赤血球は引っかかり、脾臓の組織に存在する**マクロファージ**（**貪食細胞**）によって壊される。

感覚器官（目、鼻、耳など）

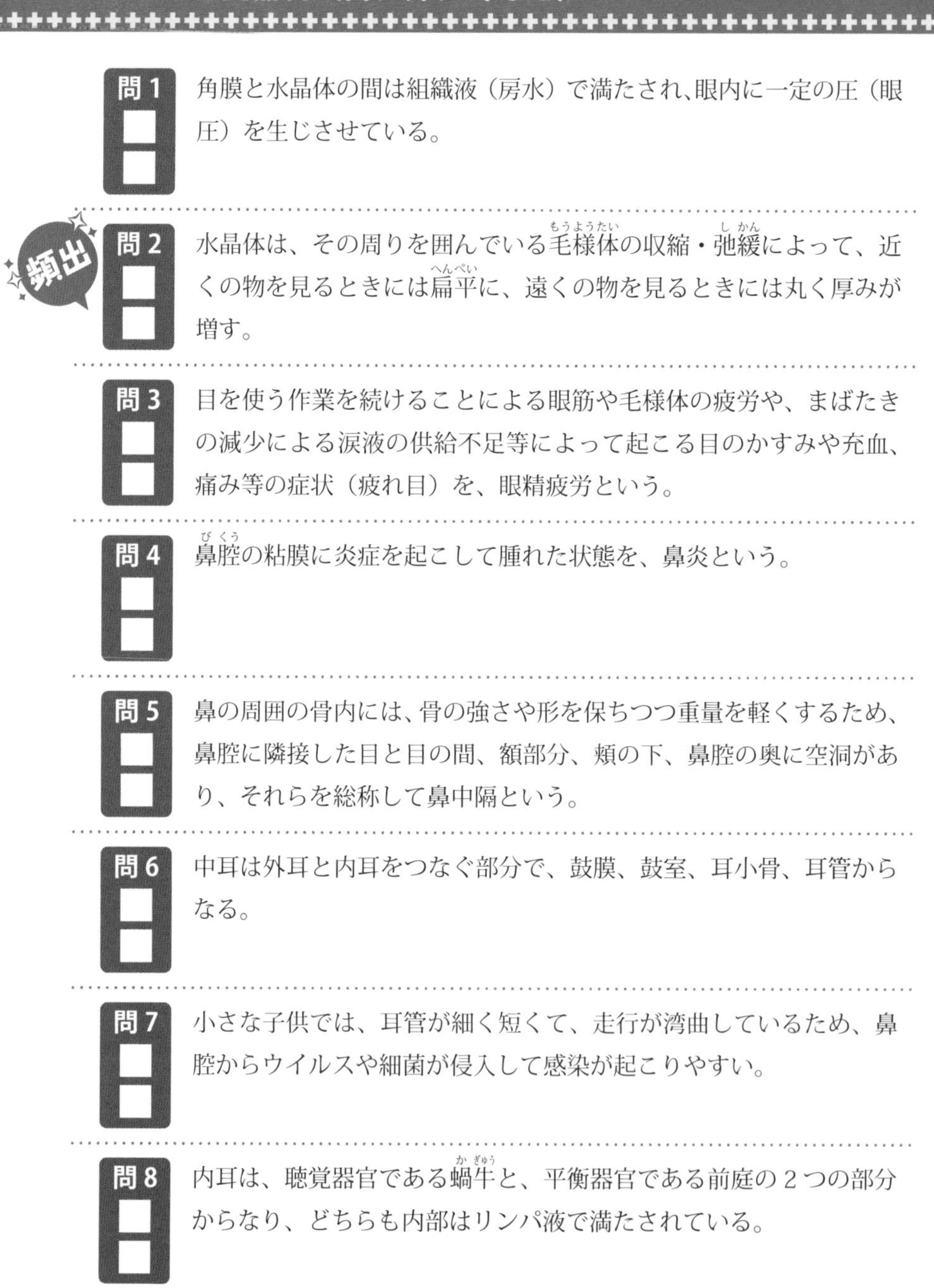

問1 角膜と水晶体の間は組織液（房水）で満たされ、眼内に一定の圧（眼圧）を生じさせている。

問2（頻出） 水晶体は、その周りを囲んでいる毛様体の収縮・弛緩によって、近くの物を見るときには扁平に、遠くの物を見るときには丸く厚みが増す。

問3 目を使う作業を続けることによる眼筋や毛様体の疲労や、まばたきの減少による涙液の供給不足等によって起こる目のかすみや充血、痛み等の症状（疲れ目）を、眼精疲労という。

問4 鼻腔の粘膜に炎症を起こして腫れた状態を、鼻炎という。

問5 鼻の周囲の骨内には、骨の強さや形を保ちつつ重量を軽くするため、鼻腔に隣接した目と目の間、額部分、頬の下、鼻腔の奥に空洞があり、それらを総称して鼻中隔という。

問6 中耳は外耳と内耳をつなぐ部分で、鼓膜、鼓室、耳小骨、耳管からなる。

問7 小さな子供では、耳管が細く短くて、走行が湾曲しているため、鼻腔からウイルスや細菌が侵入して感染が起こりやすい。

問8 内耳は、聴覚器官である蝸牛と、平衡器官である前庭の２つの部分からなり、どちらも内部はリンパ液で満たされている。

答1 ○
透明な**角膜**や**水晶体**には血管が通っておらず、**房水**によって栄養分や酸素が供給される。また、水晶体の前には**虹彩**があり、**瞳孔**を散大・縮小させて眼球内に入る**光の量**を調節している。

答2 ×
水晶体は、その周りを囲んでいる毛様体の収縮・弛緩によって、近くの物を見るときには**丸く厚みが増し**、遠くの物を見るときには**扁平**になる。

答3 ×
眼精疲労とは、メガネやコンタクトレンズが合わないことや、ストレス、睡眠不足、栄養不良等が要因となって、慢性的な**目の疲れ**に、肩こりや頭痛等の**全身症状**を伴うものをいう。

答4 ○
鼻腔の粘膜に炎症を起こして腫れた状態を**鼻炎**といい、**鼻汁過多**や**鼻閉**（鼻づまり）などの症状を生じる。

答5 ×
鼻の周囲の骨内にある空洞を総称して、**副鼻腔**という。鼻中隔は鼻腔を**左右に仕切る**もので、薄い板状の軟骨と骨でできている。鼻中隔の前部は毛細血管が豊富で粘膜が薄いため、傷つきやすい。

答6 ○
外耳道を伝わってきた音は、**鼓膜**を振動させる。**鼓室**の内部では、互いに連結した微細な３つの**耳小骨**が鼓膜の振動を**増幅**して、**内耳**へ伝導する。

答7 ×
小さな子供では、耳管が**太く**短くて、走行が**水平に近い**ため、鼻腔からウイルスや細菌が侵入して感染が起こりやすい。

答8 ○
蝸牛では、中耳の**耳小骨**から伝わる振動がリンパ液を震わせ、その振動が聴細胞の小突起（感覚毛）を揺らして**聴神経**が刺激される。前庭では、リンパ液の動きが**平衡感覚**として感知される。

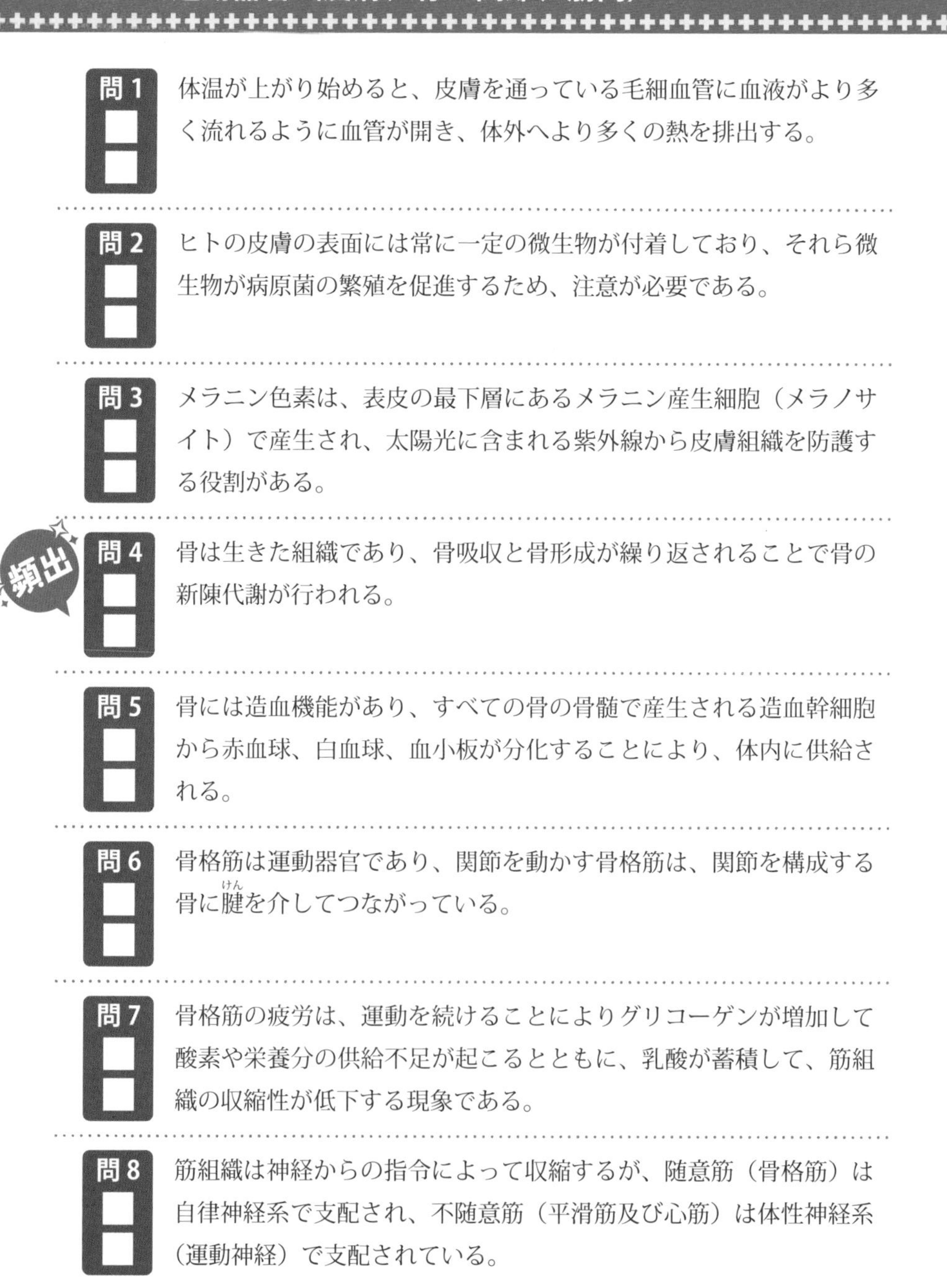

運動器官（皮膚、骨・関節、筋肉）

問1　体温が上がり始めると、皮膚を通っている毛細血管に血液がより多く流れるように血管が開き、体外へより多くの熱を排出する。

問2　ヒトの皮膚の表面には常に一定の微生物が付着しており、それら微生物が病原菌の繁殖を促進するため、注意が必要である。

問3　メラニン色素は、表皮の最下層にあるメラニン産生細胞（メラノサイト）で産生され、太陽光に含まれる紫外線から皮膚組織を防護する役割がある。

頻出

問4　骨は生きた組織であり、骨吸収と骨形成が繰り返されることで骨の新陳代謝が行われる。

問5　骨には造血機能があり、すべての骨の骨髄で産生される造血幹細胞から赤血球、白血球、血小板が分化することにより、体内に供給される。

問6　骨格筋は運動器官であり、関節を動かす骨格筋は、関節を構成する骨に腱（けん）を介してつながっている。

問7　骨格筋の疲労は、運動を続けることによりグリコーゲンが増加して酸素や栄養分の供給不足が起こるとともに、乳酸が蓄積して、筋組織の収縮性が低下する現象である。

問8　筋組織は神経からの指令によって収縮するが、随意筋（骨格筋）は自律神経系で支配され、不随意筋（平滑筋及び心筋）は体性神経系（運動神経）で支配されている。

答1 ○

体温が上がり始めると、血管が**開いて**体外へ熱を排出したり、汗腺から汗を分泌したりして**気化熱**によって体温を下げる。逆に、体温が下がり始めると血管は**収縮**し、放熱を抑える。

答2 ×

ヒトの皮膚の表面には**常に一定**の微生物が付着しており、それら微生物の存在によって、皮膚の表面での病原菌の繁殖が**抑えられ**、また、病原菌の**体内への侵入**が妨げられている。

答3 ○

メラニン色素の防護能力を超える**紫外線**に曝（さら）されると、皮膚組織が損傷を受け、炎症を生じて**発熱**や**水疱**（すいほう）、痛み等の症状が起きる。

答4 ○

骨は生きた組織であり、**骨吸収**（破壊）と**骨形成**（修復）とが互いに密接な連絡を保ちながら進行し、これが繰り返されることで骨の**新陳代謝**が行われる。

答5 ×

骨には造血機能があるが、すべての骨の骨髄で造血が行われるわけでなく、主として**胸骨**、**肋骨**（ろっこつ）、**脊椎**（せきつい）、**骨盤**、**大腿骨**（だいたいこつ）などが造血機能を担う。

答6 ○

骨格筋は、関節を構成する骨に**腱**を介してつながっており、その筋線維を顕微鏡で観察すると**横縞**（しま）**模様**（**横紋**）が見えるので、**横紋筋**とも呼ばれる。

答7 ×

骨格筋の疲労は、エネルギー源であるグリコーゲンが運動により**減少**し、酸素や栄養分の供給不足が起こるとともに、グリコーゲンの代謝に伴い**乳酸**が蓄積して、筋組織の**収縮性**が低下する現象である。

答8 ×

随意筋（骨格筋）は**体性神経系**（運動神経）で支配され、不随意筋（平滑筋及び心筋）は**自律神経系**に支配されている。

脳や神経系の働き

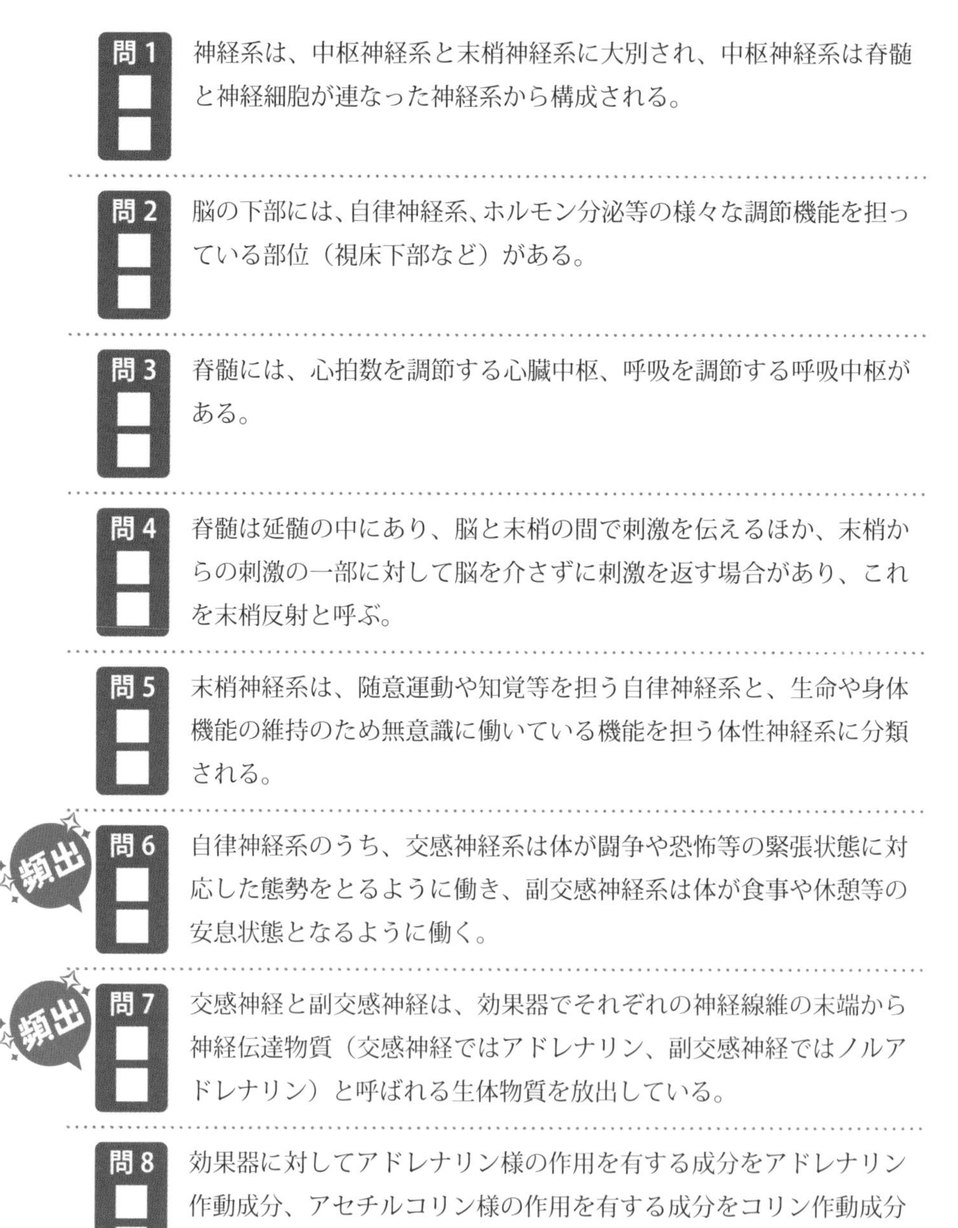

問1
神経系は、中枢神経系と末梢神経系に大別され、中枢神経系は脊髄と神経細胞が連なった神経系から構成される。

問2
脳の下部には、自律神経系、ホルモン分泌等の様々な調節機能を担っている部位（視床下部など）がある。

問3
脊髄には、心拍数を調節する心臓中枢、呼吸を調節する呼吸中枢がある。

問4
脊髄は延髄の中にあり、脳と末梢の間で刺激を伝えるほか、末梢からの刺激の一部に対して脳を介さずに刺激を返す場合があり、これを末梢反射と呼ぶ。

問5
末梢神経系は、随意運動や知覚等を担う自律神経系と、生命や身体機能の維持のため無意識に働いている機能を担う体性神経系に分類される。

頻出
問6
自律神経系のうち、交感神経系は体が闘争や恐怖等の緊張状態に対応した態勢をとるように働き、副交感神経系は体が食事や休憩等の安息状態となるように働く。

頻出
問7
交感神経と副交感神経は、効果器でそれぞれの神経線維の末端から神経伝達物質（交感神経ではアドレナリン、副交感神経ではノルアドレナリン）と呼ばれる生体物質を放出している。

問8
効果器に対してアドレナリン様の作用を有する成分をアドレナリン作動成分、アセチルコリン様の作用を有する成分をコリン作動成分という。

答1 ×

神経系は、その働きにより、中枢神経系と**末梢**神経系に大別され、中枢神経系は**脳**と**脊髄**から構成される。

答2 ○

脳は、頭の上部から下後方部にあり、**知覚**、**運動**、**記憶**、**情動**、**意思決定**等の働きを行っている。下部には、自律神経系、ホルモン分泌等の様々な**調節機能**を担っている部位（**視床下部**など）がある。

答3 ×

心拍数を調節する心臓中枢、呼吸を調節する呼吸中枢は、**延髄**（後頭部と頸部（けいぶ）の境目あたりに位置する）にある。

答4 ×

脊髄は**脊椎**（せきつい）の中にあり、脳と末梢の間で刺激を伝えるほか、末梢からの刺激の一部に対して脳を介さずに刺激を返す場合があり、これを**脊髄反射**と呼ぶ。

答5 ×

末梢神経系は、随意運動や知覚等を担う**体性神経系**と、消化管の運動や血液の循環等のように生命や身体機能の維持のため無意識に働いている機能を担う**自律神経系**に分類される。

答6 ○

通常、交感神経系と副交感神経系は、互いに**拮抗**（きっこう）して働き、一方が活発になっているときには他方は活動を**抑制**して、効果器（効果を及ぼす各臓器・器官）を**制御**している。

答7 ×

交感神経の節後線維の末端からは**ノルアドレナリン**（**ノルエピネフリン**）が放出され、副交感神経の節後線維の末端からは**アセチルコリン**が放出され、効果器を作動させている。

答8 ○

アドレナリンの働きを抑える作用（抗アドレナリン作用）を有する成分は**抗アドレナリン成分**、アセチルコリンの働きを抑える作用（抗コリン作用）を有する成分は**抗コリン成分**といわれる。

薬が働く仕組み

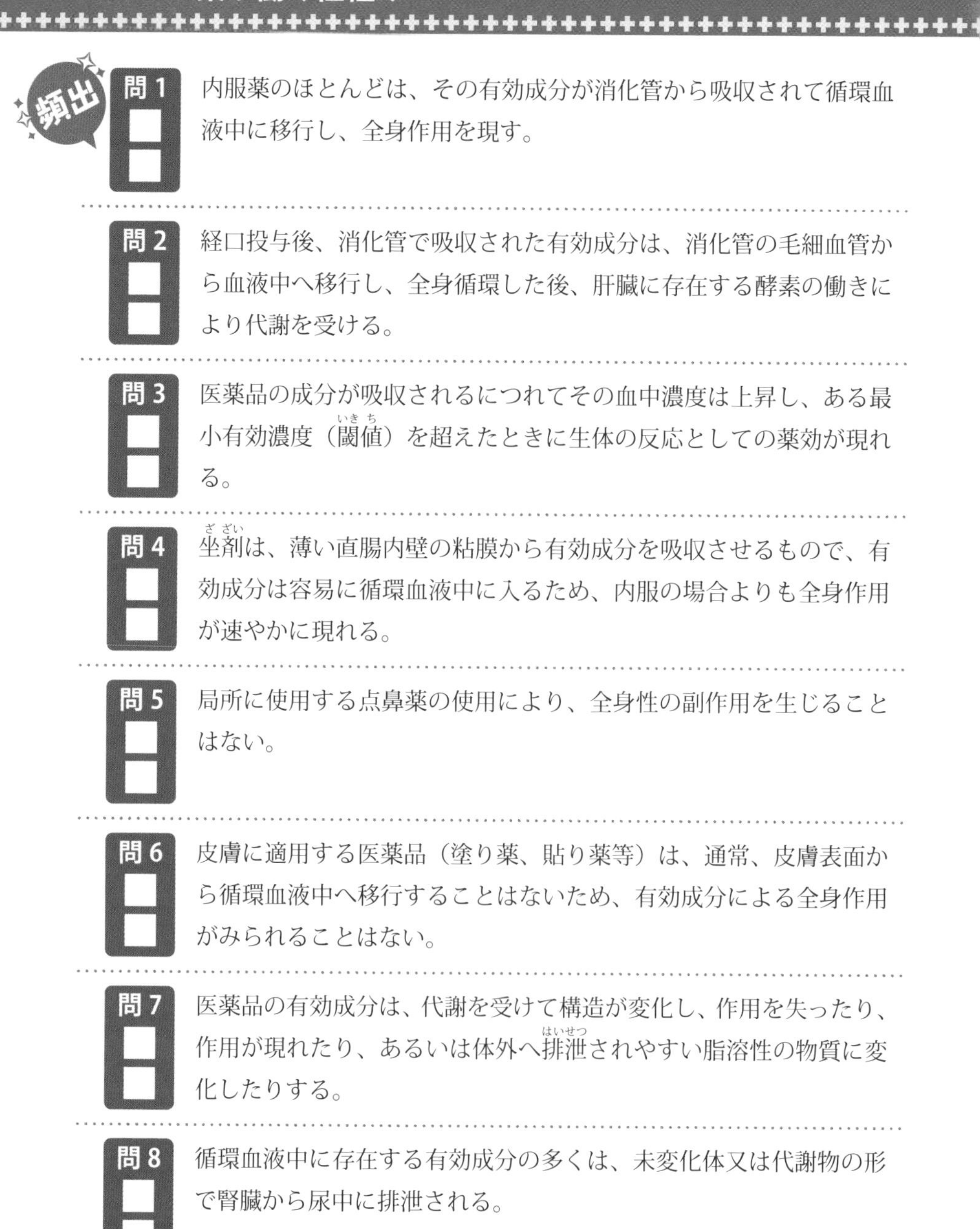

頻出

問1 内服薬のほとんどは、その有効成分が消化管から吸収されて循環血液中に移行し、全身作用を現す。

問2 経口投与後、消化管で吸収された有効成分は、消化管の毛細血管から血液中へ移行し、全身循環した後、肝臓に存在する酵素の働きにより代謝を受ける。

問3 医薬品の成分が吸収されるにつれてその血中濃度は上昇し、ある最小有効濃度（閾値）を超えたときに生体の反応としての薬効が現れる。

問4 坐剤は、薄い直腸内壁の粘膜から有効成分を吸収させるもので、有効成分は容易に循環血液中に入るため、内服の場合よりも全身作用が速やかに現れる。

問5 局所に使用する点鼻薬の使用により、全身性の副作用を生じることはない。

問6 皮膚に適用する医薬品（塗り薬、貼り薬等）は、通常、皮膚表面から循環血液中へ移行することはないため、有効成分による全身作用がみられることはない。

問7 医薬品の有効成分は、代謝を受けて構造が変化し、作用を失ったり、作用が現れたり、あるいは体外へ排泄されやすい脂溶性の物質に変化したりする。

問8 循環血液中に存在する有効成分の多くは、未変化体又は代謝物の形で腎臓から尿中に排泄される。

答1 ○

内服薬のほとんどは、有効成分が**消化管**（主に**小腸**）から吸収されて**循環血液中**に移行し、**全身作用**を現す。一般に消化管からの吸収は、濃度の**高い**方から**低い**方へ**受動的**に拡散していく現象である。

答2 ×

消化管で吸収された有効成分は、消化管の毛細血管から血液中へ移行し、全身循環に**入る前**に**門脈**を経由して肝臓を通過する。そのため肝臓に存在する**酵素**の働きにより**代謝**を受けることになる。

答3 ○

血中濃度はある時点でピーク（**最高血中濃度**）に達し、その後は**低下**していく。やがて、血中濃度が**最小有効濃度**を下回ると、薬効は**消失**する。

答4 ○

坐剤は、肛門（こうもん）から医薬品を挿入することにより、**直腸内**で溶解させ、薄い直腸内壁の**粘膜**から有効成分を吸収させるものである。

答5 ×

鼻腔粘膜の下には毛細血管が豊富なため、点鼻薬の成分は循環血液中に**移行しやすく**、また、初めに**肝臓**で**代謝**を受けることなく全身に分布するため、**全身性**の副作用を生じることがある。

答6 ×

皮膚に適用する医薬品は、皮膚表面から循環血液中へ**移行**する。その量は比較的少ないが、血液中に移行した有効成分は**肝臓**で**代謝**を受ける前に全身に分布するため、**全身作用**が現れることがある。

答7 ×

医薬品の有効成分は、体内を循環するうちに**代謝**を受けて構造が変化し、作用を失ったり（**不活性化**）、作用が現れたり（**代謝的活性化**）、あるいは体外へ排泄されやすい**水溶性**の物質に変化したりする。

答8 ○

有効成分の多くは**腎臓**から尿中に排泄されるため、腎機能が低下した人では有効成分の尿中への排泄が遅れ、**血中濃度**が下がりにくく、医薬品の効き目が**過剰**に現れたり、**副作用**を生じやすい。

症状からみた主な副作用 (1)

頻出

問 1 ショック（アナフィラキシー）は、発症後の進行が非常に速やかなことが特徴であり、通常、30 分以内に急変する。

問 2 皮膚粘膜眼症候群と中毒性表皮壊死融解症は関連のある病態と考えられており、皮膚粘膜眼症候群の症例の多くが、中毒性表皮壊死融解症の進展型とみられる。

問 3 皮膚粘膜眼症候群と中毒性表皮壊死融解症は、いずれも原因医薬品の使用開始後２週間以内に発症することが多いが、１ヶ月以上経ってから起こることもある。

問 4 医薬品により生じる肝機能障害は、中毒性のものとアレルギー性のものに大別される。

問 5 肝機能障害では、軽度であっても、比較的初期から全身の倦怠感などの自覚症状がみられることが多い。

問 6 偽アルドステロン症は、アルドステロンの分泌が増加していないにもかかわらず、体からカリウムが失われることによって生じる病態である。

頻出

問 7 偽アルドステロン症は、複数の医薬品や、医薬品と食品との間の相互作用によって起きることがある。

問 8 医薬品の使用が原因となって血液中の白血球（好中球（こうちゅうきゅう））が減少し、細菌やウイルスの感染に対する抵抗力が弱くなり、易感染性をもたらすことがある。

答1 ×

ショック（アナフィラキシー）は、生体異物に対する即時型の**アレルギー反応**の一種である。発症後の進行が非常に速やかなことが特徴であり、通常、**2時間**以内に急変する。

答2 ×

皮膚粘膜眼症候群（SJS）と中毒性表皮壊死融解症（TEN）は関連のある病態と考えられており、**中毒性表皮壊死融解症**の症例の多くが**皮膚粘膜眼症候群**の進展型とみられる。

答3 ○

皮膚粘膜眼症候群と中毒性表皮壊死融解症の発生は非常に**まれ**だが、一旦発症すると**致命的**な転帰をたどることがあるため、前兆（両眼に現れる**急性結膜炎**等）を見逃さないことが重要である。

答4 ○

医薬品により生じる肝機能障害は、有効成分又はその代謝物の直接的肝毒性が原因で起きる**中毒性**のものと、有効成分に対する抗原抗体反応が原因で起きる**アレルギー性**のものに大別される。

答5 ×

軽度の肝機能障害の場合、**自覚症状**がなく、健康診断等の血液検査（**肝機能検査値**の悪化）で初めて判明することが多い。

答6 ○

偽アルドステロン症は、副腎皮質からの**アルドステロン**分泌が増加していないにもかかわらず体内に**塩分**（ナトリウム）と**水**が貯留し、体から**カリウム**が失われることによって生じる病態である。

答7 ○

また、偽アルドステロン症は、**低身長**、**低体重**など体表面積が小さい者や**高齢者**で生じやすく、原因医薬品の長期服用後に初めて発症する場合もある。

答8 ○

ステロイド性抗炎症薬等によって抵抗力が弱くなり、突然の高熱、悪寒、喉の痛み、口内炎、倦怠感等の症状を呈することがある。進行すると重症の**細菌感染**を繰り返し、**致命的**となることもある。

症状からみた主な副作用 (2)

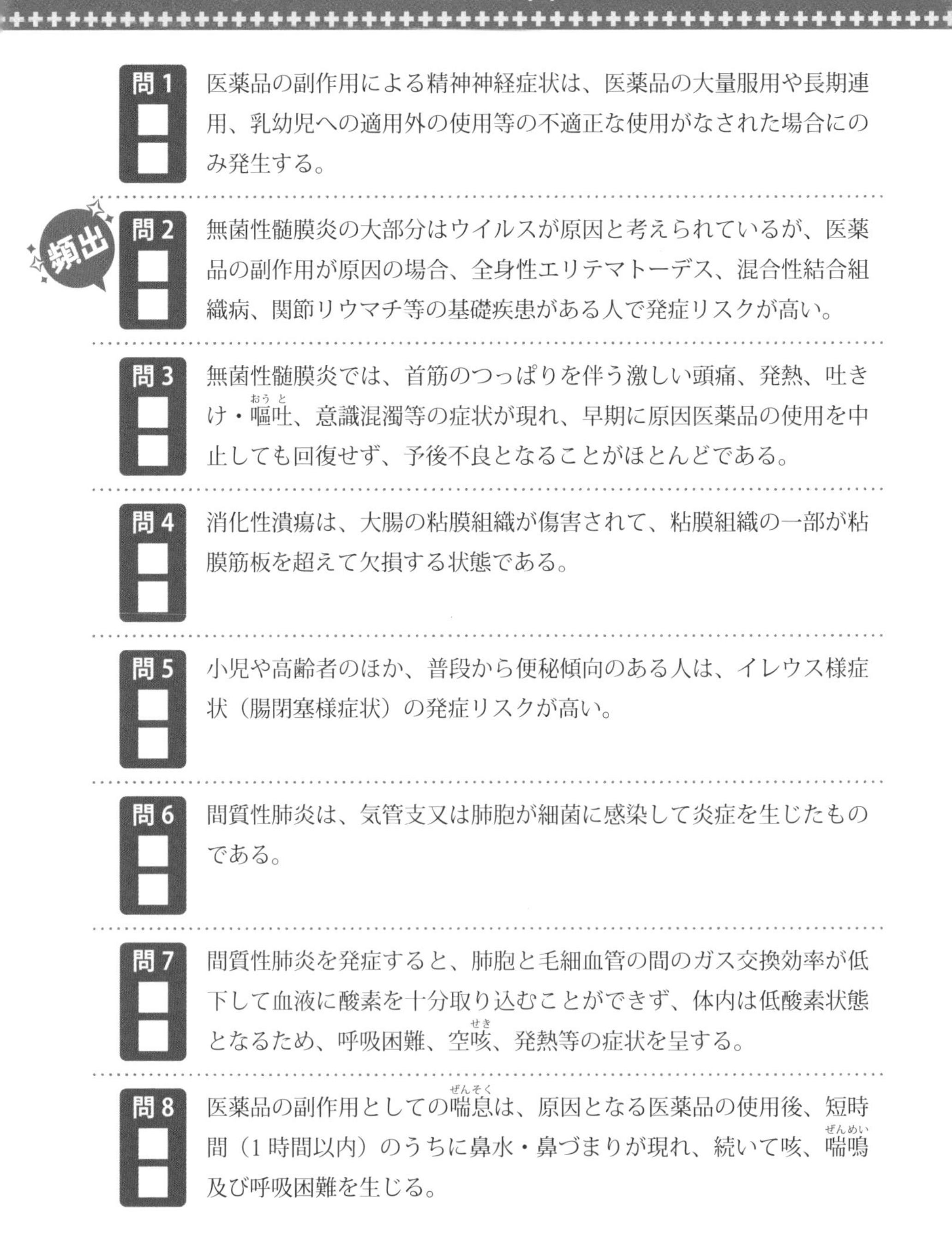

問 1 医薬品の副作用による精神神経症状は、医薬品の大量服用や長期連用、乳幼児への適用外の使用等の不適正な使用がなされた場合にのみ発生する。

問 2 無菌性髄膜炎の大部分はウイルスが原因と考えられているが、医薬品の副作用が原因の場合、全身性エリテマトーデス、混合性結合組織病、関節リウマチ等の基礎疾患がある人で発症リスクが高い。

問 3 無菌性髄膜炎では、首筋のつっぱりを伴う激しい頭痛、発熱、吐きけ・嘔吐、意識混濁等の症状が現れ、早期に原因医薬品の使用を中止しても回復せず、予後不良となることがほとんどである。

問 4 消化性潰瘍は、大腸の粘膜組織が傷害されて、粘膜組織の一部が粘膜筋板を超えて欠損する状態である。

問 5 小児や高齢者のほか、普段から便秘傾向のある人は、イレウス様症状（腸閉塞様症状）の発症リスクが高い。

問 6 間質性肺炎は、気管支又は肺胞が細菌に感染して炎症を生じたものである。

問 7 間質性肺炎を発症すると、肺胞と毛細血管の間のガス交換効率が低下して血液に酸素を十分取り込むことができず、体内は低酸素状態となるため、呼吸困難、空咳、発熱等の症状を呈する。

問 8 医薬品の副作用としての喘息は、原因となる医薬品の使用後、短時間（1時間以内）のうちに鼻水・鼻づまりが現れ、続いて咳、喘鳴及び呼吸困難を生じる。

答1 ×

医薬品の副作用による**精神神経症状**（物事に集中できない、落ち着きがなくなる、不眠、不安、興奮、眠気、うつ等）は、医薬品が**通常の用法・用量**で使用された場合であっても発生することがある。

答2 ○

髄膜炎のうち、髄液に細菌が検出されないものを**無菌性髄膜炎**といい、医薬品の副作用が原因の場合、**全身性エリテマトーデス**、混合性結合組織病、**関節リウマチ**等の基礎疾患がある人でリスクが高い。

答3 ×

無菌性髄膜炎の多くは急性に発症し、**首筋のつっぱり**を伴う激しい頭痛等が現れる。早期に原因医薬品の使用を中止すれば**速やかに回復**し、予後は**比較的良好**であることがほとんどである。

答4 ×

消化性潰瘍は粘膜組織の一部が欠損する状態で、医薬品の副作用により生じることも多い。胃のもたれ、食欲低下、胸やけ、吐きけ、胃痛、糞便（ふんべん）が**黒くなる**などの症状が現れる。

答5 ○

イレウスとは腸内容物の通過が**阻害**された状態をいう。医薬品により腸管運動が麻痺（まひ）して腸内容物の通過が妨げられると、腸管自体は閉塞していなくても激しい**腹痛**や著しい**便秘**が現れる。

答6 ×

通常の肺炎が**気管支**又は**肺胞**が細菌に感染して炎症を生じたものであるのに対し、間質性肺炎は肺の中で肺胞と毛細血管を取り囲んで支持している組織（**間質**）が炎症を起こしたものである。

答7 ○

間質性肺炎を発症すると、体内は**低酸素状態**となり、息切れ・息苦しさ等の**呼吸困難**、空咳、**発熱**等の症状を呈する。これらの症状は、一般的に医薬品の使用開始から**1～2週間**程度で起きることが多い。

答8 ○

喘息の症状は時間とともに**悪化**し、顔面の紅潮や目の充血、吐きけ、腹痛、下痢等を伴うこともある。また、内服薬のほか、**坐薬**（ざやく）や**外用薬**でも誘発されることがある。

症状からみた主な副作用 (3)

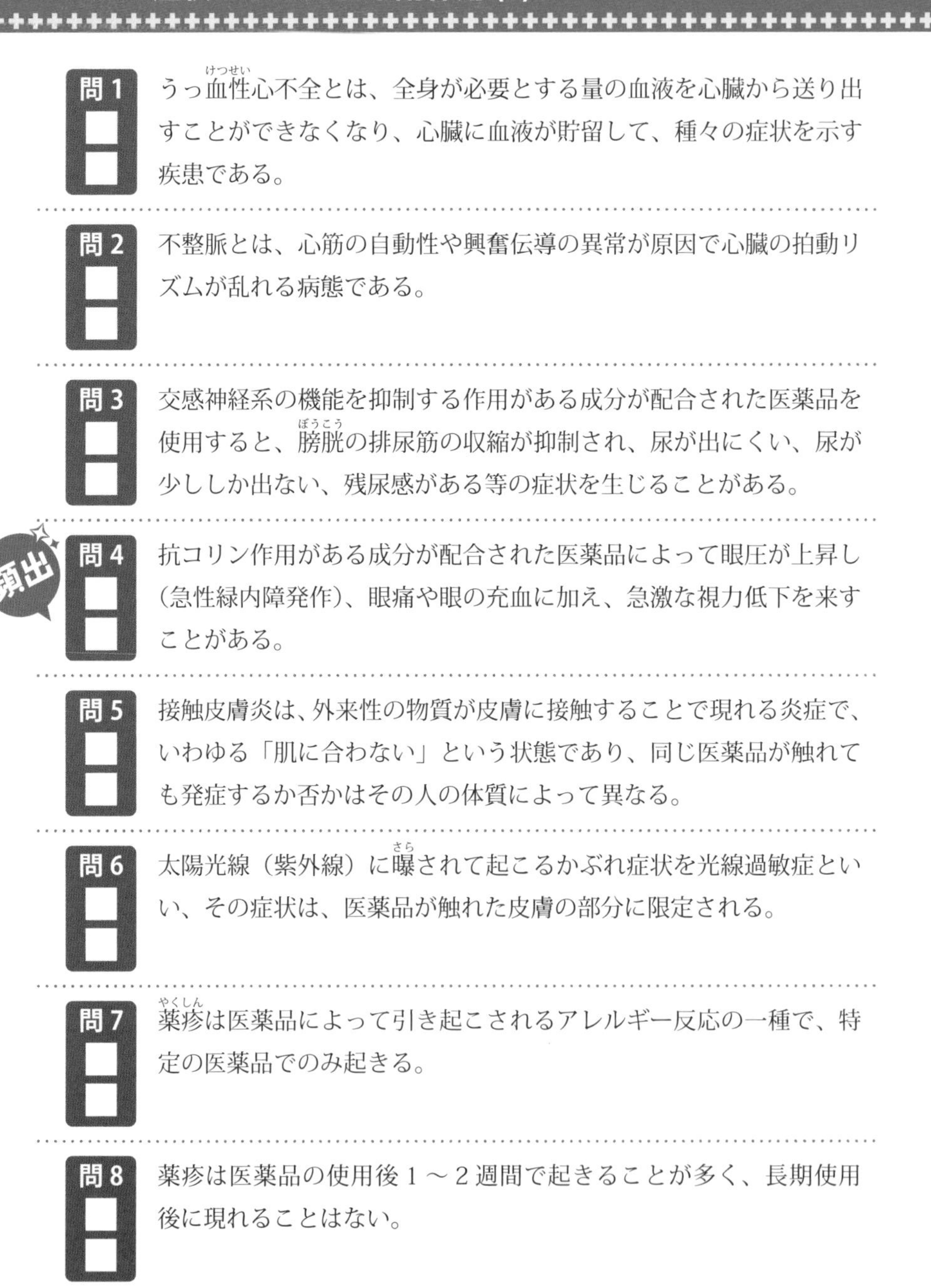

問1 うっ血性（けつせい）心不全とは、全身が必要とする量の血液を心臓から送り出すことができなくなり、心臓に血液が貯留して、種々の症状を示す疾患である。

問2 不整脈とは、心筋の自動性や興奮伝導の異常が原因で心臓の拍動リズムが乱れる病態である。

問3 交感神経系の機能を抑制する作用がある成分が配合された医薬品を使用すると、膀胱（ぼうこう）の排尿筋の収縮が抑制され、尿が出にくい、尿が少ししか出ない、残尿感がある等の症状を生じることがある。

頻出

問4 抗コリン作用がある成分が配合された医薬品によって眼圧が上昇し（急性緑内障発作）、眼痛や眼の充血に加え、急激な視力低下を来すことがある。

問5 接触皮膚炎は、外来性の物質が皮膚に接触することで現れる炎症で、いわゆる「肌に合わない」という状態であり、同じ医薬品が触れても発症するか否かはその人の体質によって異なる。

問6 太陽光線（紫外線）に曝（さら）されて起こるかぶれ症状を光線過敏症といい、その症状は、医薬品が触れた皮膚の部分に限定される。

問7 薬疹（やくしん）は医薬品によって引き起こされるアレルギー反応の一種で、特定の医薬品でのみ起きる。

問8 薬疹は医薬品の使用後１～２週間で起きることが多く、長期使用後に現れることはない。

答1 

うっ血性心不全は、全身が必要とする量の血液を**心臓**から送り出すことができなくなり、**肺**に血液が貯留するもので、息切れ、疲れやすい、足のむくみ、急な体重の増加、咳と**ピンク色**の痰などが認められる。

答2 

心筋の自動性や興奮伝導の異常が原因で心臓の**拍動リズム**が乱れる病態を**不整脈**といい、めまい、立ちくらみ、疲労感、動悸（どうき）、息切れ、胸部の不快感、脈の**欠落**等の症状が現れる。

答3 

膀胱の排尿筋の収縮が抑制され、尿が出にくい、残尿感がある等の症状を生じることがあるのは、**副交感神経系**の機能を抑制する作用がある成分が配合された医薬品を使用した場合である。

答4 

高眼圧を長時間放置すると、視神経が損傷して**不可逆的**な視覚障害（視野欠損や失明）に至るおそれがあり、特に眼房水の出口である隅角が狭くなっている**閉塞隅角**（へいそくぐうかく）**緑内障**の人は厳重な注意が必要である。

答5 

接触皮膚炎は、外来性の物質が皮膚に**接触**することで現れる炎症で、医薬品が触れた皮膚の**部分**にのみ生じ、正常な皮膚との境界が**はっきりしている**のが特徴である。

答6 

光線過敏症の症状は、医薬品が触れた皮膚の部分だけでなく、**全身**へ広がって**重篤化**する場合がある。また、貼付剤の場合は**剥がした後**でも発症することがある。

答7 

薬疹は医薬品によって引き起こされる**アレルギー反応**の一種で、**あらゆる医薬品**で起きる可能性がある。発疹・発赤等の**皮膚症状**を呈するが、眼の充血や口唇・口腔（こうくう）粘膜に異常が見られることもある。

答8 

薬疹は医薬品の使用後**1～2週間**で起きることが多いが、**長期使用後**に現れることもある。生じる発疹の型は人によって様々であり、斑点（紅斑）、湿疹（丘疹）のほか、水疱（すいほう）を生じることもある。

かぜ薬（1）

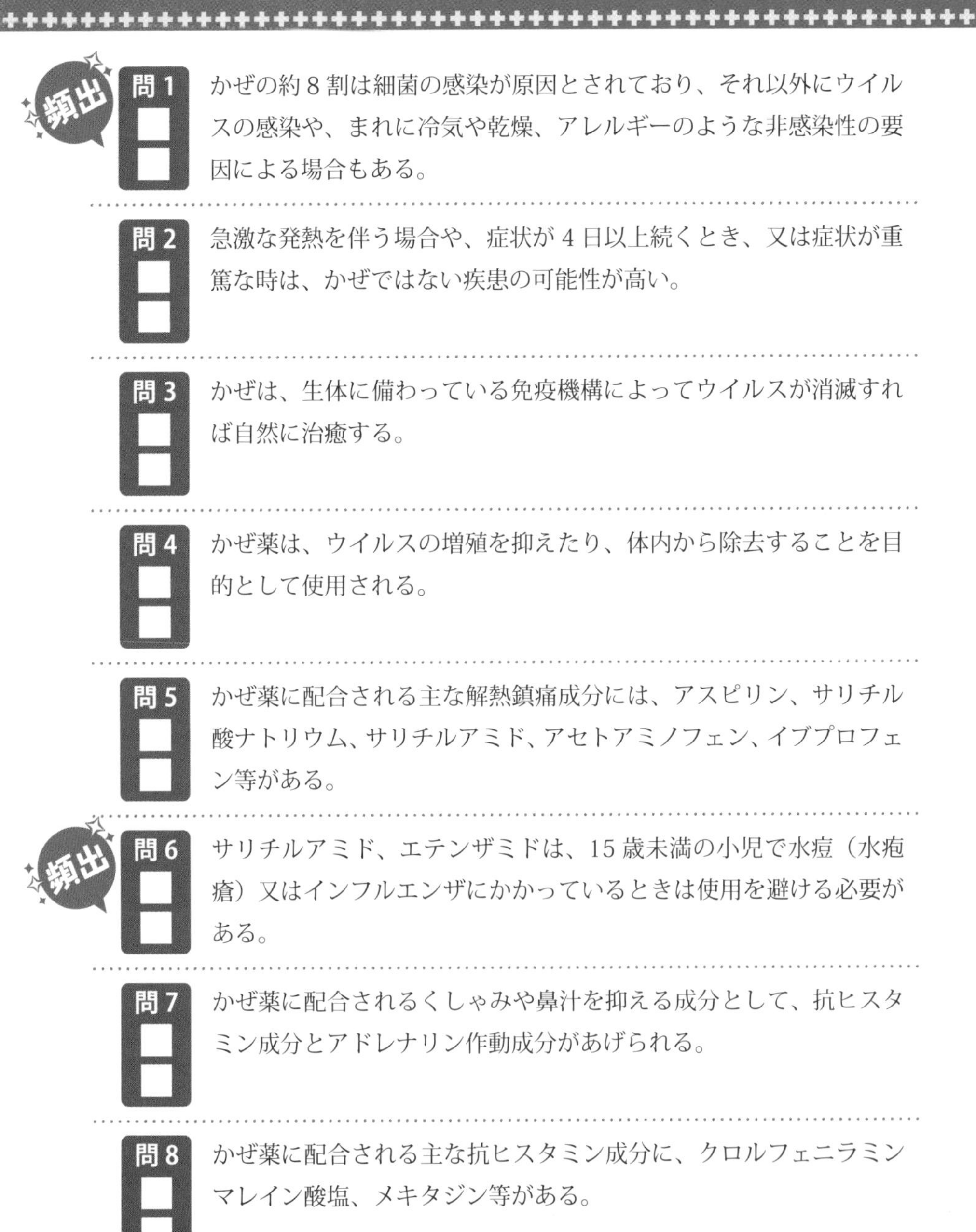

頻出

問1 かぜの約8割は細菌の感染が原因とされており、それ以外にウイルスの感染や、まれに冷気や乾燥、アレルギーのような非感染性の要因による場合もある。

問2 急激な発熱を伴う場合や、症状が4日以上続くとき、又は症状が重篤な時は、かぜではない疾患の可能性が高い。

問3 かぜは、生体に備わっている免疫機構によってウイルスが消滅すれば自然に治癒する。

問4 かぜ薬は、ウイルスの増殖を抑えたり、体内から除去することを目的として使用される。

問5 かぜ薬に配合される主な解熱鎮痛成分には、アスピリン、サリチル酸ナトリウム、サリチルアミド、アセトアミノフェン、イブプロフェン等がある。

頻出

問6 サリチルアミド、エテンザミドは、15歳未満の小児で水痘（水疱瘡）又はインフルエンザにかかっているときは使用を避ける必要がある。

問7 かぜ薬に配合されるくしゃみや鼻汁を抑える成分として、抗ヒスタミン成分とアドレナリン作動成分があげられる。

問8 かぜ薬に配合される主な抗ヒスタミン成分に、クロルフェニラミンマレイン酸塩、メキタジン等がある。

答1 ×

かぜの約8割は**ウイルス**（ライノウイルス、コロナウイルス、アデノウイルスなど）感染が原因で、それ以外に**細菌**感染や、まれに冷気や乾燥、アレルギーのような非感染症の要因による場合もある。

答2 ○

なお、かぜとよく似た症状が現れる疾患には、**喘息**（ぜんそく）、アレルギー性鼻炎、**リウマチ熱**、**関節リウマチ**、肺炎、肺結核、**髄膜炎**、**急性肝炎**、**尿路感染症**などがある。

答3 ○

そのため、かぜのときには、**安静**にして**休養**し、**栄養・水分**を十分に摂ることが基本である。

答4 ×

かぜ薬は、咳（せき）で眠れなかったり、発熱で体力を消耗しそうなときなどに、それらの症状の緩和を図るための**対症療法薬**として使用される。

答5 ○

その他、**エテンザミド**、**イソプロピルアンチピリン**等がある。なお、**アスピリン**、**サリチル酸ナトリウム**、**イブプロフェン**は一般用医薬品ではいかなる場合も小児に対しては使用しないこととなっている。

答6 ○

インフルエンザの流行期には解熱鎮痛成分が**アセトアミノフェン**や**生薬**成分のみからなる製品の選択を提案するなどの対応が重要である。

答7 ×

くしゃみや鼻汁を抑える成分として配合されるのは**抗ヒスタミン**成分と**抗コリン**成分である。アドレナリン作動成分は、**鼻粘膜の充血**を和らげ、気管・気管支を**拡げる**成分である。

答8 ○

また、**抗ヒスタミン**成分同様、くしゃみや鼻汁を抑えることを目的として**抗コリン**成分をもつベラドンナ総アルカロイドやヨウ化イソプロパミドが配合される場合もある。

かぜ薬（2）

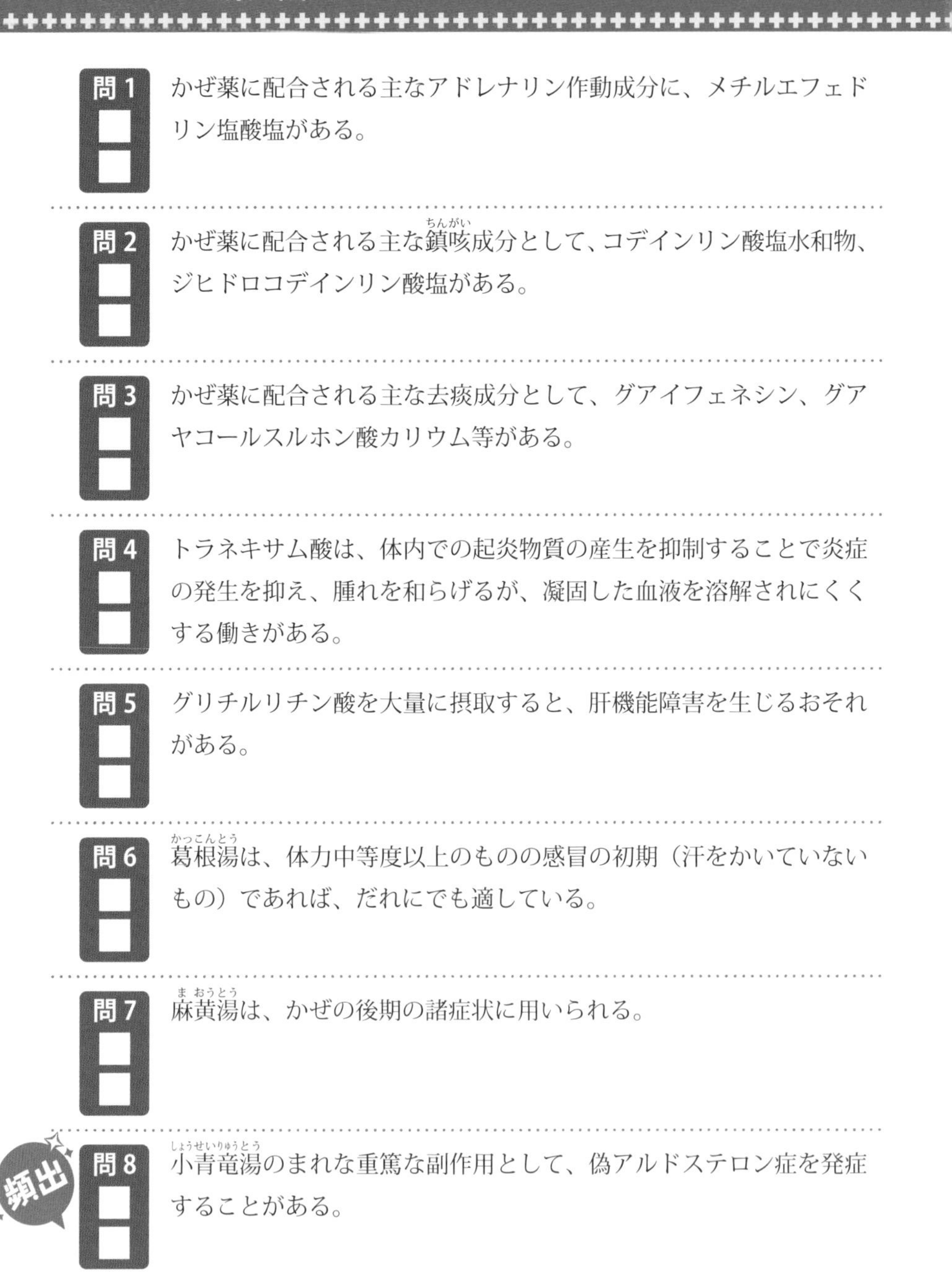

問1 かぜ薬に配合される主なアドレナリン作動成分に、メチルエフェドリン塩酸塩がある。

問2 かぜ薬に配合される主な鎮咳（ちんがい）成分として、コデインリン酸塩水和物、ジヒドロコデインリン酸塩がある。

問3 かぜ薬に配合される主な去痰成分として、グアイフェネシン、グアヤコールスルホン酸カリウム等がある。

問4 トラネキサム酸は、体内での起炎物質の産生を抑制することで炎症の発生を抑え、腫れを和らげるが、凝固した血液を溶解されにくくする働きがある。

問5 グリチルリチン酸を大量に摂取すると、肝機能障害を生じるおそれがある。

問6 葛根湯（かっこんとう）は、体力中等度以上のものの感冒の初期（汗をかいていないもの）であれば、だれにでも適している。

問7 麻黄湯（まおうとう）は、かぜの後期の諸症状に用いられる。

頻出

問8 小青竜湯（しょうせいりゅうとう）のまれな重篤な副作用として、偽アルドステロン症を発症することがある。

答1 ○

他に、**メチルエフェドリンサッカリン塩**、**プソイドエフェドリン塩酸塩**等も配合される。また、同様の作用を示す生薬成分として、**マオウ**が配合される場合もある。

答2 ○

どちらも**依存性**がある成分であることに注意が必要である。他に、**デキストロメトルファン臭化水素酸塩水和物**、**ノスカピン**、チペピジンヒベンズ酸塩、クロペラスチン塩酸塩等が配合される。

答3 ○

他に、**ブロムヘキシン塩酸塩**、**エチルシステイン塩酸塩**等もある。生薬成分として、**シャゼンソウ**、**セネガ**、**キキョウ**、**セキサン**、**オウヒ**等が配合される場合もある。

答4 ○

そのため、**血栓**のある人（**脳血栓**、**心筋梗塞**等）等は、治療を行っている医師または処方薬の調剤を行った薬剤師に相談するなどの対応が必要である。

答5 ×

グリチルリチン酸を大量に摂取すると、**偽アルドステロン症**を生じるおそれがある。むくみ、心臓病、腎臓病又は高血圧のある人等は**偽アルドステロン症**を生じるリスクが高いため注意が必要である。

答6 ×

葛根湯は、体力**中等度以上**のものの感冒の初期、鼻かぜ、鼻炎、頭痛、肩こり、筋肉痛、手や肩の痛みに適すとされるが、**体の虚弱な人**、**胃腸の弱い人**、**発汗傾向の著しい人**では不向きとされる。

答7 ×

麻黄湯は、**体力充実**して、かぜの**ひきはじめ**で、寒気がして発熱、頭痛があり、咳が出て身体のふしぶしが痛く汗が出ていないものの感冒、鼻かぜ、気管支炎、鼻づまりに適すとされる。

答8 ○

小青竜湯は、まれに重篤な副作用として**肝機能障害**、**間質性肺炎**、**偽アルドステロン症**を発症することがある。

3章　主な医薬品とその作用

解熱鎮痛薬

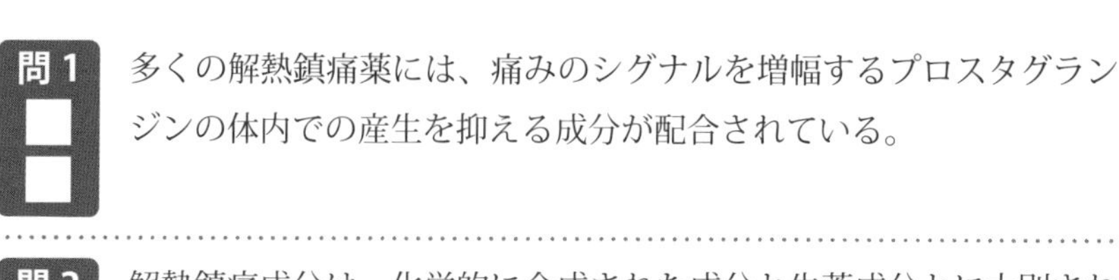

問1 多くの解熱鎮痛薬には、痛みのシグナルを増幅するプロスタグランジンの体内での産生を抑える成分が配合されている。

問2 解熱鎮痛成分は、化学的に合成された成分と生薬成分とに大別される。

問3 アスピリン喘息は、他の解熱鎮痛成分では生じないアスピリン特有の副作用である。

問4 アセトアミノフェンは、末梢における抗炎症作用は期待できないが、中枢作用によって解熱・鎮痛をもたらし、胃腸障害のような副作用も少ない。

問5 イブプロフェンは、一般用医薬品においては、15歳未満の小児に対してはいかなる場合も使用してはならないとされている。

問6 薏苡仁湯(よくいにんとう)は、体力中等度で、関節や筋肉のはれや痛みがあるものの関節痛、筋肉痛、神経痛に適すとされ、構成生薬としてカンゾウとマオウを含んでいる。

問7 呉茱萸湯(ごしゅゆとう)は、体力中等度で、痛みがあり、ときにしびれがあるものの関節痛、腰痛に適している。

問8 シャクヤクは鎮痛、尿量増加（利尿）等の作用を期待して用いられる。

答1 ○
プロスタグランジンはホルモンに似た働きをする物質で、病気や外傷があるときに活発に産生され、痛みが脳へ伝わる際に、そのシグナルを**増幅**することで痛みの感覚を強めている。

答2 ○
化学的に合成された解熱鎮痛成分に共通して、まれに重篤な副作用として**ショック（アナフィラキシー）**、皮膚粘膜眼症候群や中毒性表皮壊死融解症（えしゆうかいしょう）、喘息（ぜんそく）を生じることがある。

答3 ×
アスピリン喘息は、アスピリン特有の副作用ではなく、他の**解熱鎮痛成分**においても発生する可能性がある。

答4 ○

アセトアミノフェンは、末梢における**抗炎症**作用は期待できない。胃腸障害は少なく、空腹時に服用できる製品もあるが、**食後**の服用が推奨されている。

答5 ○
イブプロフェンはアスピリン等に比べて胃腸への悪影響が少なく、**抗炎症**作用も示すことから、頭痛、咽頭痛、月経痛（生理痛）、腰痛等に使用されることが多いが、**15**歳未満の小児には使用しない。

答6 ○

ただし、**悪心・嘔吐（おうと）**、**胃部不快感**等の副作用が現れやすい等の理由で、**体の虚弱**な人（体力の衰えている人、体の弱い人）、**胃腸**の弱い人、**発汗傾向**の著しい人には不向きとされる。

答7 ×

呉茱萸湯は、体力**中等度以下**で、手足が冷えて肩がこり、ときにみぞおちが膨満するものの**頭痛**、**頭痛**に伴う吐きけ・嘔吐（おうと）、しゃっくりに適すとされる。問題は**疎経活血湯（そけいかっけつとう）**についての記述である。

答8 ×

問題は**ボウイ**についての記述である。シャクヤクは**鎮痛鎮痙（ちんけい）**作用、**鎮静**作用を示し、内臓の痛みにも用いられる。同様の作用を期待して**ボタンピ**が配合される場合もある。

眠気を促す・防ぐ薬／鎮暈薬／小児鎮静薬

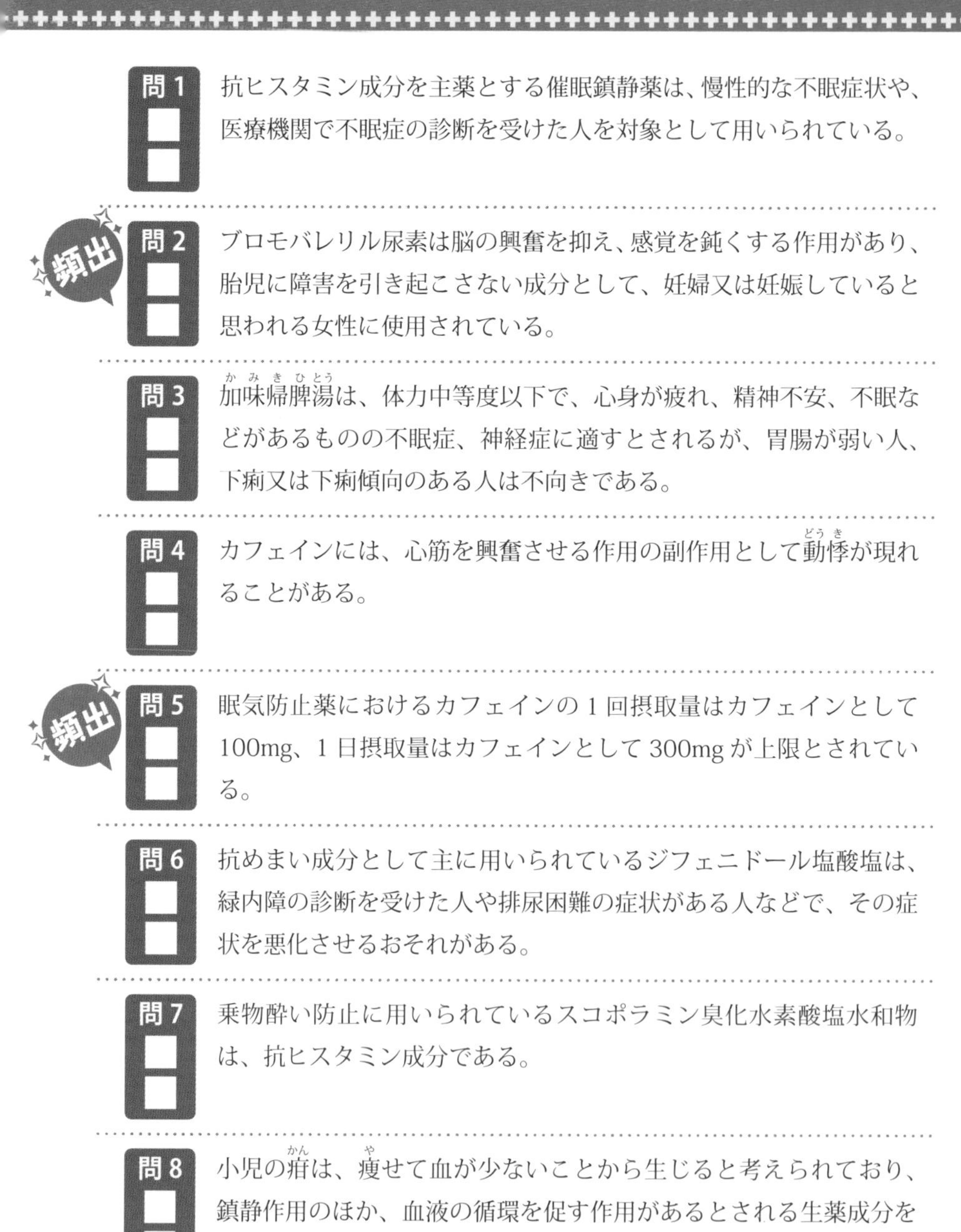

問1　抗ヒスタミン成分を主薬とする催眠鎮静薬は、慢性的な不眠症状や、医療機関で不眠症の診断を受けた人を対象として用いられている。

問2（頻出）　ブロモバレリル尿素は脳の興奮を抑え、感覚を鈍くする作用があり、胎児に障害を引き起こさない成分として、妊婦又は妊娠していると思われる女性に使用されている。

問3　加味帰脾湯は、体力中等度以下で、心身が疲れ、精神不安、不眠などがあるものの不眠症、神経症に適すとされるが、胃腸が弱い人、下痢又は下痢傾向のある人は不向きである。

問4　カフェインには、心筋を興奮させる作用の副作用として動悸が現れることがある。

問5（頻出）　眠気防止薬におけるカフェインの1回摂取量はカフェインとして100mg、1日摂取量はカフェインとして300mgが上限とされている。

問6　抗めまい成分として主に用いられているジフェニドール塩酸塩は、緑内障の診断を受けた人や排尿困難の症状がある人などで、その症状を悪化させるおそれがある。

問7　乗物酔い防止に用いられているスコポラミン臭化水素酸塩水和物は、抗ヒスタミン成分である。

問8　小児の疳は、痩せて血が少ないことから生じると考えられており、鎮静作用のほか、血液の循環を促す作用があるとされる生薬成分を中心に配合されている。

答1 ×

抗ヒスタミン成分を主薬とする催眠鎮静薬は、**一時的**な睡眠障害（寝つきが悪い、眠りが浅い）を緩和する目的の睡眠改善薬として用いられるものである。

答2 ×

脳の興奮を抑え、痛覚を鈍くする作用がある**ブロモバレリル尿素**は、**胎児**に**障害**を引き起こす可能性があるため、**妊婦**又は**妊娠**していると思われる女性は使用を避けるべきである。

答3 ×

加味帰脾湯は、体力**中等度以下**で、心身が疲れ、**血色が悪く**、ときに熱感を伴うものの**貧血**、不眠症、精神不安、神経症に適すとされる。問題は**酸棗仁湯**（さんそうにんとう）についての記述である。

答4 ○

カフェインには、一時的に眠気や倦怠感（けんたいかん）を抑える効果があるが、**心筋**を興奮させる作用もあり、副作用として**動悸**が現れることがあるので**心臓病**のある人は服用を避ける。

答5 ×

眠気防止薬におけるカフェインの1回摂取量は、カフェインとして**200**mg、1日摂取量はカフェインとして**500**mgが上限とされている。

答6 ○

ジフェニドール塩酸塩には、副作用として、抗ヒスタミン成分や抗コリン成分と同様な**頭痛**、**排尿困難**、**眠気**、**散瞳**（さんどう）による異常な眩しさ、口渇のほか、浮動感や不安定感が現れることがある。

答7 ×

乗物酔い防止に古くから用いられている**抗コリン**成分であり、**消化管**からよく吸収され、他の**抗コリン**成分と比べて脳内に移行しやすいが、**肝臓**で速やかに代謝されるため作用の持続時間は**短い**。

答8 ○

緊張や興奮を鎮め、血液の循環を促す作用を期待して**ゴオウ**、**ジャコウ**、**レイヨウカク**、鎮静、健胃、強壮などの作用を期待して**ジンコウ**等が用いられる。

呼吸器官に作用する薬

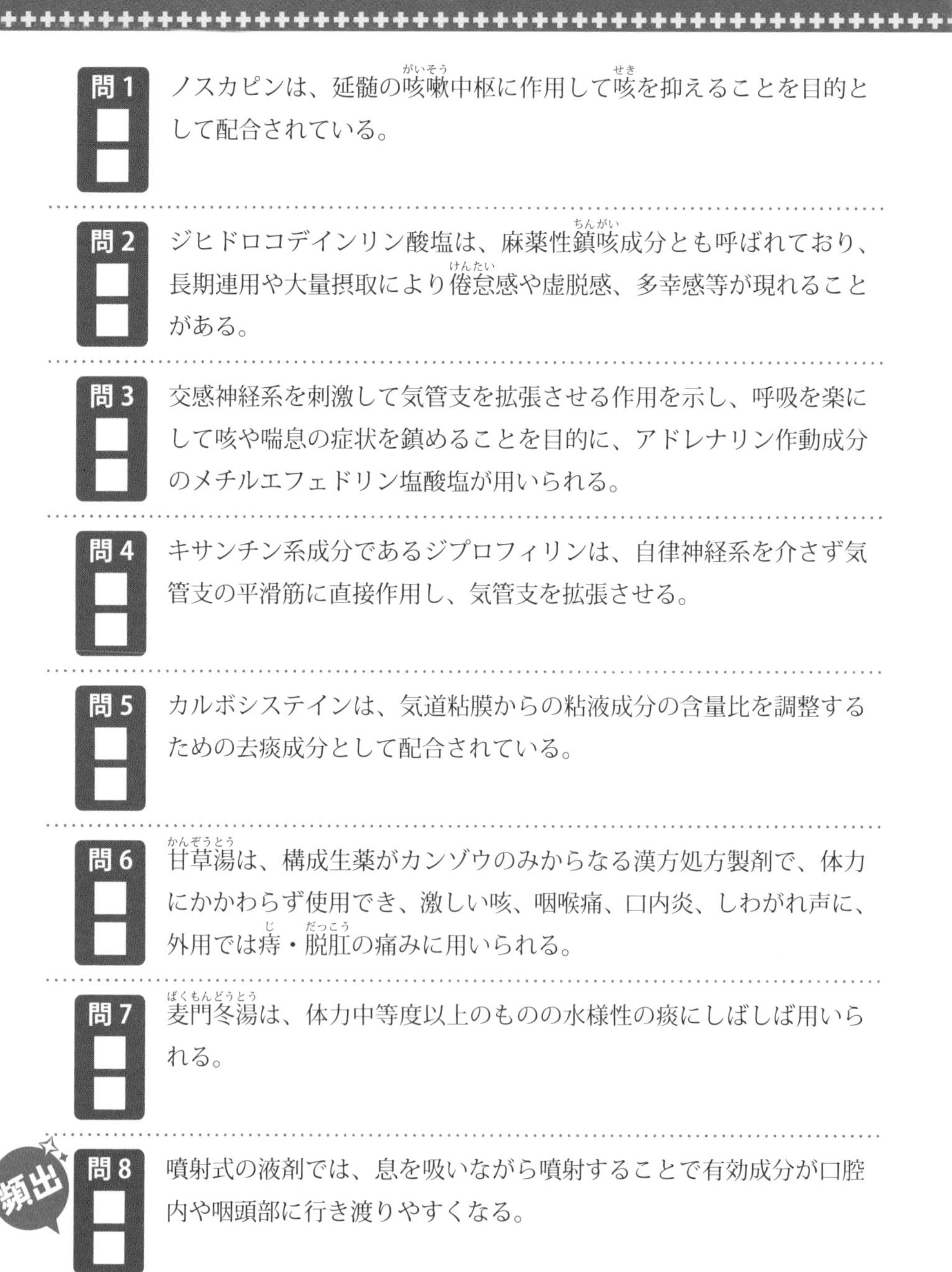

問1 ノスカピンは、延髄の咳嗽中枢に作用して咳を抑えることを目的として配合されている。

問2 ジヒドロコデインリン酸塩は、麻薬性鎮咳成分とも呼ばれており、長期連用や大量摂取により倦怠感や虚脱感、多幸感等が現れることがある。

問3 交感神経系を刺激して気管支を拡張させる作用を示し、呼吸を楽にして咳や喘息の症状を鎮めることを目的に、アドレナリン作動成分のメチルエフェドリン塩酸塩が用いられる。

問4 キサンチン系成分であるジプロフィリンは、自律神経系を介さず気管支の平滑筋に直接作用し、気管支を拡張させる。

問5 カルボシステインは、気道粘膜からの粘液成分の含量比を調整するための去痰成分として配合されている。

問6 甘草湯は、構成生薬がカンゾウのみからなる漢方処方製剤で、体力にかかわらず使用でき、激しい咳、咽喉痛、口内炎、しわがれ声に、外用では痔・脱肛の痛みに用いられる。

問7 麦門冬湯は、体力中等度以上のものの水様性の痰にしばしば用いられる。

問8 噴射式の液剤では、息を吸いながら噴射することで有効成分が口腔内や咽頭部に行き渡りやすくなる。

答1 ○

他に、**ノスカピン塩酸塩水和物**、**デキストロメトルファン臭化水素酸塩水和物**、チペピジンヒベンズ酸塩、チペピジンクエン酸塩等がある。

答2 ○

コデインリン酸塩水和物、**ジヒドロコデインリン酸塩**も、咳嗽中枢に作用して咳を抑える働きをするが、作用本体が**モルヒネ**と同じ基本構造を持ち、**依存性**があることから麻薬性鎮咳成分とも呼ばれる。

答3 ○

同様の働きをするアドレナリン作動成分として、**メチルエフェドリンサッカリン塩**、**トリメトキノール塩酸塩水和物**、**メトキシフェナミン塩酸塩**等がある。

答4 ○

なお、**ジプロフィリン**等のキサンチン系成分には、中枢神経系を興奮させる作用を示し、**甲状腺機能**障害又は**てんかん**の診断を受けた人では、症状の悪化を招くおそれがある。

答5 ○

カルボシステインは、痰の中の粘性タンパク質を溶解・低分子化して粘性を**減少**させる作用もあるが、同様の作用を持つものに**エチルシステイン塩酸塩**、**メチルシステイン塩酸塩**がある。

答6 ○

いずれの場合も**短期間**の服用にとどめ、**連用しない**こととされている。5～6回使用しても咳や喉の痛みが鎮まらない場合はいったん使用を中止し、医師の診療を受けるなどの対応が必要である。

答7 ×

麦門冬湯は、体力**中等度以下**で、痰が切れにくく、ときに強く咳こみ又は咽頭の乾燥感があるもののから咳、気管支炎、気管支喘息、咽頭炎、しわがれ声に適すが、水様痰の多い人には不向きとされる。

答8 ×

噴射式の液剤では、息を吸いながら噴射すると気管支や肺に入ってしまうおそれがあるため、軽く息を**吐き**ながら噴射することが望ましい。

3章　主な医薬品とその作用

胃の薬（1）

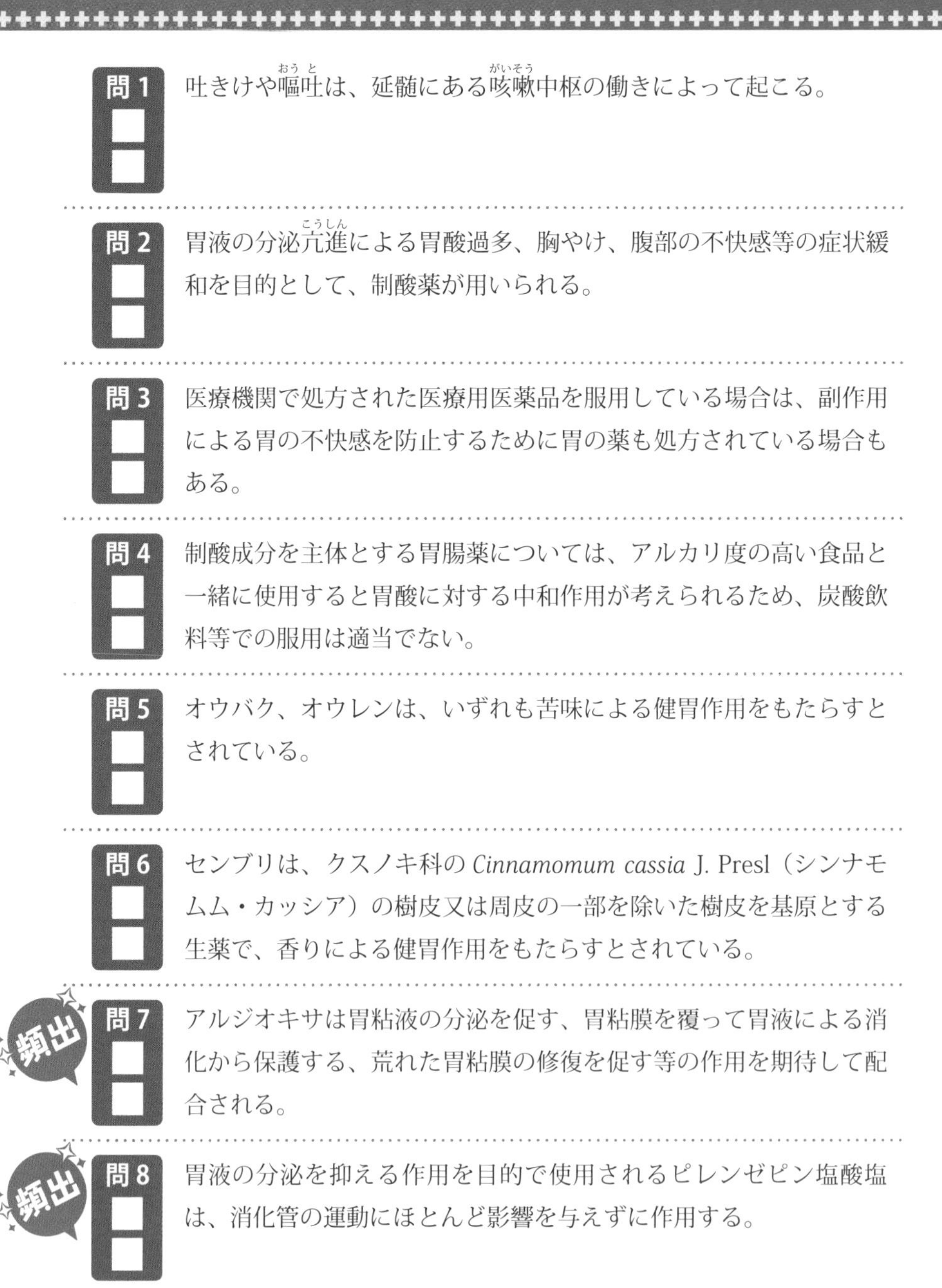

問1 吐きけや嘔吐は、延髄にある咳嗽中枢の働きによって起こる。

問2 胃液の分泌亢進による胃酸過多、胸やけ、腹部の不快感等の症状緩和を目的として、制酸薬が用いられる。

問3 医療機関で処方された医療用医薬品を服用している場合は、副作用による胃の不快感を防止するために胃の薬も処方されている場合もある。

問4 制酸成分を主体とする胃腸薬については、アルカリ度の高い食品と一緒に使用すると胃酸に対する中和作用が考えられるため、炭酸飲料等での服用は適当でない。

問5 オウバク、オウレンは、いずれも苦味による健胃作用をもたらすとされている。

問6 センブリは、クスノキ科の *Cinnamomum cassia* J. Presl（シンナモムム・カッシア）の樹皮又は周皮の一部を除いた樹皮を基原とする生薬で、香りによる健胃作用をもたらすとされている。

頻出
問7 アルジオキサは胃粘液の分泌を促す、胃粘膜を覆って胃液による消化から保護する、荒れた胃粘膜の修復を促す等の作用を期待して配合される。

頻出
問8 胃液の分泌を抑える作用を目的で使用されるピレンゼピン塩酸塩は、消化管の運動にほとんど影響を与えずに作用する。

答1 ×

嘔吐中枢である。刺激される経路には、**消化管**での刺激が**副交感神経**系を通じて嘔吐中枢を刺激することが知られており、**胃の痙攣**（けいれん）等により、吐きけが起きている場合もある。

答2 ○

胃酸の働きを弱めるもの、胃液の分泌を抑えるものなどがその配合成分として用いられる。また、弱った胃の働きを高めること（**健胃**）を目的として**健胃薬**が用いられる。

答3 ○

副作用による胃の不快感を防止するために胃の薬も処方されている場合もあるので、販売時には胃の薬が処方されていないか必ず**確認**する必要がある。

答4 ×

アルカリ度ではなく**酸度**の高い食品と一緒に使用すると胃酸に対する**中和**作用が低下することが考えられるため、炭酸飲料等での服用は適当でない。

答5 ○

オウバク、オウレンは、いずれも**苦味**による**健胃**作用を期待して用いられる。日本薬局方収載のオウバク末（オウバクを粉末にしたもの）、オウレン末は、**止瀉薬**（ししゃ）としても用いられる。

答6 ×

センブリは、**リンドウ**科の**センブリ**の開花期の全草を基原とする生薬で、苦味による健胃作用を期待して用いられる。問題は、**ケイヒ**についての記述である。

答7 ○

アルジオキサ（**アラントイン**と水酸化アルミニウムの複合体）は、アルミニウムを含む成分であるため、**透析**を受けている人では使用を避ける必要がある。

答8 ○

ピレンゼピン塩酸塩は、**消化管**以外では一般的な**抗コリン**作用を示すため、**排尿困難**、**動悸**（どうき）、**目のかすみ**の副作用を生じることがある。

胃の薬（2）／腸の薬（1）

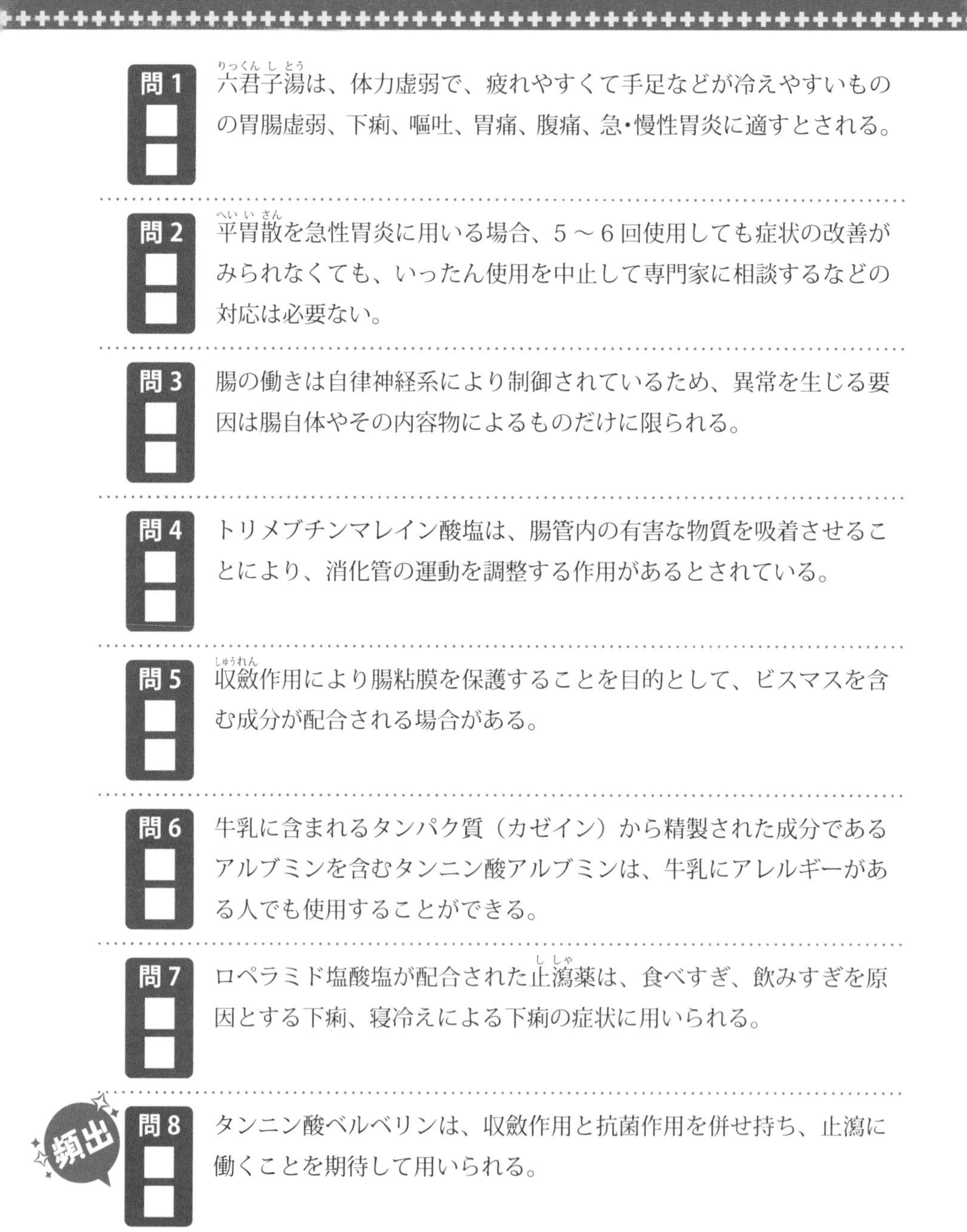

問1
六君子湯（りっくんしとう）は、体力虚弱で、疲れやすくて手足などが冷えやすいものの胃腸虚弱、下痢、嘔吐、胃痛、腹痛、急・慢性胃炎に適すとされる。

問2
平胃散（へいいさん）を急性胃炎に用いる場合、5～6回使用しても症状の改善がみられなくても、いったん使用を中止して専門家に相談するなどの対応は必要ない。

問3
腸の働きは自律神経系により制御されているため、異常を生じる要因は腸自体やその内容物によるものだけに限られる。

問4
トリメブチンマレイン酸塩は、腸管内の有害な物質を吸着させることにより、消化管の運動を調整する作用があるとされている。

問5
収斂（しゅうれん）作用により腸粘膜を保護することを目的として、ビスマスを含む成分が配合される場合がある。

問6
牛乳に含まれるタンパク質（カゼイン）から精製された成分であるアルブミンを含むタンニン酸アルブミンは、牛乳にアレルギーがある人でも使用することができる。

問7
ロペラミド塩酸塩が配合された止瀉（ししゃ）薬は、食べすぎ、飲みすぎを原因とする下痢、寝冷えによる下痢の症状に用いられる。

頻出
問8
タンニン酸ベルベリンは、収斂作用と抗菌作用を併せ持ち、止瀉に働くことを期待して用いられる。

答1 ×

人参湯の説明である。六君子湯は、体力**中等度以下**で、胃腸が弱く、食欲がなく、みぞおちがつかえ、疲れやすく、貧血性で手足が冷えやすいものの食欲不振、胃痛などに適している。

答2 ×

漫然と長期の使用は避け、**5～6**回使用しても改善が見られないときは、**いったん使用を中止**して**専門家へ相談**するなどの対応が必要である。

答3 ×

腸以外の**病気**等が**自律神経**系を介して腸の働きに異常を生じさせる場合もある。

答4 ×

整腸成分であるトリメブチンマレイン酸塩は、**消化管**（胃及び腸）の**平滑筋**に直接作用して、消化管の運動を調整する作用があるとされる。

答5 ○

収斂作用により**腸粘膜を保護**することを目的として、次没食子酸ビスマス、次硝酸ビスマス等のビスマスを含む成分や、**タンニン酸アルブミン**等が配合されている場合がある。

答6 ×

タンニン酸アルブミンについては、まれに重篤な副作用として**ショック（アナフィラキシー）**を生じることがあるので、**牛乳**にアレルギーがある人では使用を避ける必要がある。

答7 ○

なお、**食あたり**や**水あたり**による下痢は、適用**対象外**である。また、一般用医薬品では**15**歳未満の小児には適用がない。

答8 ○

タンニン酸ベルベリンは、タンニン酸（**収斂**作用）とベルベリン（**抗菌**作用）の化合物であり、消化管内ではタンニン酸とベルベリンに分かれて、それぞれ**止瀉**に働くことを期待して用いられる。

腸の薬（2）／胃腸鎮痛鎮痙薬／その他の消化器官用薬

問1　ビサコジルは、結腸や直腸の粘膜を刺激することにより排便を促す。

問2　大腸への刺激作用を示すピコスルファートナトリウムは、胃や小腸で分解される。

頻出　問3　マルツエキスは、消化管の平滑筋に直接働いて胃腸の痙攣（けいれん）を鎮める目的として用いられる。

問4　桂枝加芍薬湯（けいしかしゃくやくとう）は、体力中等度以下で、腹部膨満感のあるもののしぶり腹、下痢、便秘に適している。

問5　パパベリン塩酸塩は、消化管の粘膜及び平滑筋に対する局所麻酔作用を示す。

頻出　問6　複数の胃腸鎮痛鎮痙薬が併用された場合には、泌尿器系や循環器系、精神神経系などへの副作用が現れやすくなるため、薬の使用中は、他の胃腸鎮痛鎮痙薬の使用を避けることとされている。

問7　グリセリンが配合されている浣腸薬（かんちょうやく）を使用しても、排便時の血圧低下による立ちくらみの症状が現れることはない。

問8　浣腸薬の坐剤（ざざい）挿入後はできるだけ早くに排便を試みると効果が高まる。

答1
○
ビサコジルは、大腸のうち特に**結腸**や**直腸**の粘膜を刺激して排便を促すと考えられ、また、結腸での**水分**の吸収を抑えて、糞便（ふんべん）のかさを増大させる働きもあるとされる。

答2
×
ピコスルファートナトリウムは、胃や小腸では分解されないが、**大腸**に生息する**腸内細菌**によって分解されて、大腸への刺激作用を示すようになる。

答3
×
マルツエキスは、主成分の**麦芽糖**が腸内細菌によって分解（発酵）して生じるガスによって便通を促す瀉下成分であり、比較的作用が**穏やか**なため主に**乳幼児**の便秘に用いられる。

答4
○
短期間の使用に限られるものでないが、**1週間**位服用して症状の改善がみられない場合には、いったん使用を中止して専門家に相談がなされるなどの対応が必要となる。

答5
×
パパベリン塩酸塩は、消化管の**平滑筋**に直接働いて胃腸の**痙攣**を鎮める作用を示すとされており、抗コリン成分と異なり、胃液分泌を抑える作用は見出されない。

答6
○
胃腸鎮痛鎮痙薬の配合成分は、胃腸以外に対する作用も示すものがほとんどであり、複数の胃腸鎮痛鎮痙薬が併用されると**副作用**が現れやすくなる。

答7
×
体力の衰えている**高齢者**や**心臓**に基礎疾患がある人に特に現れやすい。高齢者又は心臓病の診断を受けた人は、使用前に治療を行っている医師等に相談する必要がある。

答8
×
坐剤を挿入した後すぐに排便を試みると、坐剤が**排出**されて効果が十分得られないため、便意が**強まる**までしばらく我慢する。

心臓などの器官や血液に作用する薬

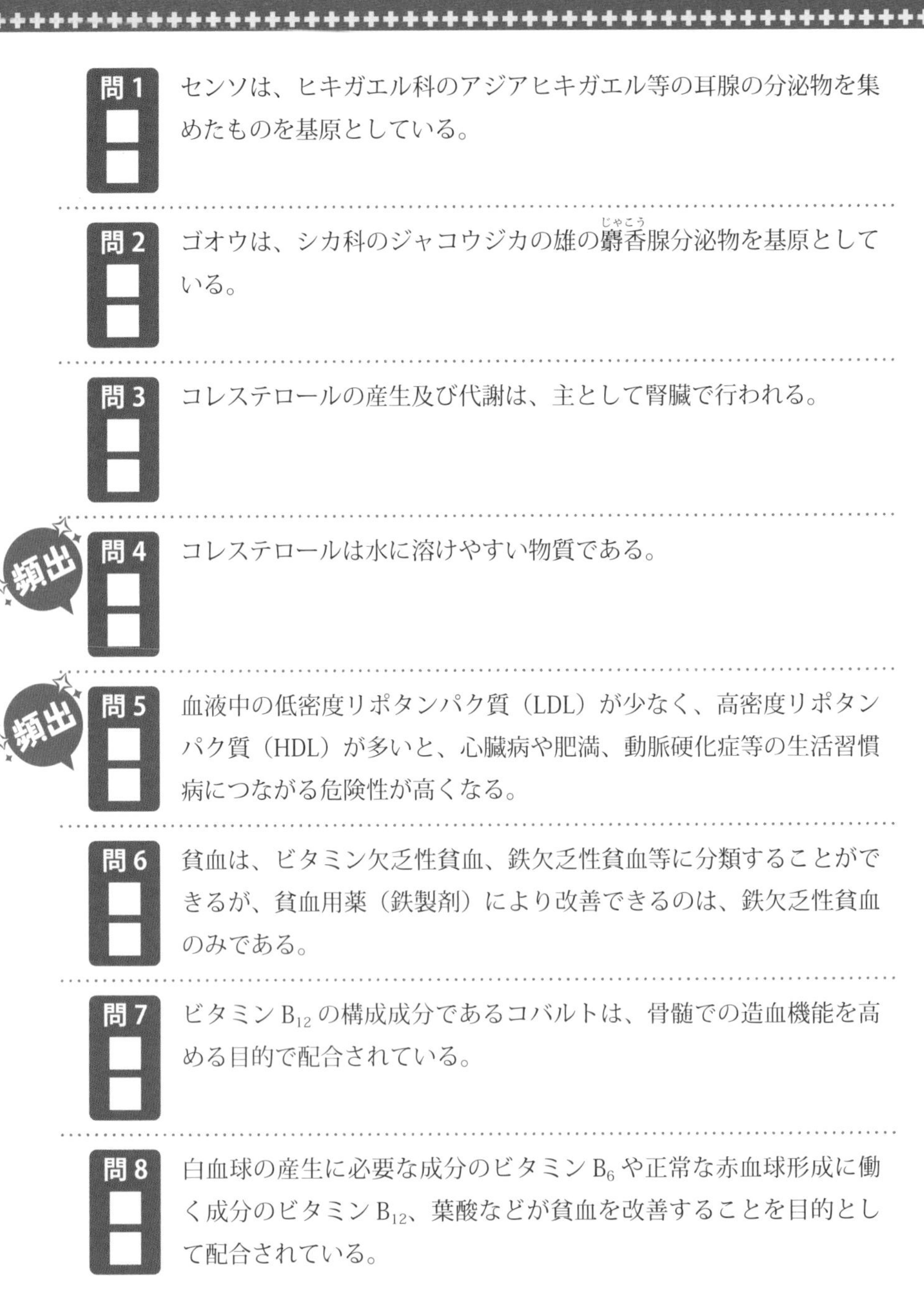

問1 センソは、ヒキガエル科のアジアヒキガエル等の耳腺の分泌物を集めたものを基原としている。

問2 ゴオウは、シカ科のジャコウジカの雄の麝香腺分泌物を基原としている。

問3 コレステロールの産生及び代謝は、主として腎臓で行われる。

問4 コレステロールは水に溶けやすい物質である。

問5 血液中の低密度リポタンパク質（LDL）が少なく、高密度リポタンパク質（HDL）が多いと、心臓病や肥満、動脈硬化症等の生活習慣病につながる危険性が高くなる。

問6 貧血は、ビタミン欠乏性貧血、鉄欠乏性貧血等に分類することができるが、貧血用薬（鉄製剤）により改善できるのは、鉄欠乏性貧血のみである。

問7 ビタミンB_{12}の構成成分であるコバルトは、骨髄での造血機能を高める目的で配合されている。

問8 白血球の産生に必要な成分のビタミンB_6や正常な赤血球形成に働く成分のビタミンB_{12}、葉酸などが貧血を改善することを目的として配合されている。

答1 ○

センソは、微量で強い**強心**作用、皮膚や粘膜に触れると**局所麻酔**作用を示す。一般用医薬品では、1日用量が**5mg以下**となるよう用法・用量が定められている。

答2 ×

ゴオウは、**ウシ**科の**ウシ**の胆嚢中に生じた結石を基原とする生薬である。問題文は、**ジャコウ**についての記述である。どちらも**強心**作用を示す。

答3 ×

コレステロールは**細胞**の構成成分で、胆汁酸や副腎皮質ホルモン等の生理活性物質の産生に重要な物質でもある等、生体に不可欠な物質である。コレステロールの産生及び代謝は、主として**肝臓**で行われる。

答4 ×

コレステロールは**細胞**の構成成分で、水に**溶けにくい**。血液中では血漿(けっしょう)タンパク質と結合した**リポタンパク質**となって存在する。

答5 ×

血液中のLDLが**多く**、HDLが**少ない**と、コレステロールの運搬が**末梢組織**側に偏ってその蓄積を招き、心臓病や肥満、動脈硬化の生活習慣病につながる危険性が高くなる。

答6 ○

貧血用薬（鉄製剤）は、**鉄欠乏性貧血**に対して不足している**鉄分**を補充することにより、**造血**機能の回復を図る医薬品である。

答7 ○

コバルトは、**赤血球**ができる過程で必要不可欠な**ビタミン**B_{12}の構成成分であり、**骨髄**での造血機能を高める目的で**硫酸コバルト**が配合されている場合がある。

答8 ×

ビタミンB_6は**ヘモグロビン**の産生に必要な成分である。これらの他に、消化管内で鉄が**吸収**されやすい状態に保つことを目的として、**ビタミンC**（**アスコルビン酸**等）が用いられる。

痔の薬／婦人薬

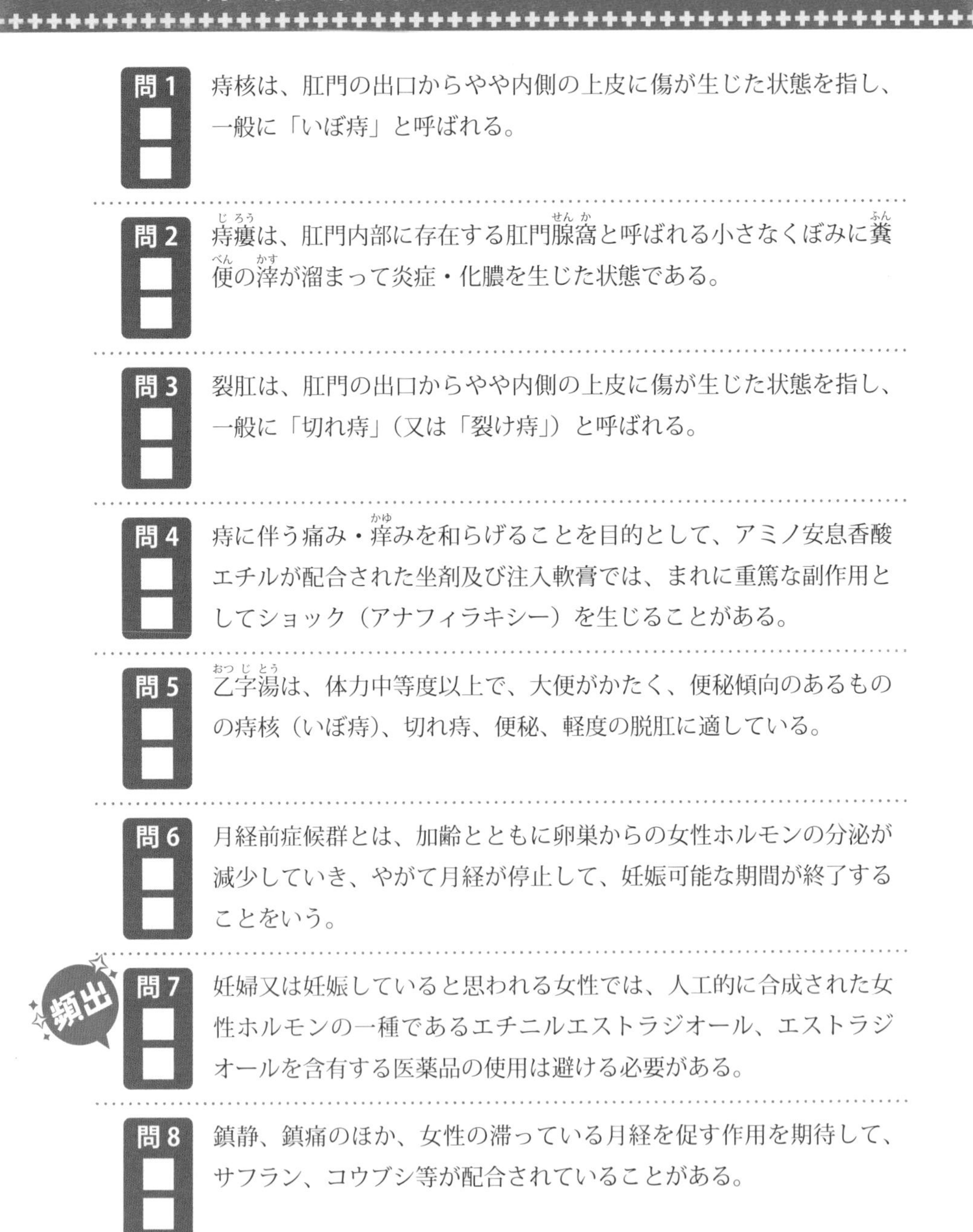

問1 □□
痔核は、肛門の出口からやや内側の上皮に傷が生じた状態を指し、一般に「いぼ痔」と呼ばれる。

問2 □□
痔瘻は、肛門内部に存在する肛門腺窩と呼ばれる小さなくぼみに糞便の滓が溜まって炎症・化膿を生じた状態である。

問3 □□
裂肛は、肛門の出口からやや内側の上皮に傷が生じた状態を指し、一般に「切れ痔」（又は「裂け痔」）と呼ばれる。

問4 □□
痔に伴う痛み・痒みを和らげることを目的として、アミノ安息香酸エチルが配合された坐剤及び注入軟膏では、まれに重篤な副作用としてショック（アナフィラキシー）を生じることがある。

問5 □□
乙字湯は、体力中等度以上で、大便がかたく、便秘傾向のあるものの痔核（いぼ痔）、切れ痔、便秘、軽度の脱肛に適している。

問6 □□
月経前症候群とは、加齢とともに卵巣からの女性ホルモンの分泌が減少していき、やがて月経が停止して、妊娠可能な期間が終了することをいう。

頻出
問7 □□
妊婦又は妊娠していると思われる女性では、人工的に合成された女性ホルモンの一種であるエチニルエストラジオール、エストラジオールを含有する医薬品の使用は避ける必要がある。

問8 □□
鎮静、鎮痛のほか、女性の滞っている月経を促す作用を期待して、サフラン、コウブシ等が配合されていることがある。

答1 ×

痔核は、肛門に存在する細かい**血管**群が部分的に**拡張**し、肛門内にいぼ状の腫れが生じた状態を指し、一般に「いぼ痔」と呼ばれる。便秘等で肛門部に過度の**圧迫**をかけることが主な要因とされる。

答2 ○

痔瘻は、体力低下等により**抵抗力**が弱まっているときに起こりやすい。炎症・化膿が進行すると、肛門周囲の皮膚部分から膿(うみ)があふれ、その膿により周辺部の皮膚がかぶれ、赤く腫れて激痛を感じる。

答3 ○

裂肛は、硬い糞便を排泄する際や、下痢便に含まれる多量の**水分**が肛門の粘膜に浸透して炎症を起こしやすくなった状態で、勢いよく便が**通過**する際に粘膜が傷つけられて生じる。

答4 ○

他に、**リドカイン**、**リドカイン塩酸塩**又は**ジブカイン塩酸塩**が配合された坐剤及び注入軟膏でも、まれに重篤な副作用として**ショック**（**アナフィラキシー**）を生じることがある。

答5 ○

胃腸が弱く**下痢**しやすい人では不向きとされる。構成生薬として**ダイオウ**を含む。まれに重篤な副作用として、**肝機能障害**、**間質性肺炎**を生じることが知られている。

答6 ×

閉経の記述である。月経前症候群は、月経の約 10 ～ 3 日前に現れ、月経開始とともに**消失**する腹部膨満感、頭痛、乳房痛等の身体症状や感情の不安定、抑うつ等の精神症状を主体とするものである。

答7 ○

膣粘膜又は外陰部に適用されるものの成分は、適用部位から吸収されて**循環血液**中に移行するが、妊娠中の女性ホルモン成分の摂取により**胎児**の**先天性異常**の発生が報告されている。

答8 ○

サフランは**アヤメ**科の**サフラン**の**柱頭**を基原とする生薬、コウブシは**カヤツリグサ**科の**ハマスゲ**の**根茎**を基原とする生薬である。

内服アレルギー用薬／鼻に用いる薬

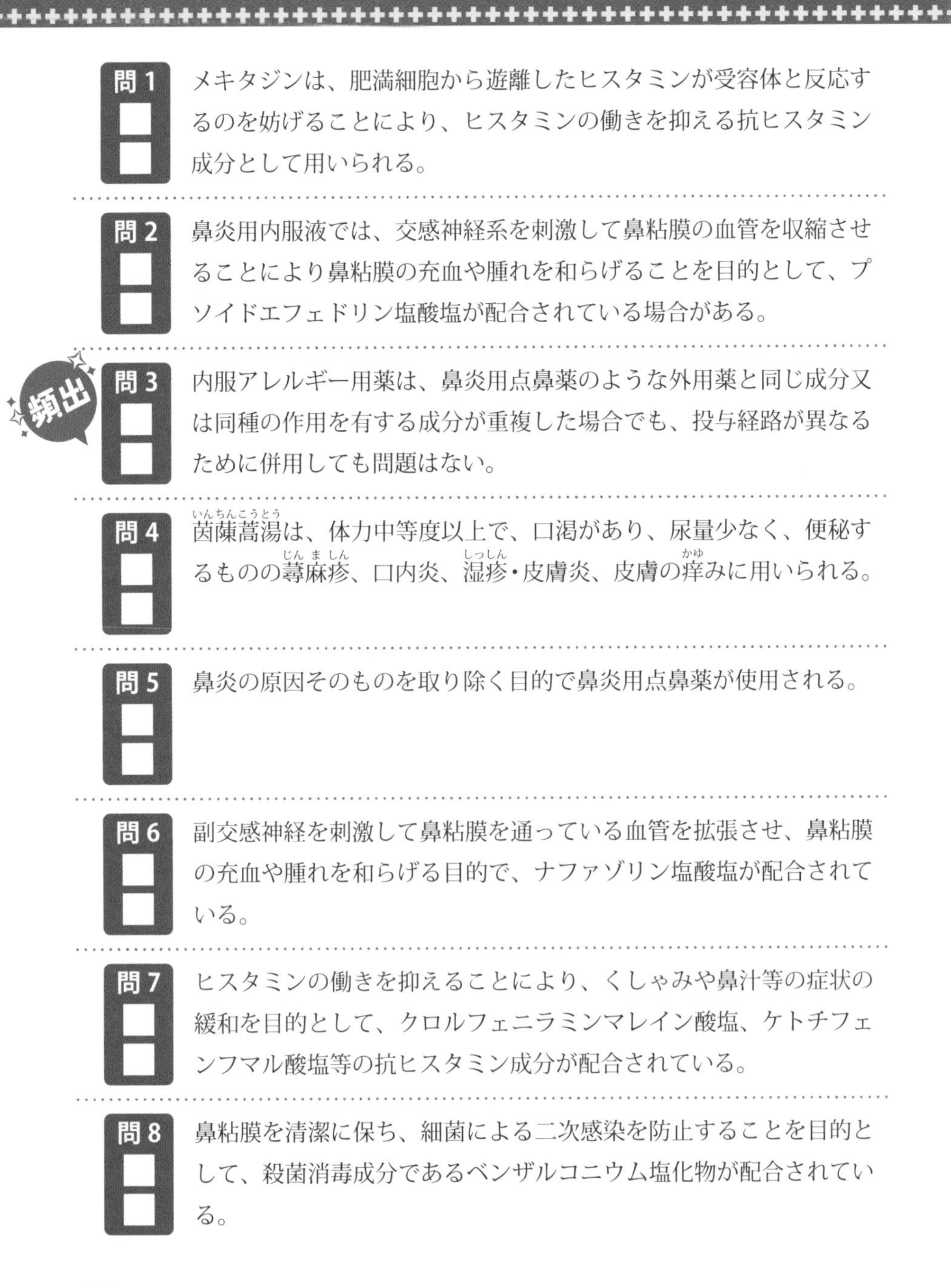

問1 メキタジンは、肥満細胞から遊離したヒスタミンが受容体と反応するのを妨げることにより、ヒスタミンの働きを抑える抗ヒスタミン成分として用いられる。

問2 鼻炎用内服液では、交感神経系を刺激して鼻粘膜の血管を収縮させることにより鼻粘膜の充血や腫れを和らげることを目的として、プソイドエフェドリン塩酸塩が配合されている場合がある。

問3 内服アレルギー用薬は、鼻炎用点鼻薬のような外用薬と同じ成分又は同種の作用を有する成分が重複した場合でも、投与経路が異なるために併用しても問題はない。

問4 茵蔯蒿湯（いんちんこうとう）は、体力中等度以上で、口渇があり、尿量少なく、便秘するものの蕁麻疹（じんましん）、口内炎、湿疹（しっしん）・皮膚炎、皮膚の痒（かゆ）みに用いられる。

問5 鼻炎の原因そのものを取り除く目的で鼻炎用点鼻薬が使用される。

問6 副交感神経を刺激して鼻粘膜を通っている血管を拡張させ、鼻粘膜の充血や腫れを和らげる目的で、ナファゾリン塩酸塩が配合されている。

問7 ヒスタミンの働きを抑えることにより、くしゃみや鼻汁等の症状の緩和を目的として、クロルフェニラミンマレイン酸塩、ケトチフェンフマル酸塩等の抗ヒスタミン成分が配合されている。

問8 鼻粘膜を清潔に保ち、細菌による二次感染を防止することを目的として、殺菌消毒成分であるベンザルコニウム塩化物が配合されている。

答1 ○

メキタジンは、まれに重篤な副作用として**ショック（アナフィラキシー）**、**肝機能障害**、**血小板減少**を生じることがある。

答2 ○

なお、プソイドエフェドリン塩酸塩は、他のアドレナリン作動成分に比べて**中枢神経**系に対する作用が強く、副作用として**不眠**や**神経過敏**が現れることがある。

答3 ×

同じ成分又は同種の作用を有する成分が**重複摂取**となり、効き目が強すぎたり、副作用が起こりやすくなるおそれがある。併用されることのないよう注意が必要である。

答4 ○

ただし、体の**虚弱**な人、**胃腸**が弱く**下痢**しやすい人では、激しい腹痛を伴う**下痢**等の副作用が現れやすい等、不向きとされる。

答5 ×

鼻炎用点鼻薬は、急性鼻炎、アレルギー性鼻炎又は副鼻腔炎（ふくびくうえん）による諸症状のうち、鼻づまり、鼻みず（鼻汁過多）、くしゃみ、頭重（頭が重い）の**緩和**を目的として、鼻腔内に適用される**外用**液剤である。

答6 ×

ナファゾリン塩酸塩等の**アドレナリン作動**成分は、**交感神経**系を刺激して鼻粘膜を通っている血管を**収縮**させることにより、鼻粘膜の充血や腫れを和らげることを目的として配合されている。

答7 ○

アレルギー性鼻炎の発生には、生体内の伝達物質である**ヒスタミン**が関与しており、その働きを抑えることにより、くしゃみや鼻汁等の症状を**緩和**することを目的として配合されている場合がある。

答8 ○

他に、ベンゼトニウム塩化物、セチルピリジニウム塩化物が配合される。**黄色ブドウ球菌**、溶血性連鎖球菌又はカンジダ等の**真菌**類に対する殺菌消毒作用を示すが、**結核菌**や**ウイルス**には効果がない。

眼科用薬

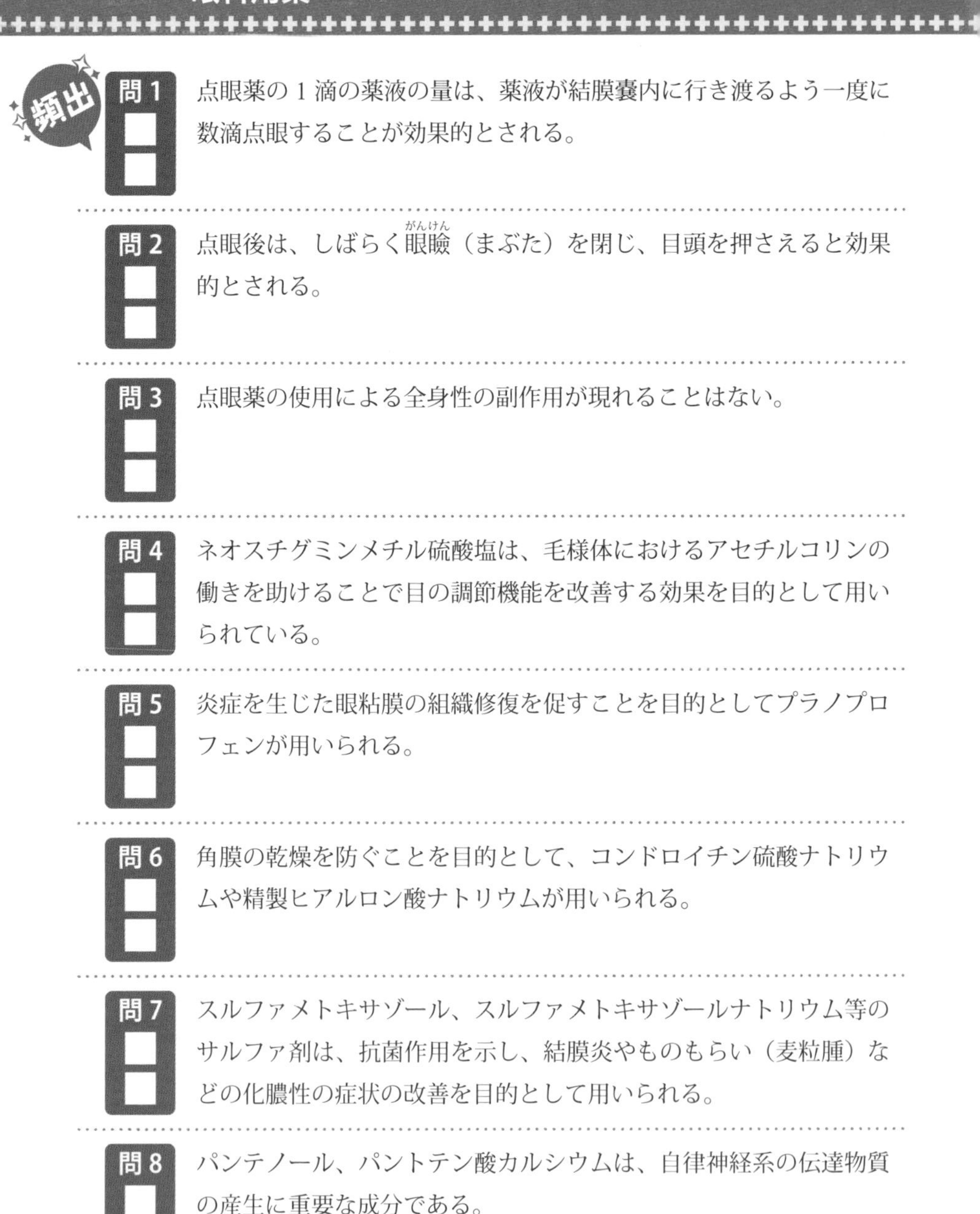

問1　点眼薬の1滴の薬液の量は、薬液が結膜嚢内に行き渡るよう一度に数滴点眼することが効果的とされる。

問2　点眼後は、しばらく眼瞼（がんけん）（まぶた）を閉じ、目頭を押さえると効果的とされる。

問3　点眼薬の使用による全身性の副作用が現れることはない。

問4　ネオスチグミンメチル硫酸塩は、毛様体におけるアセチルコリンの働きを助けることで目の調節機能を改善する効果を目的として用いられている。

問5　炎症を生じた眼粘膜の組織修復を促すことを目的としてプラノプロフェンが用いられる。

問6　角膜の乾燥を防ぐことを目的として、コンドロイチン硫酸ナトリウムや精製ヒアルロン酸ナトリウムが用いられる。

問7　スルファメトキサゾール、スルファメトキサゾールナトリウム等のサルファ剤は、抗菌作用を示し、結膜炎やものもらい（麦粒腫）などの化膿性の症状の改善を目的として用いられる。

問8　パンテノール、パントテン酸カルシウムは、自律神経系の伝達物質の産生に重要な成分である。

1回目 /8

2回目  /8

答1

×

1滴の薬液の量は約50μLであるのに対して、結膜囊の容積は30μL程度であり、一度に何滴も点眼しても効果が増すわけではなく、むしろ薬液が鼻腔内へ流れ込み、吸収され、副作用を起こしやすくなる。

答2 ○

点眼後は、しばらく眼瞼を閉じて、薬液を**結膜嚢**内に行き渡らせる。その際、目頭を押さえると、薬液が鼻腔内へ流れ込むのを防ぐことができ、効果的とされる。

答3 ×

全身性の副作用としては、皮膚に**発疹**(ほっしん)、**発赤**、**痒み**(かゆみ)等が現れることがある。一般の生活者は、原因が点眼薬にあると思い至らないことがあるため、購入者等に対する適切な助言が重要である。

答4 ○

ネオスチグミンメチル硫酸塩は、**コリンエステラーゼ**の働きを抑える作用を示し、毛様体における**アセチルコリン**の働きを助けることで、目の調節機能を改善する効果を目的として用いられる。

答5 ×

プラノプロフェンは、目の炎症を改善する効果を期待して用いられる。眼粘膜の組織修復を促す作用を期待して配合されるのは、**アズレンスルホン酸ナトリウム**や**アラントイン**である。

答6 ○

同様の効果を期待して、**ヒドロキシプロピルメチルセルロース**、ポリビニルアルコール（部分けん化物）が配合されている場合もある。

答7 ○

細菌感染による結膜炎やものもらいなどの化膿性の症状を改善する目的で用いられるが、すべての細菌に対して効果があるというわけではない。また、**ウイルス**や**真菌**の感染に対する効果はない。

答8 ○

パンテノール、パントテン酸カルシウムは、目の**調節機能**の**回復**を促す効果を期待して配合されている。

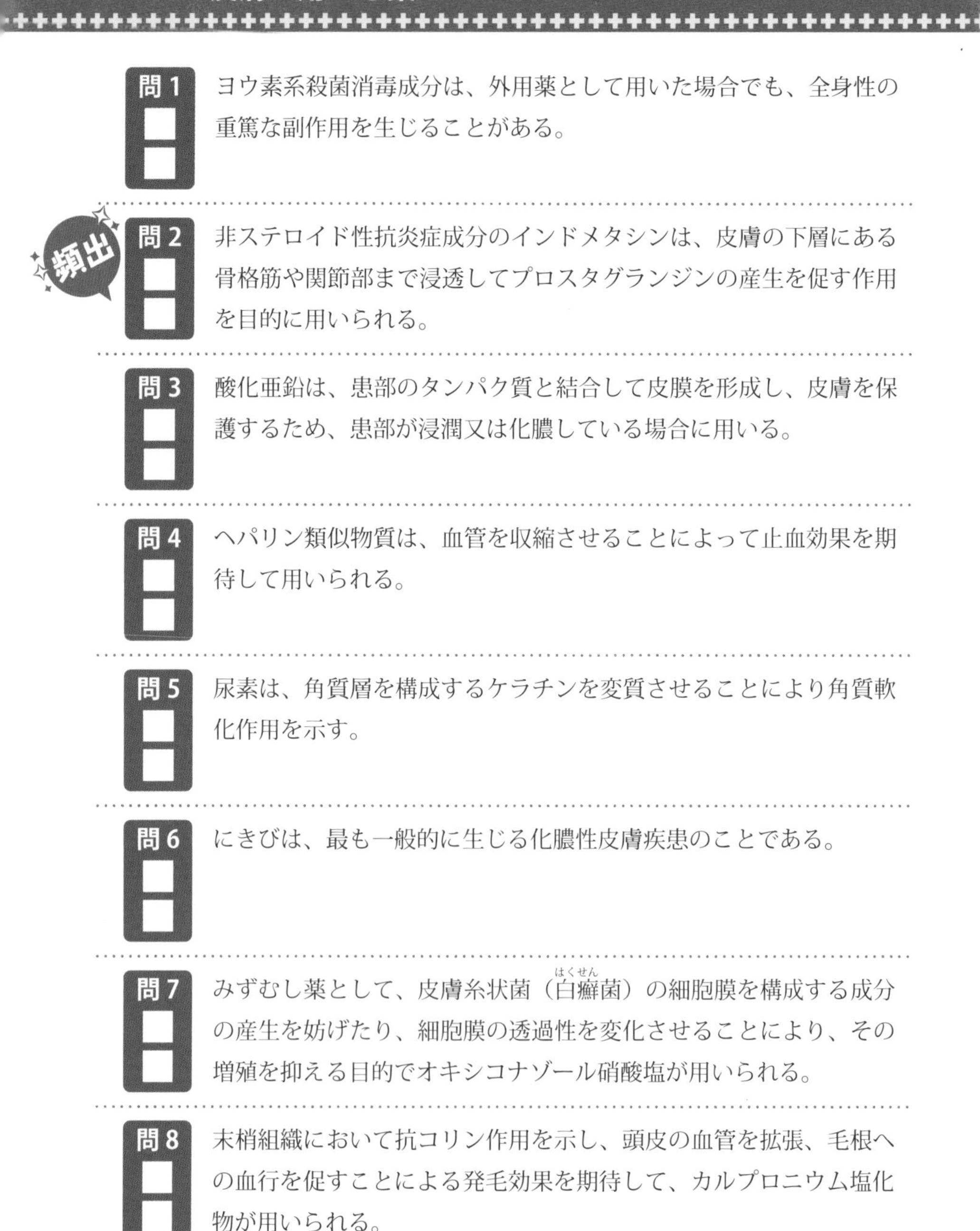

皮膚に用いる薬

問1 ヨウ素系殺菌消毒成分は、外用薬として用いた場合でも、全身性の重篤な副作用を生じることがある。

頻出

問2 非ステロイド性抗炎症成分のインドメタシンは、皮膚の下層にある骨格筋や関節部まで浸透してプロスタグランジンの産生を促す作用を目的に用いられる。

問3 酸化亜鉛は、患部のタンパク質と結合して皮膜を形成し、皮膚を保護するため、患部が浸潤又は化膿している場合に用いる。

問4 ヘパリン類似物質は、血管を収縮させることによって止血効果を期待して用いられる。

問5 尿素は、角質層を構成するケラチンを変質させることにより角質軟化作用を示す。

問6 にきびは、最も一般的に生じる化膿性皮膚疾患のことである。

問7 みずむし薬として、皮膚糸状菌（白癬菌（はくせん））の細胞膜を構成する成分の産生を妨げたり、細胞膜の透過性を変化させることにより、その増殖を抑える目的でオキシコナゾール硝酸塩が用いられる。

問8 末梢組織において抗コリン作用を示し、頭皮の血管を拡張、毛根への血行を促すことによる発毛効果を期待して、カルプロニウム塩化物が用いられる。

答1 ○

まれに**ショック（アナフィラキシー）**のような全身性の重篤な副作用を生じることがあるため、**ヨウ素**に対するアレルギーの既往がある人は使用を避ける必要がある。

答2 ×

非ステロイド性抗炎症成分のうち、**インドメタシン**、**ケトプロフェン**、**フェルビナク**、**ピロキシカム**、**ジクロフェナクナトリウム**は、プロスタグランジンの産生を**抑える**作用を示す。

答3 ×

患部が**浸潤**又は**化膿**している場合や傷が**深い**ときなどには、表面だけを乾燥させてかえって症状を悪化させるおそれがあるため、使用を避ける。

答4 ×

ヘパリン類似物質は、患部局所の血行を**促す**ことを目的として用いられる。**抗炎症**作用や**保湿**作用も期待されるが、血液凝固を**抑える**働きがあるため、**出血しやすい**人などは使用を避ける必要がある。

答5 ×

尿素でなく、**イオウ**である。併せて**抗菌**、**抗真菌**作用も期待され、にきび用薬等に配合される。尿素は角質層の**水分**保持量を高め、皮膚の**乾燥**を改善することを目的として配合される。

答6 ○

その発生要因の一つに、老廃物がつまった毛穴の中で皮膚常在菌であるにきび桿菌（かんきん）(**アクネ菌**)が繁殖することが挙げられる。

答7 ○

オキシコナゾール硝酸塩等は**イミダゾール**系の抗真菌薬と呼ばれる。副作用としてかぶれ、腫れ、刺激感等が現れることがある。

答8 ×

カルプロニウム塩化物は、末梢組織（適用局所）においてアセチルコリンに類似した作用（**コリン作用**）を示し、頭皮の血管を拡張、毛根への血行を促すことによる**発毛効果**を期待して用いられる。

歯や口中に用いる薬／禁煙補助剤

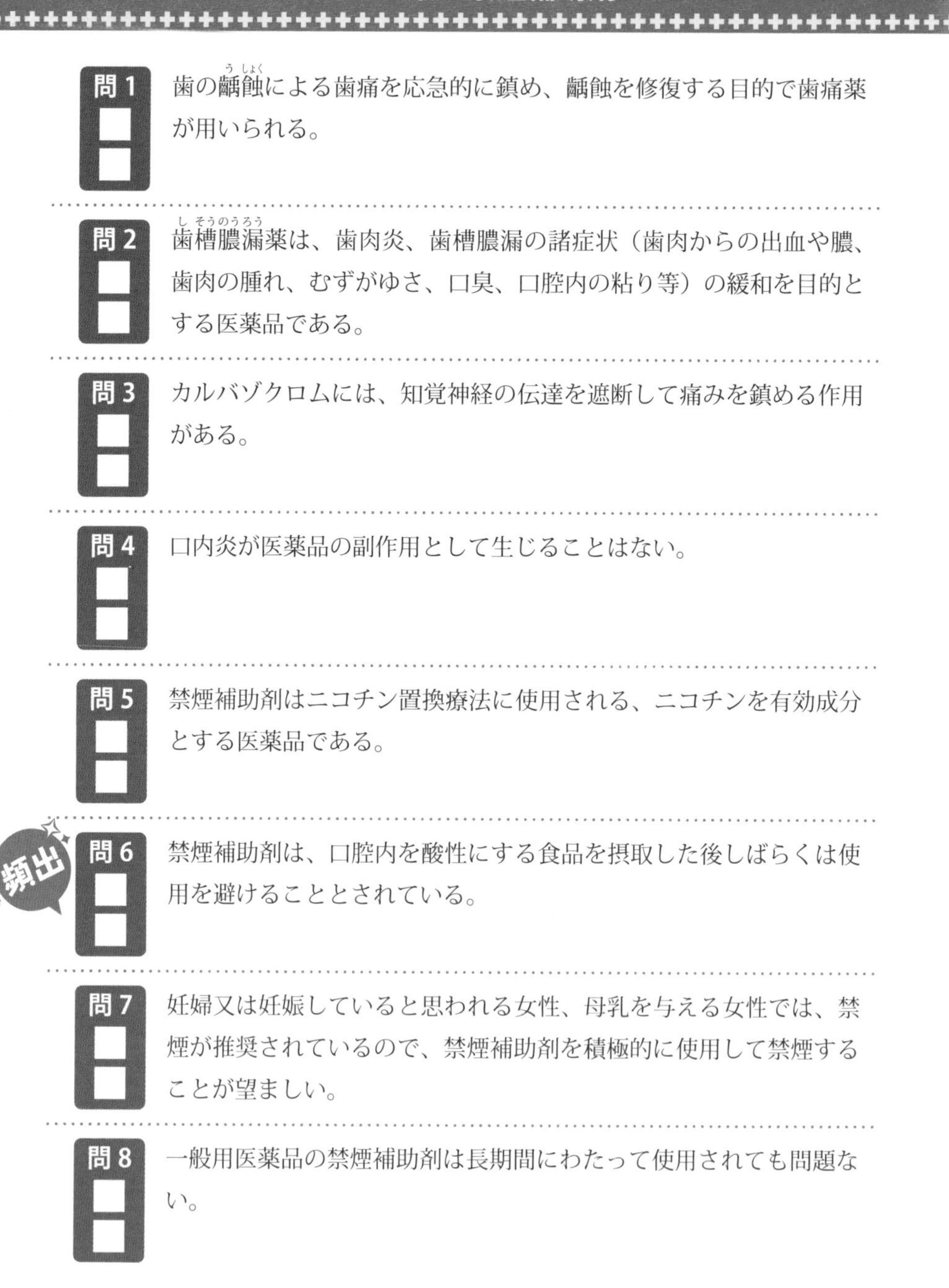

問 1　歯の齲蝕による歯痛を応急的に鎮め、齲蝕を修復する目的で歯痛薬が用いられる。

問 2　歯槽膿漏薬は、歯肉炎、歯槽膿漏の諸症状（歯肉からの出血や膿、歯肉の腫れ、むずがゆさ、口臭、口腔内の粘り等）の緩和を目的とする医薬品である。

問 3　カルバゾクロムには、知覚神経の伝達を遮断して痛みを鎮める作用がある。

問 4　口内炎が医薬品の副作用として生じることはない。

問 5　禁煙補助剤はニコチン置換療法に使用される、ニコチンを有効成分とする医薬品である。

問 6　禁煙補助剤は、口腔内を酸性にする食品を摂取した後しばらくは使用を避けることとされている。

問 7　妊婦又は妊娠していると思われる女性、母乳を与える女性では、禁煙が推奨されているので、禁煙補助剤を積極的に使用して禁煙することが望ましい。

問 8　一般用医薬品の禁煙補助剤は長期間にわたって使用されても問題ない。

答1 ×

歯痛薬は、歯の齲蝕による歯痛を**応急的**に鎮めることを目的とする一般用医薬品であり、歯の齲蝕が**修復されることはなく**、早めに医療機関（歯科）を受診して治療を受けることが基本となる。

答2 ○

内服薬は、**抗炎症**成分、**ビタミン**成分等が配合されたもので、**外用薬**と併せて用いると効果的である。

答3 ×

カルバゾクロムは**止血**成分として、炎症を起こした**歯周組織**からの出血を抑える作用を期待して配合される。

答4 ×

なお、口内炎の発生の仕組みは必ずしも解明されていないが、栄養摂取の偏り、**ストレス**や**睡眠不足**、**唾液分泌**の低下、口腔内の不衛生などが要因となって生じることが多いとされる。

答5 ○

ニコチン置換療法は、**ニコチン**の摂取方法を喫煙以外に変えて離脱症状の軽減を図りながら徐々に摂取量を減らし、最終的に**ニコチン**摂取を**ゼロ**にする方法である。

答6 ○

口腔内が**酸性**になるとニコチンの吸収が低下するため、コーヒーや炭酸飲料など口内を**酸性**にする食品を摂取した後しばらくは使用を避けることとされている。

答7 ×

禁煙補助剤は、ニコチンを**喫煙**以外の方法で摂取するものであり、摂取されたニコチンにより胎児又は乳児に影響が生じるおそれがあるため、使用を**避ける**必要がある。

答8 ×

禁煙補助剤は、**添付文書**で定められた期限を超える使用は避けるべきである。

滋養強壮保健薬

ビタミンEは、腸管でのカルシウム吸収及び尿細管でのカルシウム再吸収を促して、骨の形成を助ける栄養素である。

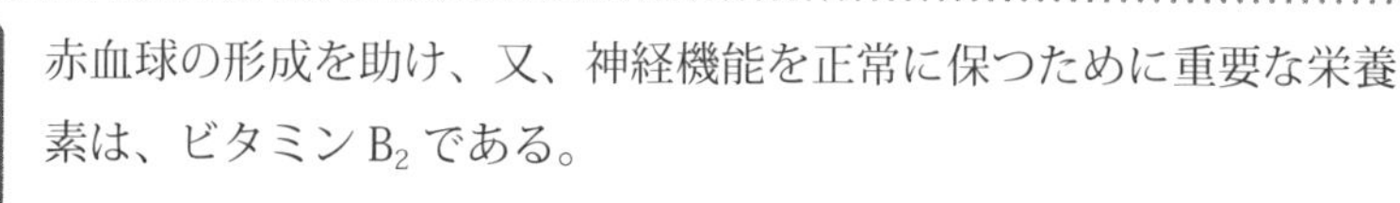

赤血球の形成を助け、又、神経機能を正常に保つために重要な栄養素は、ビタミンB_2である。

システインは、髪や爪などに存在するアミノ酸の一種で、皮膚におけるメラニンの生成を抑えるとともに、皮膚の新陳代謝を活発にしてメラニンの排出を促す働きがある。

骨格筋に溜まった乳酸の分解を促す等の働きを期待して、アミノエチルスルホン酸（タウリン）が用いられる。

ヘスペリジンは、ビタミン様物質の一つで、ビタミンCの吸収を助ける作用があるとされる。

コンドロイチン硫酸は、肝臓の働きを助け、肝血流を促進する働きがあり、全身倦怠感や疲労時の栄養補給を目的として配合される場合がある。

ニンジンは、別名を高麗人参、朝鮮人参とも呼ばれ、既定値以上配合されている生薬主薬保健薬については、虚弱体質、肉体疲労、病中病後等における滋養強壮の効能が認められている。

滋養強壮に用いられる補中益気湯（ほちゅうえっきとう）は、体力虚弱なものの病後・術後の体力低下、疲労倦怠、食欲不振、ねあせ、手足の冷え、貧血に適すとされる。

答1 ×

ビタミンDの記述である。ビタミンEは、体内の脂質を**酸化**から守り、細胞の活動を助ける栄養素であり、**血流**を改善させる作用もある。また、下垂体や副腎系に作用して**ホルモン分泌**の調節に関与する。

答2 ×

ビタミンB_{12}の記述である。ビタミンB_2は、脂質の**代謝**に関与し、**皮膚**や**粘膜**の機能を正常に保つために重要な栄養素である。ビタミンB_2の摂取で尿が黄色くなることがある。

答3 ○

また、**肝臓**において**アルコール**を分解する酵素の働きを助け、**アセトアルデヒド**の代謝を促す働きがあるとされ、しみ・そばかす・日焼けなどの**色素沈着症**等の症状の緩和に用いられる。

答4 ×

アスパラギン酸ナトリウムの記述である。タウリンは、体のあらゆる部分に存在し、細胞の機能が正常に働くために重要な物質で、**肝臓**機能を改善する働きを期待して滋養強壮保健薬等に配合される。

答5 ○

ヘスペリジンは、滋養強壮保健薬のほか、**かぜ薬**等にも配合されている場合がある。

答6 ×

グルクロノラクトンの記述である。コンドロイチン硫酸は、**軟骨**組織の主成分で、**軟骨**成分を形成及び修復する働きがあるとされる。

答7 ○

ニンジンは**ウコギ**科の**オタネニンジン**の細根を除いた**根**又はこれを軽く湯通ししたものを基原とし、外界からのストレス刺激に対する抵抗力や**新陳代謝**を高めるとされる。

答8 ×

十全大補湯（じゅうぜんたいほとう）の記述である。補中益気湯は、体力**虚弱**で、**元気**がなく、胃腸の働きが衰えて、**疲れやすい**ものの虚弱体質、疲労倦怠、病後・術後の衰弱、食欲不振、ねあせ、感冒に適すとされる。

漢方処方製剤（1）

問1
漢方薬は、漢方独自の病態認識である「証」に基づいて使用することが重要である。

問2
漢方薬は作用が穏やかであるので、副作用が起きることは少ない。

問3
漢方処方製剤の用法用量について、適用年齢の下限が設けられていない場合でも、生後6か月未満の乳児には使用してはいけない。

問4
黄連解毒湯は、体力中等度以上で、のぼせぎみで顔色赤く、いらいらして落ち着かない傾向のあるものの鼻出血、不眠症、神経症、胃炎、二日酔い、血の道症、動悸、口内炎等に適すとされる。

問5
防已黄耆湯は、体力中等度以上で、赤ら顔で、ときにのぼせがあるもののにきび、顔面・頭部の湿疹・皮膚炎、赤鼻（酒さ）に適すとされる。

問6
防風通聖散は、体力充実して、腹部に皮下脂肪が多く、便秘がちなものの高血圧や肥満に伴う動悸・肩こり・のぼせ・むくみ・便秘、蓄膿症、湿疹・皮膚炎、ふきでもの、肥満症に適すとされる。

問7
大柴胡湯は、体力が充実して、みぞおちあたりにかけて苦しく、便秘の傾向のあるものの胃炎、常習便秘、高血圧や肥満に伴う肩こり・頭痛・便秘、神経症、肥満症に適すとされる。

問8
小柴胡湯は、重篤な副作用としてまれに間質性肺炎や肝機能障害を生じるが、インターフェロン製剤を併用することにより副作用は軽減される。

答1
○

有効性及び安全性を確保するため、漢方独自の病態認識である「**証**」に基づいて用いることが、重要である。漢方の病態認識には**虚実**、**陰陽**、**気血水**、**五臓**等がある。

答2
×

一般の生活者においては、「漢方薬は作用が穏やかで、副作用が少ない」などという認識がなされていることがあるが、まれに**肝機能障害**や**間質性肺炎**のような重篤な副作用が起きることがある。

答3
×

適用年齢の下限が設けられていない場合であっても、生後**3**か月未満の乳児には使用しないこととされている。

答4
○

体の**虚弱**な人（体力の**衰えている**人、体の**弱い**人）には不向きとされる。まれに重篤な副作用として、**肝機能障害**、**間質性肺炎**、**腸間膜静脈硬化症**が起こることが知られている。

答5
×

清上防風湯（せいじょうぼうふうとう）の記述である。防已黄耆湯は、体力**中等度以下**で**疲れやすく**、汗のかきやすい傾向があるものの肥満に伴う関節の腫れや痛み、むくみ、多汗症、肥満症に適している。構成生薬に**カンゾウ**を含む。

答6
○

胃腸が弱く**下痢**しやすい人、**発汗傾向**の著しい人では、激しい腹痛を伴う下痢等の副作用が現れやすい等不向きとされ、**小児**に対する適用はない。構成生薬に**カンゾウ**、**マオウ**、**ダイオウ**を含む。

答7
○

体力の**虚弱**な人、**胃腸**が弱く**下痢**しやすい人には不向きとされる。構成生薬として**ダイオウ**を含む。まれに重篤な副作用として肝機能障害、間質性肺炎が起こることが知られている。

答8
×

小柴胡湯とインターフェロン製剤との併用は、相互作用により**重篤な副作用**（**間質性肺炎**）を起こす可能性があるため使用を避けなければならない。

漢方処方製剤（2）

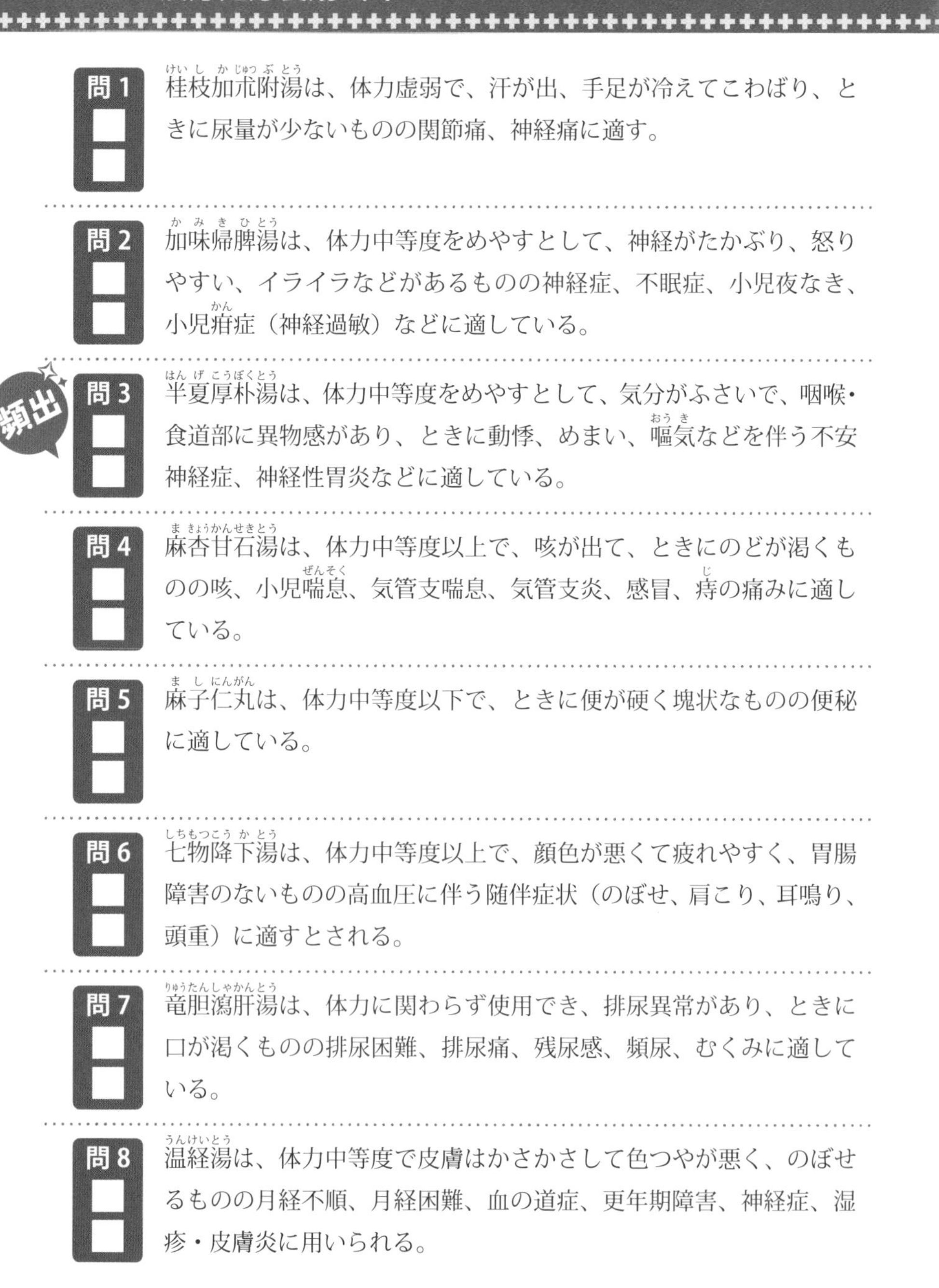

問1 桂枝加朮附湯は、体力虚弱で、汗が出、手足が冷えてこわばり、ときに尿量が少ないものの関節痛、神経痛に適す。

問2 加味帰脾湯は、体力中等度をめやすとして、神経がたかぶり、怒りやすい、イライラなどがあるものの神経症、不眠症、小児夜なき、小児疳症（神経過敏）などに適している。

頻出

問3 半夏厚朴湯は、体力中等度をめやすとして、気分がふさいで、咽喉・食道部に異物感があり、ときに動悸、めまい、嘔気などを伴う不安神経症、神経性胃炎などに適している。

問4 麻杏甘石湯は、体力中等度以上で、咳が出て、ときにのどが渇くものの咳、小児喘息、気管支喘息、気管支炎、感冒、痔の痛みに適している。

問5 麻子仁丸は、体力中等度以下で、ときに便が硬く塊状なものの便秘に適している。

問6 七物降下湯は、体力中等度以上で、顔色が悪くて疲れやすく、胃腸障害のないものの高血圧に伴う随伴症状（のぼせ、肩こり、耳鳴り、頭重）に適すとされる。

問7 竜胆瀉肝湯は、体力に関わらず使用でき、排尿異常があり、ときに口が渇くものの排尿困難、排尿痛、残尿感、頻尿、むくみに適している。

問8 温経湯は、体力中等度で皮膚はかさかさして色つやが悪く、のぼせるものの月経不順、月経困難、血の道症、更年期障害、神経症、湿疹・皮膚炎に用いられる。

答1 ○

ただし、動悸（どうき）、のぼせ、ほてり等の副作用が現れやすい等の理由で、のぼせが強く**赤ら顔**で体力が**充実**している人には不向きとされている。

答2 ×

抑肝散（よくかんさん）の記述である。加味帰脾湯は、体力**中等度以下**で、心身が疲れ、血色が悪く、ときに熱感を伴うものの貧血、**不眠症**、**精神不安**、神経症に適すとされる。

答3 ○

その他、つわり、咳、しわがれ声、のどのつかえ感にも適すとされ、**咳止め**や**痰**（たん）を出しやすくする目的等で用いられている。

答4 ○

鎮咳去痰薬、解熱鎮痛薬等に用いられ、構成生薬として**カンゾウ**、**マオウ**を含む。

答5 ○

胃腸が弱く**下痢**しやすい人では、激しい腹痛を伴う**下痢**等の副作用が現れやすい等、不向きとされる。また、本剤を使用している間は他の瀉（しゃ）下薬の使用を避ける必要がある。

答6 ×

体力は、**中等度以下**だが、他は正しい。胃腸が弱く下痢しやすい人では、胃部不快感等の副作用が現れやすい等、不向きとされる。**15**歳未満の小児への使用は避ける。

答7 ×

猪苓湯（ちょれいとう）の記述である。竜胆瀉肝湯は、体力**中等度以上**で、下腹部に熱感や痛みがあるものの**排尿痛**、**残尿感**、尿の濁り、こしけ（おりもの）、**頻尿**に適している。

答8 ×

温清飲（うんせいいん）の記述である。温経湯は、体力**中等度以下**で、手足がほてり、唇が乾くものの**月経不順**、**月経困難**、こしけ、**更年期障害**、不眠、神経症、湿疹・皮膚炎、足腰の冷え、手あれ等に用いられる。

3章　主な医薬品とその作用

生薬製剤

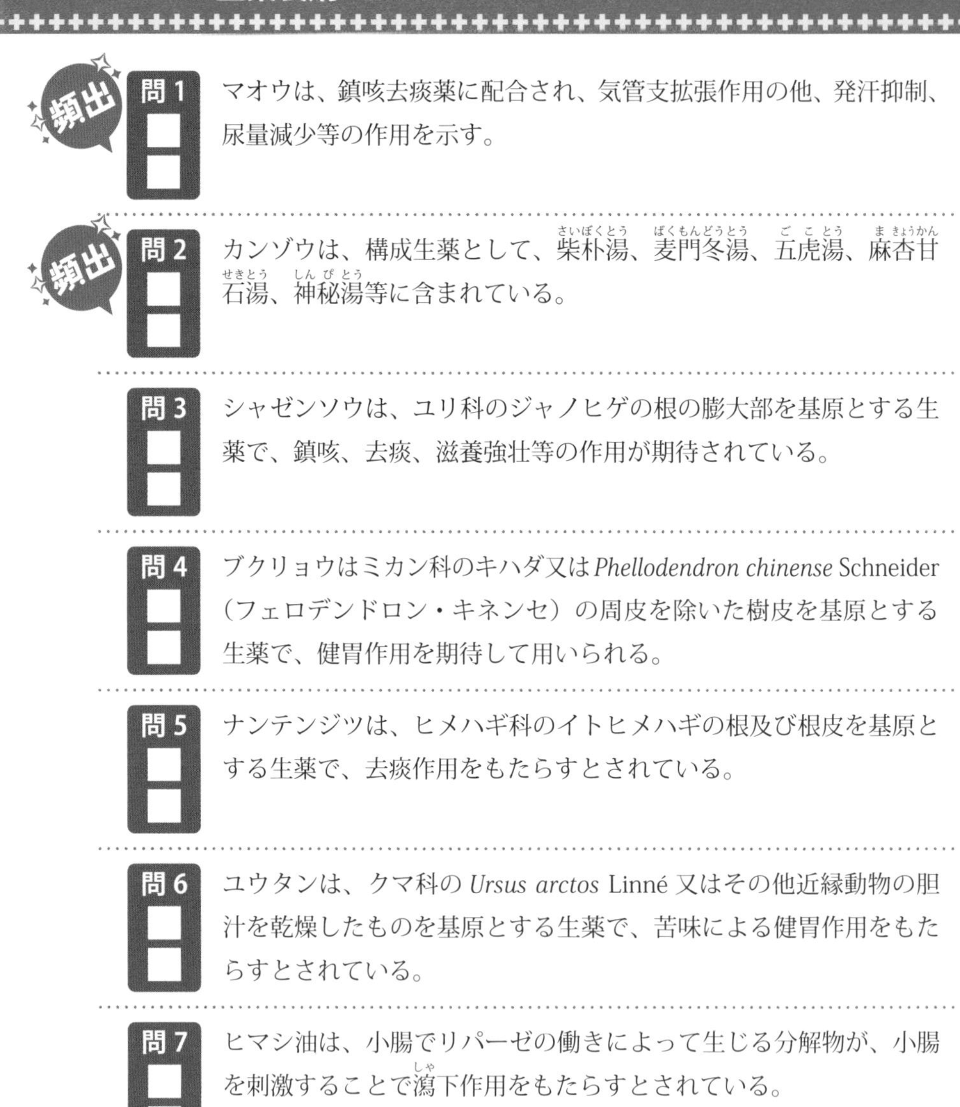

頻出

問1 マオウは、鎮咳去痰薬に配合され、気管支拡張作用の他、発汗抑制、尿量減少等の作用を示す。

頻出

問2 カンゾウは、構成生薬として、柴朴湯、麦門冬湯、五虎湯、麻杏甘石湯、神秘湯等に含まれている。

問3 シャゼンソウは、ユリ科のジャノヒゲの根の膨大部を基原とする生薬で、鎮咳、去痰、滋養強壮等の作用が期待されている。

問4 ブクリョウはミカン科のキハダ又は *Phellodendron chinense* Schneider（フェロデンドロン・キネンセ）の周皮を除いた樹皮を基原とする生薬で、健胃作用を期待して用いられる。

問5 ナンテンジツは、ヒメハギ科のイトヒメハギの根及び根皮を基原とする生薬で、去痰作用をもたらすとされている。

問6 ユウタンは、クマ科の *Ursus arctos* Linné 又はその他近縁動物の胆汁を乾燥したものを基原とする生薬で、苦味による健胃作用をもたらすとされている。

問7 ヒマシ油は、小腸でリパーゼの働きによって生じる分解物が、小腸を刺激することで瀉下作用をもたらすとされている。

問8 ロートエキスは、胃腸薬等に配合されているが、吸収された成分の一部が母乳中に移行して乳児の脈が速くなる（頻脈）おそれがある。

答1 ×

マオウ（構成生薬にマオウを含む漢方処方製剤も同様）は、気管支**拡張**作用の他、発汗**促進**、**利尿**等の作用を示す。

答2 ○

鎮咳去痰薬には、**グリチルリチン酸**を含む生薬成分として、カンゾウが用いられることもある。**抗炎症**作用のほか、気道粘膜からの**粘液分泌を促す**等の作用も期待される。

答3 ×

バクモンドウの記述である。シャゼンソウは、**オオバコ**科の**オオバコ**の花期の全草を基原とする生薬で、**去痰**作用を期待して用いられる。

答4 ×

オウバクの記述である。ブクリョウは、**サルノコシカケ**科の**マツホド**の**菌核**で、通例、外層をほとんど除いたものを基原とする生薬で、**利尿**、**健胃**、**鎮静**等の作用を期待して用いられる。

答5 ×

オンジの記述である。ナンテンジツは、**メギ**科の**シロミナンテン**（**シロナンテン**）又は**ナンテン**の果実を基原とする生薬で、知覚神経・末梢運動神経に作用して**咳止め**に効果があるとされる。

答6 ○

苦味による**健胃**作用を期待して用いられる。健胃作用の他、消化補助成分として配合される場合もある。また、**胆汁**の分泌を促す作用や**強心**作用もある。

答7 ○

ヒマシ油は、**ヒマシ**（**トウダイグサ**科の**トウゴマ**の種子）を圧搾して得られる。日本薬局方収載のヒマシ油は急激で強い瀉下作用（峻(しゅん)下作用）を示すため、妊婦等や**3**歳未満の乳幼児等は使用を避ける。

答8 ○

ロートエキスは、**ロートコン***の抽出物である。母乳を与える女性は使用を避けるか、使用中は授乳を避ける。

*ナス科のハシリドコロ、*Scopolia carniolica* Jacquin 又は *Scopolia parviflora* Nakai の根茎及び根を基原とする生薬

公衆衛生用薬

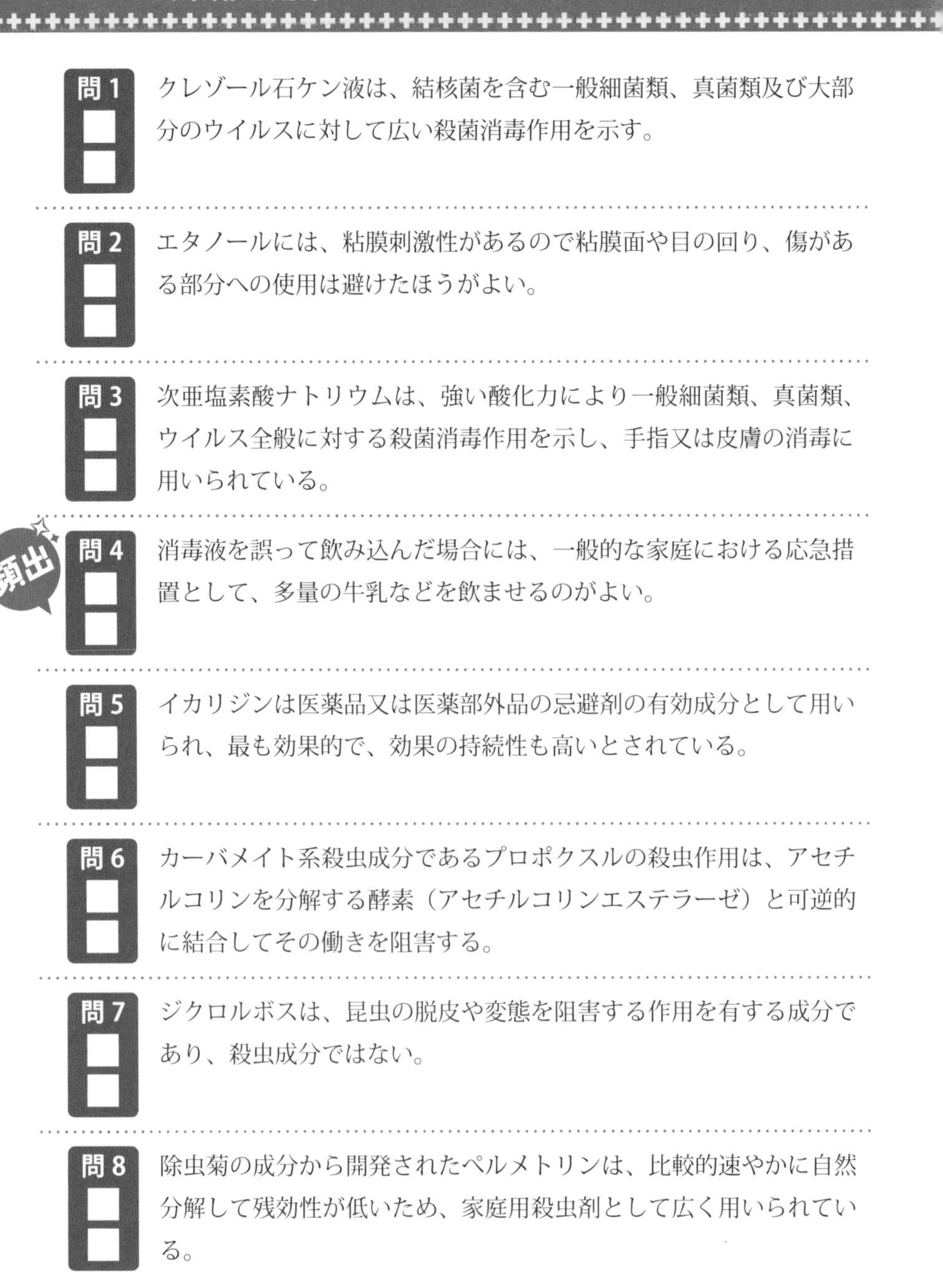

問1 クレゾール石ケン液は、結核菌を含む一般細菌類、真菌類及び大部分のウイルスに対して広い殺菌消毒作用を示す。

問2 エタノールには、粘膜刺激性があるので粘膜面や目の回り、傷がある部分への使用は避けたほうがよい。

問3 次亜塩素酸ナトリウムは、強い酸化力により一般細菌類、真菌類、ウイルス全般に対する殺菌消毒作用を示し、手指又は皮膚の消毒に用いられている。

頻出

問4 消毒液を誤って飲み込んだ場合には、一般的な家庭における応急措置として、多量の牛乳などを飲ませるのがよい。

問5 イカリジンは医薬品又は医薬部外品の忌避剤の有効成分として用いられ、最も効果的で、効果の持続性も高いとされている。

問6 カーバメイト系殺虫成分であるプロポクスルの殺虫作用は、アセチルコリンを分解する酵素（アセチルコリンエステラーゼ）と可逆的に結合してその働きを阻害する。

問7 ジクロルボスは、昆虫の脱皮や変態を阻害する作用を有する成分であり、殺虫成分ではない。

問8 除虫菊の成分から開発されたペルメトリンは、比較的速やかに自然分解して残効性が低いため、家庭用殺虫剤として広く用いられている。

答1 ×

結核菌を含む一般細菌類、真菌類に対して比較的広い殺菌消毒作用を示すが、大部分の**ウイルス**に対する殺菌消毒作用はない。刺激性が**強い**ため、原液が直接皮膚に付着しないようにする。

答2 ○

結核菌を含む一般細菌類、**真菌**類、**ウイルス**に対する殺菌消毒作用を示す。また、**揮発性**で引火しやすく、広範囲に長時間使用する場合には、蒸気の吸引にも留意する必要がある。

答3 ×

次亜塩素酸ナトリウムやサラシ粉などの**塩素系**殺菌消毒成分は、一般細菌類、真菌類、**ウイルス**全般に対する殺菌消毒作用を示すが、皮膚刺激性が強いため、通常**人体**の消毒には用いられない。

答4 ○

牛乳がない場合はまず**水**を飲ませる。中毒物質の消化管からの吸収を遅らせ、粘膜を保護するために誤飲してから**数分**以内に行う。原末等を飲み込んだときは、自己判断で吐き出させることは避ける。

答5 ×

ディートの記述である。イカリジンは、年齢による使用制限がない**忌避**成分で、蚊やマダニなどに対して効果を発揮する。

答6 ○

カーバメイト系殺虫成分、**オキサジアゾール**系殺虫成分は、いずれもアセチルコリンエステラーゼの阻害によって殺虫作用を示すが、アセチルコリンエステラーゼとの結合は**可逆的**である。

答7 ×

ジクロルボスは、代表的な**有機リン系殺虫**成分であり、アセチルコリンエステラーゼの阻害により殺虫作用を示すが、アセチルコリンエステラーゼとの結合は**不可逆的**である。

答8 ○

主な**ピレスロイド**系殺虫成分として、ペルメトリン、フェノトリン、フタルスリン等がある。このうち**フェノトリン**は、殺虫成分で唯一**人体**に直接適用（シラミの駆除を目的とする）されるものである。

一般用検査薬

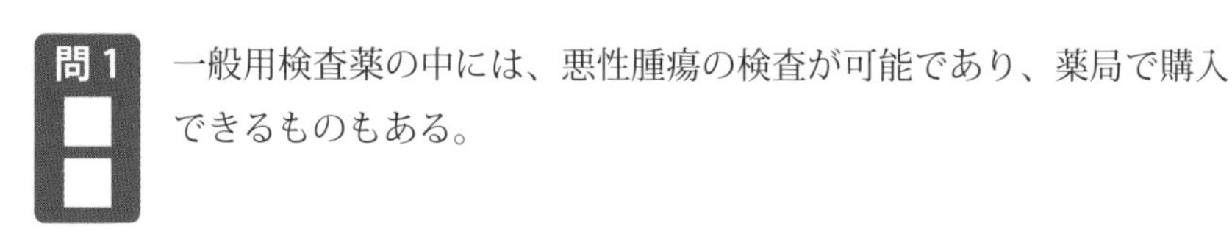

問1 一般用検査薬の中には、悪性腫瘍の検査が可能であり、薬局で購入できるものもある。

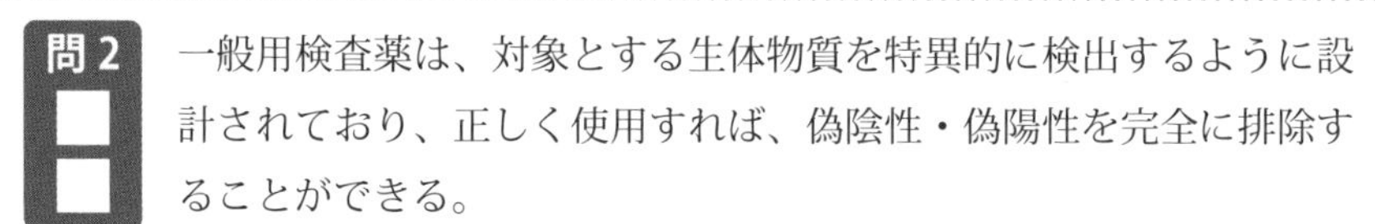

問2 一般用検査薬は、対象とする生体物質を特異的に検出するように設計されており、正しく使用すれば、偽陰性・偽陽性を完全に排除することができる。

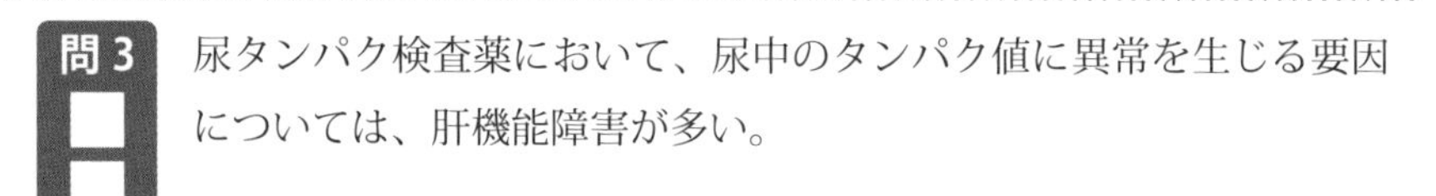

問3 尿タンパク検査薬において、尿中のタンパク値に異常を生じる要因については、肝機能障害が多い。

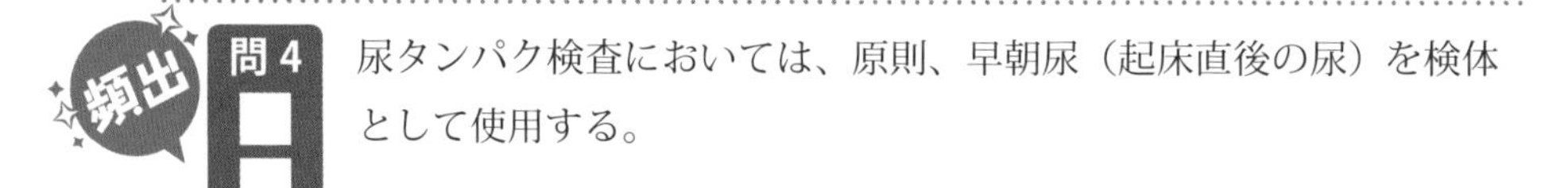

問4 尿タンパク検査においては、原則、早朝尿（起床直後の尿）を検体として使用する。

問5 尿糖・尿タンパク同時検査の場合、早朝尿を検体とするが、尿糖が検出された場合には、空腹時の尿について改めて検査して判断する必要がある。

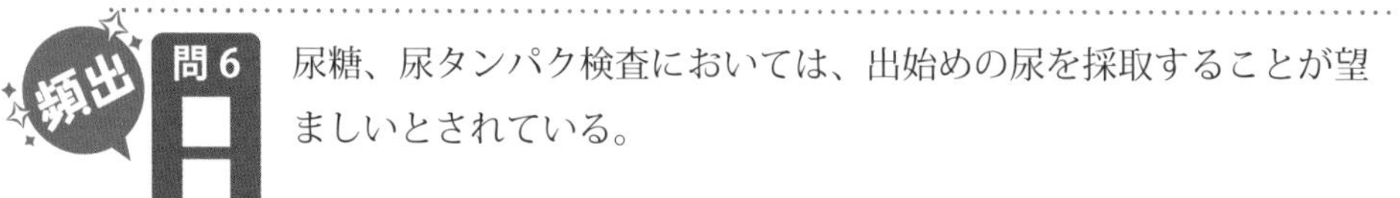

問6 尿糖、尿タンパク検査においては、出始めの尿を採取することが望ましいとされている。

問7 妊娠が成立すると、胎児（受精卵）を取り巻く絨毛（じゅうもう）細胞からヒト絨毛性性腺刺激ホルモン（hCG）が分泌され始め、やがて尿中に hCG が検出されるようになる。

問8 一般的な妊娠検査薬は、月経予定日が過ぎて概ね 1 ヶ月目以降の検査が推奨されている。

答1

悪性腫瘍、**心筋梗塞**や**遺伝性疾患**など重大な疾患の診断に関係するものは一般用検査薬の対象外である。

答2

生体から採取された**検体**には予期しない妨害物質や**化学構造**がよく似た物質が混在することがあり、いかなる検査薬においても偽陰性・偽陽性を完全に排除することは**困難**である。

答3

尿中のタンパク値に異常を生じる要因としては、**腎臓**機能障害によるものとして**腎炎**やネフローゼ、尿路に異常が生じたことによるものとして尿路感染症、**尿路結石**、**膀胱炎**等がある。

答4

尿タンパク検査の場合は、原則として**早朝尿**（**起床直後**の尿）を検体とし、激しい運動の直後は避ける必要がある。

答5

尿糖が検出された場合は、**食後**の尿について改めて検査・判断する。尿糖検査のみの場合は、食後**1**～**2**時間等、検査薬の使用方法に従って採尿を行う。

答6

出始めの尿は、尿道や外陰部等に付着した細菌や分泌物が混入することがあるため、**中間尿**を採取して検査することが望ましいとされている。

答7

妊娠検査薬は、尿中の**ヒト絨毛性性腺刺激ホルモン**（**hCG**）の有無を調べるものである。

答8 ×

月経予定日が過ぎて概ね**1週目**以降の検査が推奨されている。検体としては、**早朝尿**（**起床直後**の尿）が向いているが、尿が濃すぎると正確な結果が得られないことがある。

法の目的等／医薬品の分類・取扱い等（1）

問1 薬局開設者、店舗販売業者又は配置販売業者は、その薬局、店舗又は区域において業務に従事する登録販売者に対し、研修実施機関が行う研修を毎年度受講させなければならない。

問2 販売従事登録を受けようとする者は、医薬品の販売又は授与に従事する薬局又は医薬品の販売業の店舗の所在地の都道府県知事に申請しなければならない。

頻出 **問3** 登録販売者は住所に変更が生じたときには、その旨を新しい住所地の都道府県知事に30日以内に届け出なければならない。

問4 日本薬局方に収載されている医薬品には、一般用医薬品として販売されているものは含まれていない。

問5 要指導医薬品は、その効能及び効果の人体に対する作用が著しいもので、適正な使用のために薬剤師の対面による情報提供及び薬学的知見に基づく指導が行われることが必要なものを指す。

問6 一般用医薬品や要指導医薬品については、注射等の侵襲性の高い使用方法は用いられていない。

問7 一般用医薬品には、劇薬に該当するものが含まれるが、毒薬に該当するものはない。

頻出 **問8** 医薬品医療機器等法第４７条の規定において、毒薬を18歳未満の者その他安全な取扱いに不安のある者に交付することが禁止されている。

答1 ○

医薬品医療機器等法施行規則第15条の11の3、第147条の11の3及び第149条の16に、**毎年度**の研修の受講が定められている。

答2 ○

なお、配置販売業においては**配置しようとする区域**をその区域に含む都道府県の知事に行う。

答3 ×

登録事項には住所は含まれていない。**氏名**や**本籍地都道府県名**（日本国籍を有していない者はその国籍）等に変更があった場合には**30日以内**に**登録を受けた**都道府県知事に届け出なければならない。

答4 ×

日本薬局方に収載されている医薬品の中には、**一般用医薬品**として販売されている、又は一般用医薬品の中に**配合**されているものも少なくない。

答5 ×

要指導医薬品は、その効能及び効果において人体に対する作用が**著しくないもの**であって、薬剤師等の**対面**による情報の提供及び薬学的知見に基づく指導が行われることが必要なものをいう。

答6 ○

一般用医薬品、要指導医薬品には、注射等の**侵襲性**の高い使用方法は用いられておらず、人体に直接使用されない**検査薬**においても、検体の採取に身体への**直接のリスクを伴うもの**は認められていない。

答7 ×

一般用医薬品で**毒薬**又は**劇薬**に該当するものはない。また要指導医薬品においても**毒薬**又は**劇薬**に該当するものは一部に限られている。

答8 ×

14歳未満の者その他安全な取扱いに不安のある者に毒薬又は劇薬を交付することは禁止されている。

医薬品の分類・取扱い等 (2)

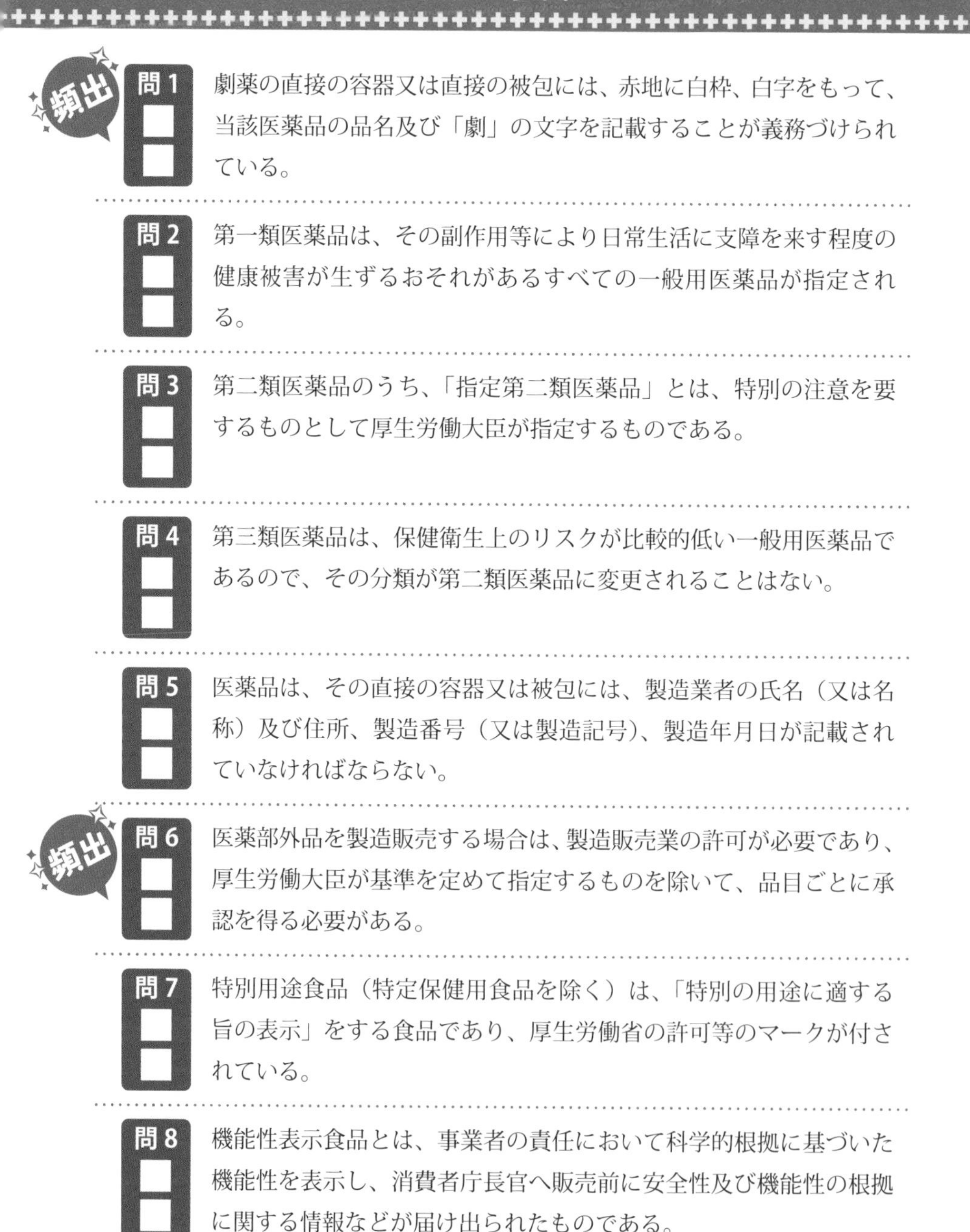

問1 劇薬の直接の容器又は直接の被包には、赤地に白枠、白字をもって、当該医薬品の品名及び「劇」の文字を記載することが義務づけられている。

問2 第一類医薬品は、その副作用等により日常生活に支障を来す程度の健康被害が生ずるおそれがあるすべての一般用医薬品が指定される。

問3 第二類医薬品のうち、「指定第二類医薬品」とは、特別の注意を要するものとして厚生労働大臣が指定するものである。

問4 第三類医薬品は、保健衛生上のリスクが比較的低い一般用医薬品であるので、その分類が第二類医薬品に変更されることはない。

問5 医薬品は、その直接の容器又は被包には、製造業者の氏名（又は名称）及び住所、製造番号（又は製造記号）、製造年月日が記載されていなければならない。

問6 医薬部外品を製造販売する場合は、製造販売業の許可が必要であり、厚生労働大臣が基準を定めて指定するものを除いて、品目ごとに承認を得る必要がある。

問7 特別用途食品（特定保健用食品を除く）は、「特別の用途に適する旨の表示」をする食品であり、厚生労働省の許可等のマークが付されている。

問8 機能性表示食品とは、事業者の責任において科学的根拠に基づいた機能性を表示し、消費者庁長官へ販売前に安全性及び機能性の根拠に関する情報などが届け出られたものである。

答1 ×

直接の容器又は被包に、毒薬は、黒地に**白**枠、**白**字で、当該医薬品の品名及び「**毒**」の文字、劇薬は、白地に**赤**枠、**赤**字で、当該医薬品の品名及び「**劇**」の文字が記載されていなければならない。

答2 ×

第一類医薬品は、その**副作用**等により日常生活に支障を来す程度の**健康被害**が生ずるおそれがある医薬品のうち、その使用に関し特に注意が必要なものとして**厚生労働大臣**が指定するものである。

答3 ○

なお、第二類医薬品とは、その副作用等により日常生活に支障を来す程度の健康被害が生ずるおそれがある保健衛生上のリスクが**比較的高い**一般用医薬品である。

答4 ×

日常生活に支障を来す程度の**副作用**を生じるおそれがあることが明らかとなった場合には、**第一類医薬品**又は**第二類医薬品**に分類が変更されることがある。

答5 ×

製造販売業者等の**氏名**（又は**名称**）及び**住所**、**製造番号**（又は**製造記号**）は、記載事項であるが、製造年月日は直接の容器又は被包の記載事項とはなって**いない**。

答6 ○

なお、医薬部外品の販売等については、医薬品のような販売業の許可は必要なく、**一般小売店**において販売等することができる。**化粧品**の販売等についても同様である。

答7 ×

特別用途食品（特定保健用食品を除く）は、「特別の用途に適する旨の表示」をする食品であり、**消費者庁**の許可等のマークが付されている。

答8 ○

機能性表示食品は、**食品表示基準**に規定された食品で、事業者が科学的根拠に基づいた機能性を表示し、販売前に安全性及び機能性の根拠に関する情報などを**消費者庁長官**に届け出たものである。

医薬品の販売業の許可等（1）

問1 薬局開設者又は医薬品の販売業の許可を受けた者でなければ、業として、医薬品を販売し、授与し、又は販売もしくは授与の目的で貯蔵し、もしくは陳列（配置を含む）してはならないとされている。

頻出

問2 薬局においても、医薬品を販売・授与するため、医薬品の販売業の許可を受ける必要がある。

問3 医薬品販売業の許可は、5年ごとに、その更新を受けなければ、その期間の経過によって、その効力を失う。

問4 薬局を開設する場合は、その所在地の都道府県知事（保健所設置市においては市長、特別区においては区長）の許可を受ける必要がある。

問5 薬局の管理者は、原則、その薬局以外の場所で業として薬局の管理その他薬事に関する実務に従事する者であってはならない。

問6 薬局開設者は、業務を適正に遂行することにより、薬事に関する法令の規定の遵守を確保するために、必要な措置を講じるとともに、その措置の内容を記録した場合は速やかに破棄しなければならない。

問7 地域連携薬局は、専門的な薬学的知見に基づく指導を実施するために必要な機能を有する薬局である。

問8 専門医療機関連携薬局は、地域における薬剤及び医薬品の適正な使用の推進及び効率的な提供に必要な情報の提供及び薬学的知見に基づく指導を実施する。

答1 ○

なお、医薬品の販売業の許可には、**店舗販売業**、**配置販売業**及び**卸売販売業**の３種類がある。このうち、一般の生活者に医薬品を販売等できるのは、**店舗販売業**及び**配置販売業**の許可を受けた者だけである。

答2 ×

薬局は、薬剤師が販売・授与の目的で**調剤業務**等を行う場所であり、薬局における医薬品の販売行為は、薬局の業務に付随して行われる行為であるので、医薬品の販売業の許可は必要と**しない**。

答3 ×

医薬品販売業の許可は、**6**年ごとに、その更新を受けなければ、その期間の経過によって、その効力を失う。

答4 ○

薬局では**医療用医薬品**のほか、要指導医薬品及び一般用医薬品を扱うことができる。また、**調剤**を実施する薬局は、医療法にて**医療提供施設**として位置づけられている。

答5 ○

その薬局の所在地の**都道府県知事**の許可を受けた場合を除いて、その薬局以外の場所で業として薬局の管理その他薬事に関する実務に従事する者であってはならない。

答6 ×

薬局開設者は、業務を適正に遂行することにより、薬事に関する法令の規定の遵守を確保するために、必要な措置を講じるとともに、その措置の内容を**記録**し、適切に**保存**しなければならない。

答7 ×

専門医療機関連携薬局の記述である。地域連携薬局は、入退院時に他の医療機関等と連携し、在宅医療等に**地域の薬局と連携**しながら一元的・継続的に対応可能とする。所在地の**都道府県知事**の認定を受ける。

答8 ×

地域連携薬局の記述である。専門医療機関連携薬局は、がん等の専門的な薬学的知見に基づく指導を実施するために必要な機能を有し、**傷病の区分**ごとに、所在地の**都道府県知事**の認定を受ける。

医薬品の販売業の許可等 (2)

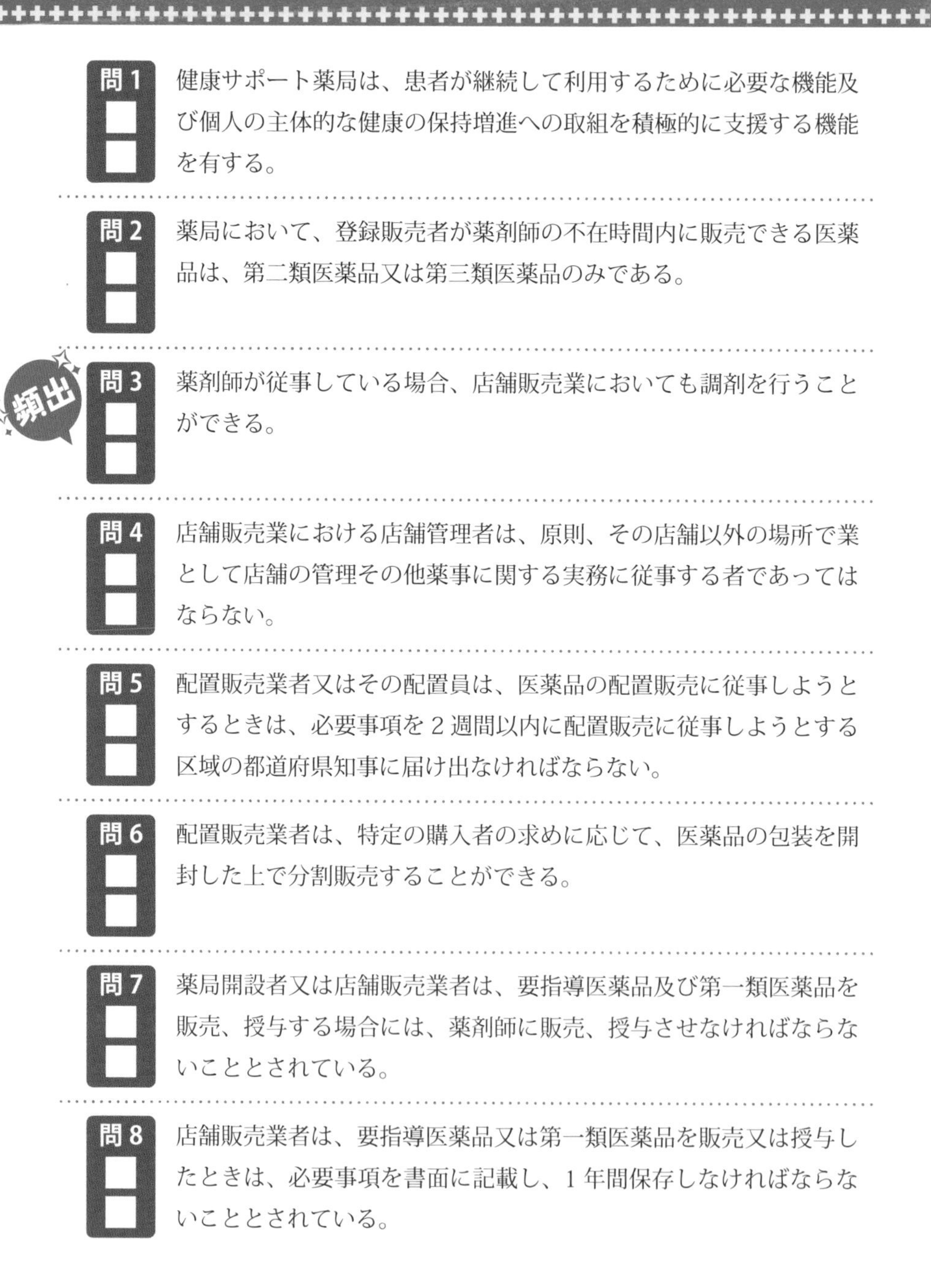

問 1　健康サポート薬局は、患者が継続して利用するために必要な機能及び個人の主体的な健康の保持増進への取組を積極的に支援する機能を有する。

問 2　薬局において、登録販売者が薬剤師の不在時間内に販売できる医薬品は、第二類医薬品又は第三類医薬品のみである。

頻出

問 3　薬剤師が従事している場合、店舗販売業においても調剤を行うことができる。

問 4　店舗販売業における店舗管理者は、原則、その店舗以外の場所で業として店舗の管理その他薬事に関する実務に従事する者であってはならない。

問 5　配置販売業者又はその配置員は、医薬品の配置販売に従事しようとするときは、必要事項を 2 週間以内に配置販売に従事しようとする区域の都道府県知事に届け出なければならない。

問 6　配置販売業者は、特定の購入者の求めに応じて、医薬品の包装を開封した上で分割販売することができる。

問 7　薬局開設者又は店舗販売業者は、要指導医薬品及び第一類医薬品を販売、授与する場合には、薬剤師に販売、授与させなければならないこととされている。

問 8　店舗販売業者は、要指導医薬品又は第一類医薬品を販売又は授与したときは、必要事項を書面に記載し、1 年間保存しなければならないこととされている。

答1 ○

薬局開設者は、健康サポート薬局である旨を表示するときは、その薬局を、**厚生労働大臣**が定める基準に適合するものとしなければならない。

答2 ○

なお、薬剤師不在時間については、**薬局開設者**は、調剤室を閉鎖し、薬剤師不在時間に係る掲示事項を、当該薬局**内**の見やすい場所及び当該薬局の**外側**の見やすい場所に掲示しなければならないとされている。

答3 ×

たとえ薬剤師が従事していても、店舗販売業においては調剤を行うことは**できず**、**要指導医薬品**又は**一般用医薬品**以外の医薬品の販売等は認められていない。

答4 ○

その店舗の所在地の**都道府県知事**の許可を受けた場合を除いて、その店舗以外の場所で業として店舗の管理その他薬事に関する実務に従事する者であってはならない。

答5 ×

配置販売業者又はその配置員は、医薬品の配置販売に従事しようとするときは、必要事項を**あらかじめ**配置販売に従事しようとする区域の**都道府県知事**に届け出なければならない。

答6 ×

薬局、**店舗販売業**、**卸売販売業**については、特定の購入者の求めに応じて医薬品の包装を開封して分割販売することができるが、配置販売業者には分割販売が認められていない。

答7 ○

また、第二類医薬品、第三類医薬品を販売、授与する場合は、**薬剤師**又は**登録販売者**に販売、授与させなければならない。

答8 ×

品名、**数量**、販売等をした**日時**、販売等をした薬剤師の氏名、**情報提供**を行った薬剤師の氏名などを記載した書面は、**2**年間保存しなければならないこととされている。

情報提供、陳列等（1）

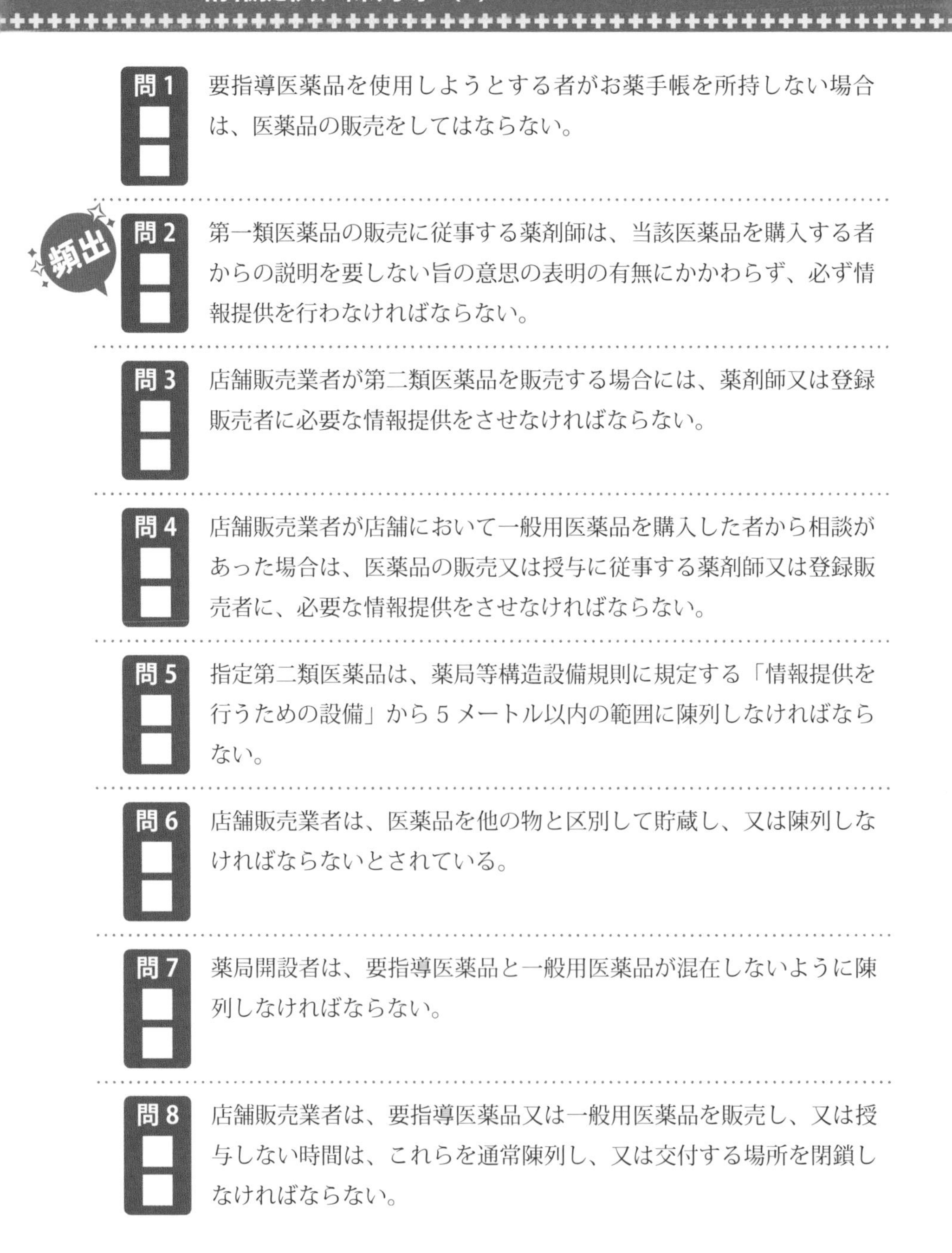

問1 要指導医薬品を使用しようとする者がお薬手帳を所持しない場合は、医薬品の販売をしてはならない。

頻出 **問2** 第一類医薬品の販売に従事する薬剤師は、当該医薬品を購入する者からの説明を要しない旨の意思の表明の有無にかかわらず、必ず情報提供を行わなければならない。

問3 店舗販売業者が第二類医薬品を販売する場合には、薬剤師又は登録販売者に必要な情報提供をさせなければならない。

問4 店舗販売業者が店舗において一般用医薬品を購入した者から相談があった場合は、医薬品の販売又は授与に従事する薬剤師又は登録販売者に、必要な情報提供をさせなければならない。

問5 指定第二類医薬品は、薬局等構造設備規則に規定する「情報提供を行うための設備」から5メートル以内の範囲に陳列しなければならない。

問6 店舗販売業者は、医薬品を他の物と区別して貯蔵し、又は陳列しなければならないとされている。

問7 薬局開設者は、要指導医薬品と一般用医薬品が混在しないように陳列しなければならない。

問8 店舗販売業者は、要指導医薬品又は一般用医薬品を販売し、又は授与しない時間は、これらを通常陳列し、又は交付する場所を閉鎖しなければならない。

答1
×
要指導医薬品を使用しようとする者がお薬手帳を所持しない場合はその所持を**勧奨**する。所持する場合は、必要に応じ手帳を活用した**情報**の提供及び指導を行う。

答2
×
第一類医薬品を購入する者から**説明を要しない**旨の意思の表明があり、薬剤師が、当該第一類医薬品が**適正に使用される**と認められると判断した場合については、情報提供を行わなくてもよいものとされている。

答3
×
第二類医薬品を販売する場合には、薬剤師又は登録販売者に、必要な情報を提供させるよう**努めなければならない**と規定されており、努力義務である。

答4
○
店舗販売業者は、一般用医薬品の**販売時**又は**事後**において購入者等から相談があった場合、**薬剤師**又は**登録販売者**に必要な情報提供をさせなければならない。

答5
×
「情報提供を行うための設備」から**7**メートル以内である（鍵をかけた陳列設備に陳列する場合、指定第二類医薬品を陳列する設備から1.2メートル以内に購入者等が進入できないようになっている場合を除く）。

答6
○
薬局開設者又は**店舗販売業者**は、医薬品を他の物と区別して貯蔵し、又は陳列しなければならない。

答7
○
薬局開設者又は店舗販売業者は、要指導医薬品と一般用医薬品が**混在**しないように陳列しなければならないとされている。

答8
○
薬局開設者又は**店舗販売業者**は、要指導医薬品又は一般用医薬品を販売し、又は授与しない時間は、通常陳列し、又は交付する場所を**閉鎖**しなければならない。

陳列等（2）

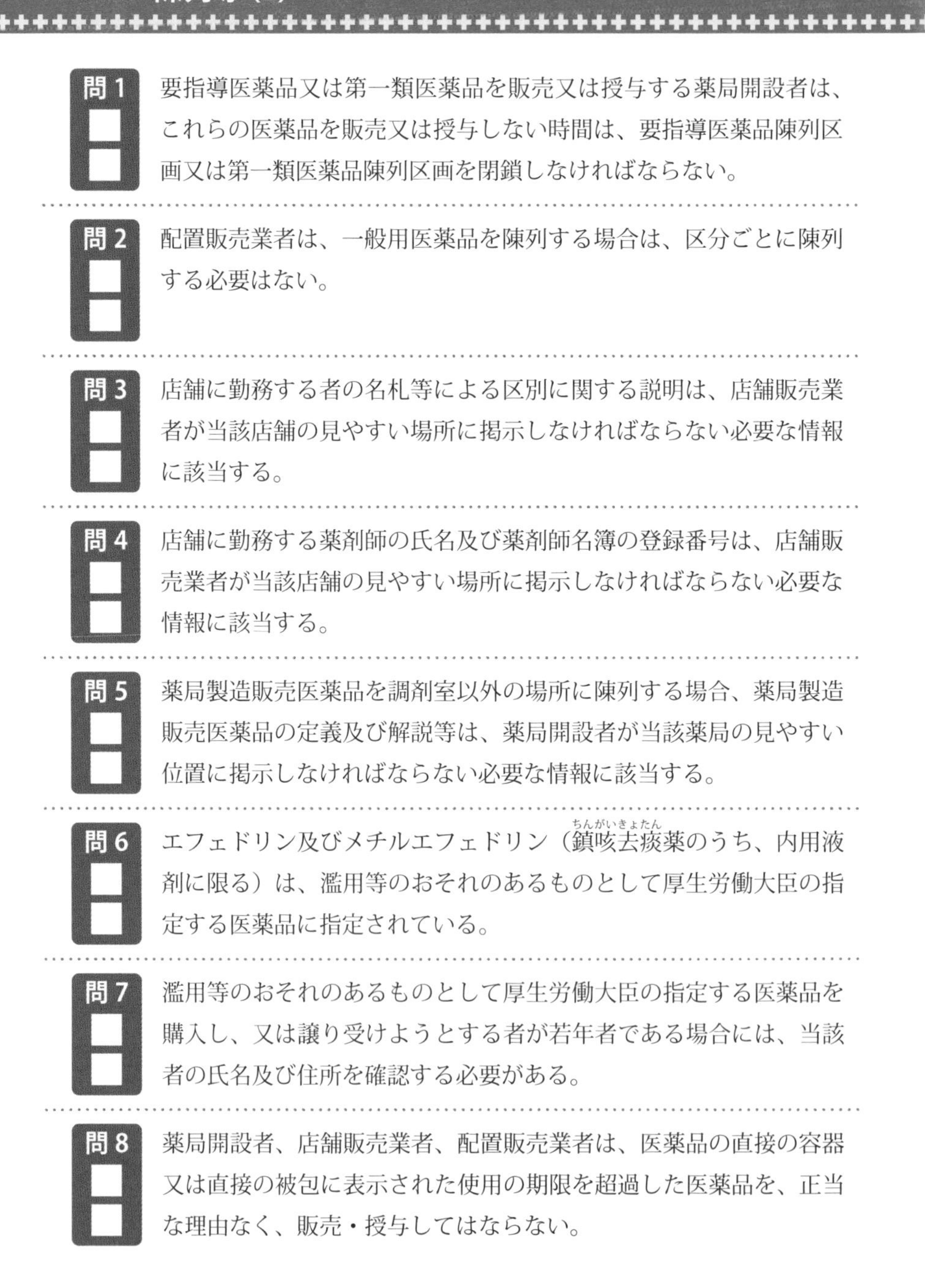

問1　要指導医薬品又は第一類医薬品を販売又は授与する薬局開設者は、これらの医薬品を販売又は授与しない時間は、要指導医薬品陳列区画又は第一類医薬品陳列区画を閉鎖しなければならない。

問2　配置販売業者は、一般用医薬品を陳列する場合は、区分ごとに陳列する必要はない。

問3　店舗に勤務する者の名札等による区別に関する説明は、店舗販売業者が当該店舗の見やすい場所に掲示しなければならない必要な情報に該当する。

問4　店舗に勤務する薬剤師の氏名及び薬剤師名簿の登録番号は、店舗販売業者が当該店舗の見やすい場所に掲示しなければならない必要な情報に該当する。

問5　薬局製造販売医薬品を調剤室以外の場所に陳列する場合、薬局製造販売医薬品の定義及び解説等は、薬局開設者が当該薬局の見やすい位置に掲示しなければならない必要な情報に該当する。

問6　エフェドリン及びメチルエフェドリン（鎮咳去痰（ちんがいきょたん）薬のうち、内用液剤に限る）は、濫用等のおそれのあるものとして厚生労働大臣の指定する医薬品に指定されている。

問7　濫用等のおそれのあるものとして厚生労働大臣の指定する医薬品を購入し、又は譲り受けようとする者が若年者である場合には、当該者の氏名及び住所を確認する必要がある。

問8　薬局開設者、店舗販売業者、配置販売業者は、医薬品の直接の容器又は直接の被包に表示された使用の期限を超過した医薬品を、正当な理由なく、販売・授与してはならない。

答 1 ○

ただし、**鍵**をかけた陳列設備に要指導医薬品又は第一類医薬品を陳列している場合はこの限りではない。

答 2 ×

配置販売業者においても、一般用医薬品を陳列する場合は、**区分ごと**に陳列しなければならないとされており、また、区分ごとに混在させないように**配置**しなければならない。

答 3 ○

薬局、店舗に勤務する者の**名札**等による区別に関する説明は、店舗の見やすい位置に掲示しなければならない。

答 4 ×

勤務する**薬剤師の氏名**は必要な情報に該当するが、登録番号は該当しない。

答 5 ○

薬局製造販売医薬品を調剤室以外の場所に陳列する場合、薬局製造販売医薬品の**定義**及びこれに関する**解説**並びに表示、情報の提供及び陳列に関する解説は、必要な情報に該当する。

答 6 ○

他に、**コデイン**（鎮咳去痰薬に限る）、**ジヒドロコデイン**（鎮咳去痰薬に限る）、**ブロモバレリル尿素**、**プソイドエフェドリン**とその水和物及びそれらの塩類を有効成分として含有する製剤が指定されている。

答 7 ×

当該者の**氏名**及び**年齢**を確認しなければならないとされている。

答 8 ○

また、正当な理由なく、販売若しくは授与の目的で**貯蔵**もしくは**陳列**、又は**広告**してはならない。

特定販売／適正な販売広告と販売方法（1）

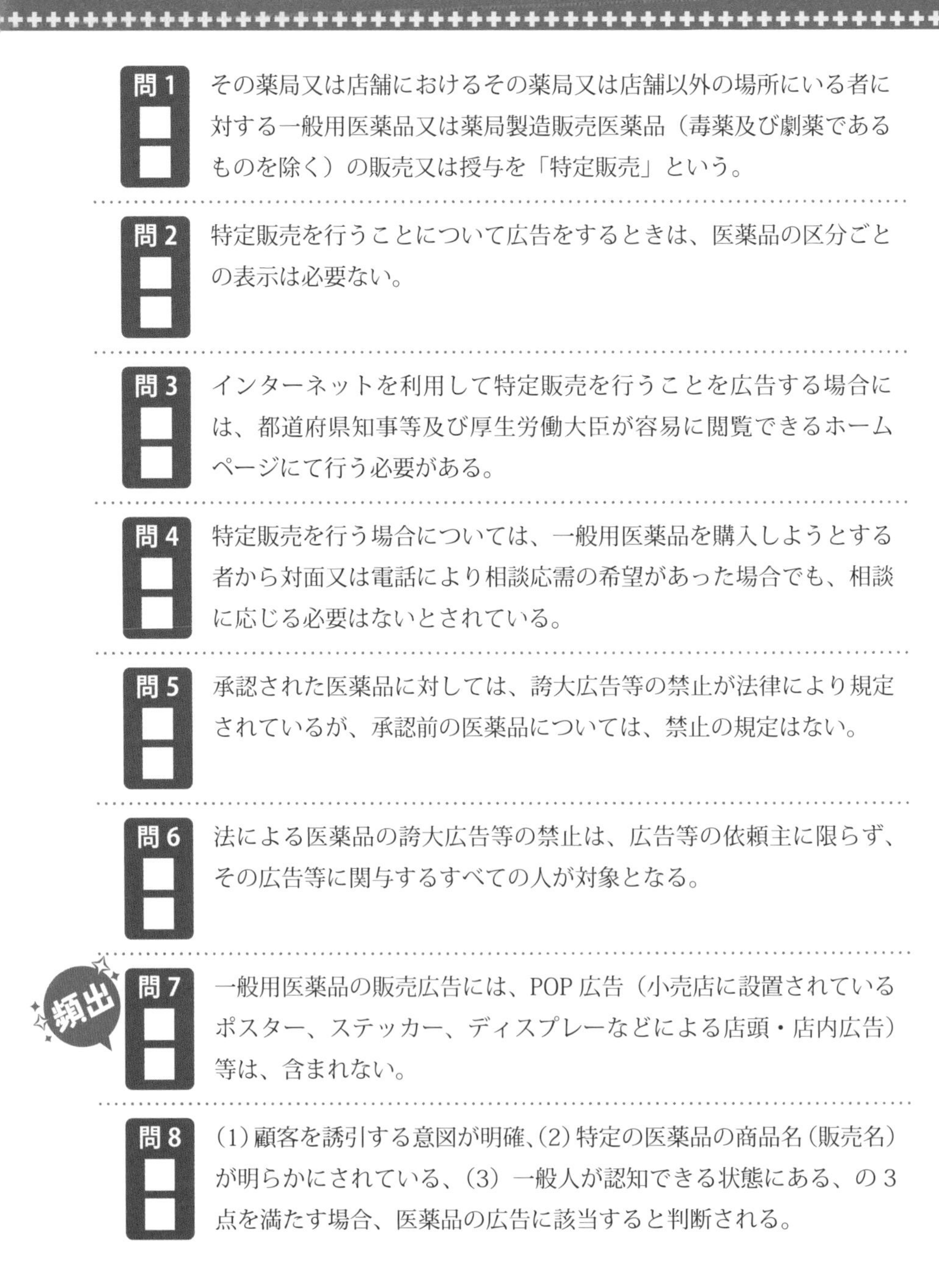

問1 その薬局又は店舗におけるその薬局又は店舗以外の場所にいる者に対する一般用医薬品又は薬局製造販売医薬品（毒薬及び劇薬であるものを除く）の販売又は授与を「特定販売」という。

問2 特定販売を行うことについて広告をするときは、医薬品の区分ごとの表示は必要ない。

問3 インターネットを利用して特定販売を行うことを広告する場合には、都道府県知事等及び厚生労働大臣が容易に閲覧できるホームページにて行う必要がある。

問4 特定販売を行う場合については、一般用医薬品を購入しようとする者から対面又は電話により相談応需の希望があった場合でも、相談に応じる必要はないとされている。

問5 承認された医薬品に対しては、誇大広告等の禁止が法律により規定されているが、承認前の医薬品については、禁止の規定はない。

問6 法による医薬品の誇大広告等の禁止は、広告等の依頼主に限らず、その広告等に関与するすべての人が対象となる。

頻出

問7 一般用医薬品の販売広告には、POP広告（小売店に設置されているポスター、ステッカー、ディスプレーなどによる店頭・店内広告）等は、含まれない。

問8 (1) 顧客を誘引する意図が明確、(2) 特定の医薬品の商品名（販売名）が明らかにされている、(3) 一般人が認知できる状態にある、の3点を満たす場合、医薬品の広告に該当すると判断される。

答1 ○

なお、特定販売を行う場合は、当該**薬局**又は**店舗**に貯蔵・陳列している**一般用医薬品**又は**薬局製造販売医薬品**のみを販売・授与することが可能である。

答2 ×

第一類医薬品、**指定第二類医薬品**、**第二類医薬品**、**第三類医薬品**及び**薬局製造販売医薬品**の区分ごとに表示しなければならない。

答3 ○

都道府県知事（保健所設置市においては市長、特別区においては区長）及び**厚生労働大臣**が容易に閲覧可能なホームページにて行わなければならない。

答4 ×

薬局開設者又は店舗販売業者は、その薬局又は店舗において医薬品の販売又は授与に従事する**薬剤師**又は**登録販売者**に、対面又は電話により情報提供を行わせなければならない。

答5 ×

承認前の医薬品に対しても、名称、製造方法、効能、効果又は性能に関する広告が禁止されている。違反した場合はその行為の中止、再発防止等の**措置命令**が行われることがある。

答6 ○

なお、製薬企業等の依頼により**マスメディア**を通じて行われる宣伝広告に関して、業界団体の**自主基準**のほか、広告媒体となるテレビ等の関係団体においても、それぞれ**自主的な広告審査**等が行われている。

答7 ×

POP広告の他、製薬企業等の依頼によりマスメディアを通じて行われるもの、薬局、店舗販売業又は配置販売業において販売促進のため用いられる**チラシ**や**ダイレクトメール**（**電子メール**を含む）等も含まれる。

答8 ○

(1) ～ (3) の要件を**すべて満たす**場合には、医薬品の広告に該当すると判断されている。

適正な販売広告と販売方法（2）／監視指導、苦情相談等

問1 漢方処方製剤の効能効果に関して、構成生薬の作用を個別に挙げて説明する販売広告は不適当である。

問2 医薬品の有効性又は安全性について、それが確実であることを保証するような表現がなされた広告は、明示的でなければ、虚偽又は誇大な広告とはみなされない。

頻出

問3 キャラクターグッズ等の景品類を提供して医薬品を販売することは、たとえ不当景品類及び不当表示防止法の限度内であったとしても認められていない。

問4 異なる複数の医薬品を組み合わせて販売・授与する場合、効能効果が重複する医薬品の組み合わせや、相互作用等により保健衛生上の危害を生じるおそれのある組み合わせは不適当である。

問5 配置販売業において、医薬品を先用後利によらず現金売りで行うことも、配置による販売行為に当たる。

問6 都道府県知事は、薬事監視員に対して、薬局開設者又は医薬品の販売業者が医薬品を業務上取り扱う場所へ立ち入らせて、帳簿書類を収去させることができる。

問7 都道府県知事は、店舗販売業における一般用医薬品の販売等を行うための業務体制が、基準に適合しなくなった場合には、店舗管理者に対して、その業務体制の整備を命ずることができる。

問8 医薬品の販売関係の業界団体・職能団体においては、購入者等からの一般用医薬品の販売等に関する苦情を含めた様々な相談を受け付ける窓口が設置されている。

答1 ○

漢方処方製剤の効能効果は、配合されている個々の生薬成分が**相互に作用**していることから、それらの構成生薬の作用を個別に挙げて説明することは**不適当**である。

答2 ×

医薬品の有効性又は安全性について、それが確実であることを保証するような表現がなされた広告は、**明示的・暗示的を問わず**、虚偽又は誇大な広告とみなされる。

答3 ×

不当景品類及び不当表示防止法の**限度内**であれば認められている。ただし、**医薬品**を懸賞や景品として授与することは、原則として認められていない。

答4 ○

十分な**情報提供**を行える程度の範囲内で、組み合わせることに**合理性**が認められるものでなければならない。また、個々の医薬品等の記載事項が、販売に使用される容器の外から**明瞭に**見えなければならない。

答5 ×

配置販売業において、医薬品を**先用後利**によらず現金売りで行うことは、配置による販売行為には当たらないため、**取締り**の対象となる。

答6 ×

薬事監視員を医薬品を業務上取り扱う場所に立ち入らせ、その構造設備もしくは帳簿書類等を**検査**させ、従業員その他の関係者に**質問**させること等はできるが帳簿書類を収去させることはできない。

答7 ×

都道府県知事等は、**薬局開設者**又は**医薬品の販売業者**に対して、業務体制の整備を命ずることができ、法令の遵守を確保するため措置が不十分であると認める場合は改善措置を命ずることができる。

答8 ○

なお、それらの業界団体・職能団体では、業界内における自主的な**チェック**と**自浄的是正**を図る取り組みもなされている。

医薬品の適正使用情報／添付文書の読み方（1）

問1 要指導医薬品又は一般用医薬品の添付文書や製品表示に記載されている適正使用情報は、一般的・網羅的なものとならざるをえない。

頻出 **問2** 医薬品の添付文書の内容は変わるものであり、医薬品の有効性・安全性等に係る新たな知見、使用に係る情報の有無にかかわらず、定期的に改訂がなされている。

問3 医薬品の添付文書の改訂の際、重要な内容が変更された場合には、改訂年月を記載するとともに改訂された箇所を明示することとされている。

頻出 **問4** 添付文書は開封時に一度目を通されれば十分というものでなく、必要なときにいつでも取り出して読むことができるように保管される必要がある。

問5 販売名に薬効名が含まれているような場合であっても、薬効名は必ず記載されなければならない。

問6 添付文書の使用上の注意は、「してはいけないこと」「相談すること」及び「その他の注意」から構成され、適正使用のために重要と考えられる項目が前段に記載されている。

問7 重篤な副作用として、ショック（アナフィラキシー）、喘息（ぜんそく）等が掲げられている医薬品では、アレルギーの既往歴がある人等は十分に注意して使用することと記載されている。

問8 局所に適用する医薬品には、「長期連用はしないこと」として、長期連用を避けるべき患部の状態が記載されている。

答1 ○

医薬品の販売等に従事する専門家は、添付文書や製品表示に記載されている内容を**的確**に理解した上で、購入者等に対し、**効果的**かつ**効率的**な説明をすることが重要である。

答2 ×

医薬品の添付文書の内容は、医薬品の**有効性・安全性**等に係る新たな知見、使用に係る情報に基づき、必要に応じて**随時**改訂がなされている。

答3 ○

添付文書の改訂の際には、改訂年月とともに改訂された箇所を**明示**することにより、以前からその医薬品を使用している人が、添付文書の**変更箇所**に注意を払うことができるようになっている。

答4 ○

実際に使用する人やその時の状態等によって**留意されるべき事項**が異なってくるため、添付文書は、必要なときにいつでも取り出して読むことができるように保管する。

答5 ×

販売名に**薬効名**が含まれているような場合には（例えば、「○○○胃腸薬」など）、**薬効名**の記載は省略されることがある。

答6 ○

「使用上の注意」「してはいけないこと」及び「相談すること」の各項目の見出しには、それぞれ例示された**標識的マーク**が付されていることが多い。

答7 ×

重篤な副作用として、ショック（アナフィラキシー）、皮膚粘膜眼症候群、中毒性表皮壊死融解症、喘息等が掲げられている医薬品では、アレルギーの既往歴がある人等は**使用しないこと**として記載されている。

答8 ×

局所に適用する医薬品には、「**次の部位には使用しないこと**」として、使用を避けるべき患部の状態、適用部位等に分けて、簡潔に記載されている。

添付文書の読み方（2）

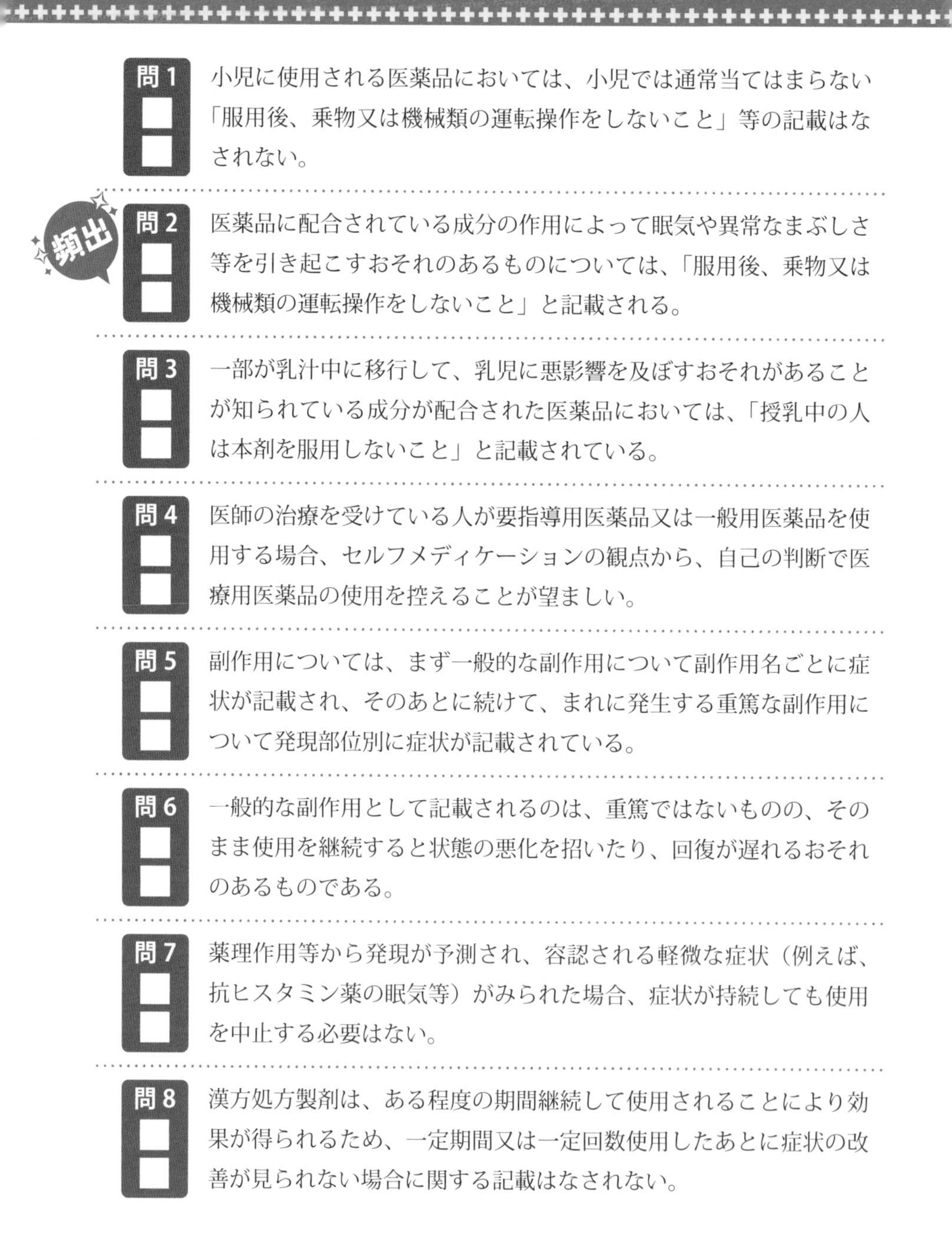

問1 小児に使用される医薬品においては、小児では通常当てはまらない「服用後、乗物又は機械類の運転操作をしないこと」等の記載はなされない。

問2 医薬品に配合されている成分の作用によって眠気や異常なまぶしさ等を引き起こすおそれのあるものについては、「服用後、乗物又は機械類の運転操作をしないこと」と記載される。

問3 一部が乳汁中に移行して、乳児に悪影響を及ぼすおそれがあることが知られている成分が配合された医薬品においては、「授乳中の人は本剤を服用しないこと」と記載されている。

問4 医師の治療を受けている人が要指導用医薬品又は一般用医薬品を使用する場合、セルフメディケーションの観点から、自己の判断で医療用医薬品の使用を控えることが望ましい。

問5 副作用については、まず一般的な副作用について副作用名ごとに症状が記載され、そのあとに続けて、まれに発生する重篤な副作用について発現部位別に症状が記載されている。

問6 一般的な副作用として記載されるのは、重篤ではないものの、そのまま使用を継続すると状態の悪化を招いたり、回復が遅れるおそれのあるものである。

問7 薬理作用等から発現が予測され、容認される軽微な症状（例えば、抗ヒスタミン薬の眠気等）がみられた場合、症状が持続しても使用を中止する必要はない。

問8 漢方処方製剤は、ある程度の期間継続して使用されることにより効果が得られるため、一定期間又は一定回数使用したあとに症状の改善が見られない場合に関する記載はなされない。

答1 ×

使用上の注意には小児では通常当てはまらない内容もあるが、小児に使用される医薬品においても、その医薬品の**配合成分**に基づく**一般的な注意事項**として記載されている。

答2 ○

眠気や異常な**まぶしさ**等が引き起こされると、重大な事故につながるおそれがあるため、その症状の内容とともに**注意事項**が記載されている。

答3 ×

乳児に悪影響を及ぼすおそれのある成分が配合された医薬品には、「授乳中の人は本剤を**服用しない**か、本剤を服用する場合は**授乳を避ける**こと」と記載されている。

答4 ×

医療用医薬品の使用を**自己判断**で控えることは適当でないため、「相談すること」の項において、「**医師**（又は歯科医師）の**治療**を受けている人」等として記載されている。

答5 ×

副作用については、まず一般的な副作用について**関係部位別**に症状が記載され、そのあとに続けて、まれに発生する重篤な副作用について**副作用名ごと**に症状が記載されている。

答6 ○

一般的な副作用として記載されている症状であっても、**発疹**(しん)や**発赤**などのように、重篤な副作用の**初期症状**である可能性があるものも含まれているので、軽んじることのないように説明する。

答7 ×

薬理作用等から発現が予測され、容認される軽微な症状について、症状の**持続**又は**増強**がみられた場合には、いったん使用を**中止**した上で専門家に**相談する**旨が記載されている。

答8 ×

漢方処方製剤は、ある程度の期間継続して使用されることにより効果が得られるとされているものが多いが、**長期連用**する場合には、専門家に**相談**する旨が記載されている。

添付文書の読み方（3）／製品表示の読み方

問1
一般用検査薬では、検査結果が陰性であっても何らかの症状がある場合は、再検査するか又は医師に相談する旨等が記載されている。

頻出
問2
錠剤、カプセル剤、散剤、シロップ剤等は、開封後は冷蔵庫内に保管されるのが望ましい。

問3
軟膏剤や液剤を旅行や勤め先へ携行する際は、品質保持のため、必要最小限を別の容器に小分けすることが適当である。

問4
点眼薬では、複数の使用者間で使い回されることのないよう、「他の人と共用しないこと」と記載される。

問5
要指導医薬品又は一般用医薬品には、医薬品の製品表示として、購入者等における適切な医薬品の選択、適正な使用に資する様々な情報が記載されている。

問6
製品表示において、「使用にあたって添付文書をよく読むこと」等、添付文書の必読に関する事項が記載されている。

問7
1回服用量中 1mL を超えるアルコールを含有する内服液剤（滋養強壮を目的とするもの）については、アルコールを含有する旨及びその分量が記載されている。

問8
使用期限の表示については、適切な保存条件の下で製造後3年を超えて性状及び品質が安定であることが確認されている医薬品において法的な表示義務はない。

答1 ○
一般用検査薬では、検査結果が**陰性**であった場合でも、何らかの症状がある場合は、**再検査**するか又は**医師**に**相談**する旨等が記載されている。

答2 ×
シロップ剤は、冷蔵庫内に保管されるのが望ましいが、錠剤、カプセル剤、散剤等は、取り出したときの急な温度差で湿気を帯びるおそれがあるため、**冷蔵庫内**での保管は不適当である。

答3 ×
医薬品を別の容器へ移し替えると**誤用**の原因となるおそれがある。また、容器が湿っていたり、汚れていたりした場合、医薬品として**適切な品質**が保持できなくなるおそれがある。

答4 ○
点眼薬では、複数の使用者間で使い回されると、万一、使用に際して薬液に**細菌汚染**があった場合に、別の使用者に**感染**するおそれがあるため記載されている。

答5 ○
医薬品によっては、**効能・効果**、**用法・用量**、添加物の成分、**使用上の注意**の記載の一部の事項について、添付文書の形でなく、**製品表示**として外箱等に行っている場合がある。

答6 ○
包装中に封入されている医薬品（内袋を含む）だけが取り出され、**添付文書**が読まれないといったことのないように記載されている。

答7 ×
１回服用量中 **0.1**mL を超えるアルコールを含有する**内服液剤**（滋養強壮を目的とするもの）について、例えば「アルコール含有○○ mL以下」のように、記載されている。

答8 ○
製造後 **3** 年を超えて性状及び品質が安定であることが確認されている医薬品に**使用期限**の法的な表示義務はないが、流通管理等の便宜上、**外箱**等に記載されるのが通常となっている。

安全性情報

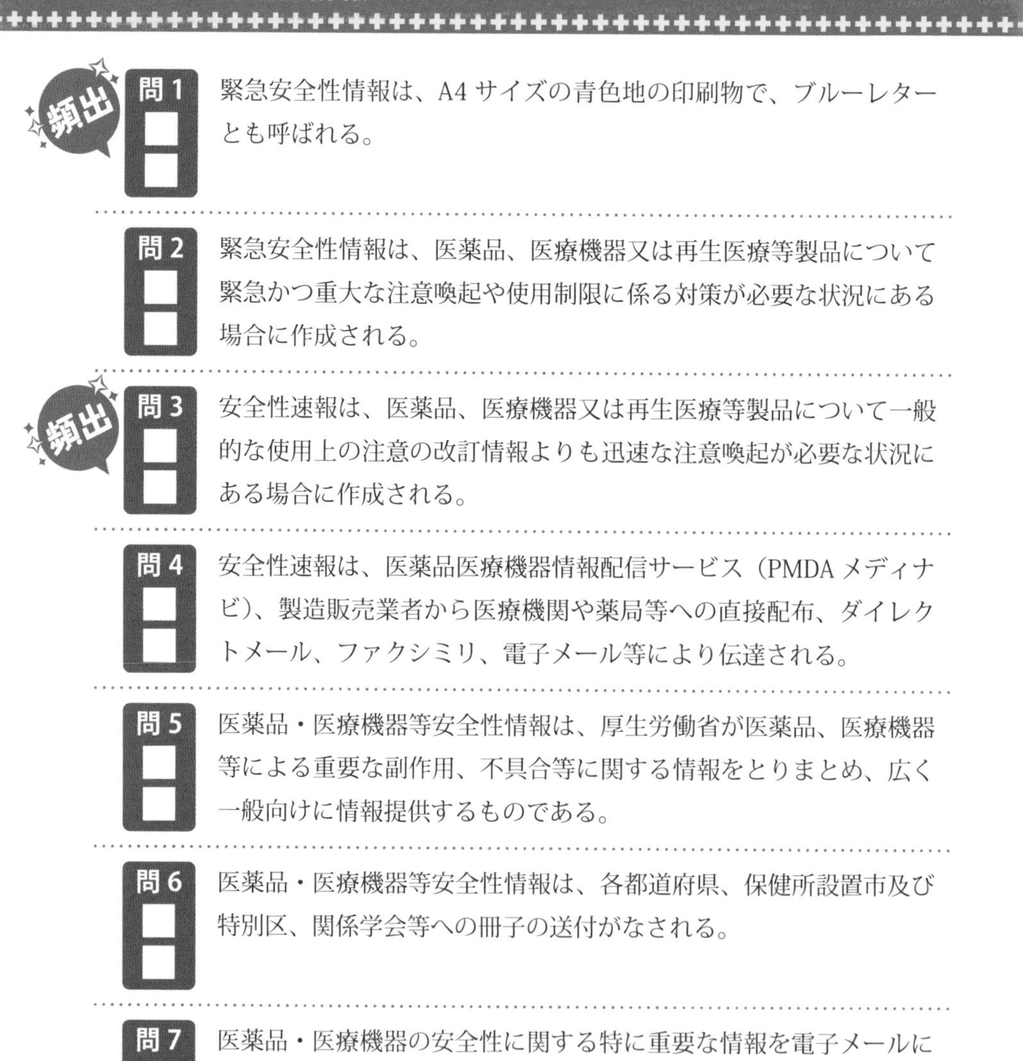

問1（頻出）
緊急安全性情報は、A4 サイズの青色地の印刷物で、ブルーレターとも呼ばれる。

問2
緊急安全性情報は、医薬品、医療機器又は再生医療等製品について緊急かつ重大な注意喚起や使用制限に係る対策が必要な状況にある場合に作成される。

問3（頻出）
安全性速報は、医薬品、医療機器又は再生医療等製品について一般的な使用上の注意の改訂情報よりも迅速な注意喚起が必要な状況にある場合に作成される。

問4
安全性速報は、医薬品医療機器情報配信サービス（PMDA メディナビ）、製造販売業者から医療機関や薬局等への直接配布、ダイレクトメール、ファクシミリ、電子メール等により伝達される。

問5
医薬品・医療機器等安全性情報は、厚生労働省が医薬品、医療機器等による重要な副作用、不具合等に関する情報をとりまとめ、広く一般向けに情報提供するものである。

問6
医薬品・医療機器等安全性情報は、各都道府県、保健所設置市及び特別区、関係学会等への冊子の送付がなされる。

問7
医薬品・医療機器の安全性に関する特に重要な情報を電子メールにより配信する医薬品医療機器情報配信サービス（PMDA メディナビ）があるが、サービスを受けられるのは医薬関係者のみである。

問8
医療用医薬品であっても、紙の添付文書を同梱しなければならない。

答1 ×
緊急安全性情報は、A4サイズの**黄色地**の印刷物で、**イエローレター**とも呼ばれる。青色地の印刷物でブルーレターとも呼ばれるのは、**安全性速報**である。

答2 ○
緊急安全性情報は、それらの医薬品等について**緊急**かつ**重大**な注意喚起等が必要な状況にある場合に、**厚生労働省**からの命令、指示、**製造販売業者**の**自主決定**等に基づいて作成される。

答3 ○
安全性速報は、それらの医薬品等について、緊急安全性情報と同様、**厚生労働省**からの命令、指示、**製造販売業者**の**自主決定**等に基づいて作成される。

答4 ○
緊急安全性情報についても同様である。さらに、製造販売業者及び行政当局からの**報道発表**による情報伝達もなされる。

答5 ×
医薬品・医療機器等安全性情報は**医薬関係者**向けの情報で、医薬品等の**安全性**に関する解説記事や、使用上の注意の**改訂内容**、主な対象品目、参考文献等が掲載されている。

答6 ○
その他、**厚生労働省**ホームページ及び**総合機構**ホームページへ掲載され、医学・薬学関係の専門誌等にも転載される。

答7 ×
医薬品医療機器情報配信サービス（**PMDAメディナビ**）は、医薬品・医療機器の安全性に関する特に重要な情報を電子メールにより配信するもので、医薬関係者でなくても、**誰でも**利用できる。

答8 ×
令和３年より、医療用医薬品では原則として**廃止**され、**電子的**な方法（容器等にバーコード又は二次元コードを記載）で提供されることとなった。一般用医薬品は、引き続き紙の添付文書が同梱される。

医薬品の安全対策

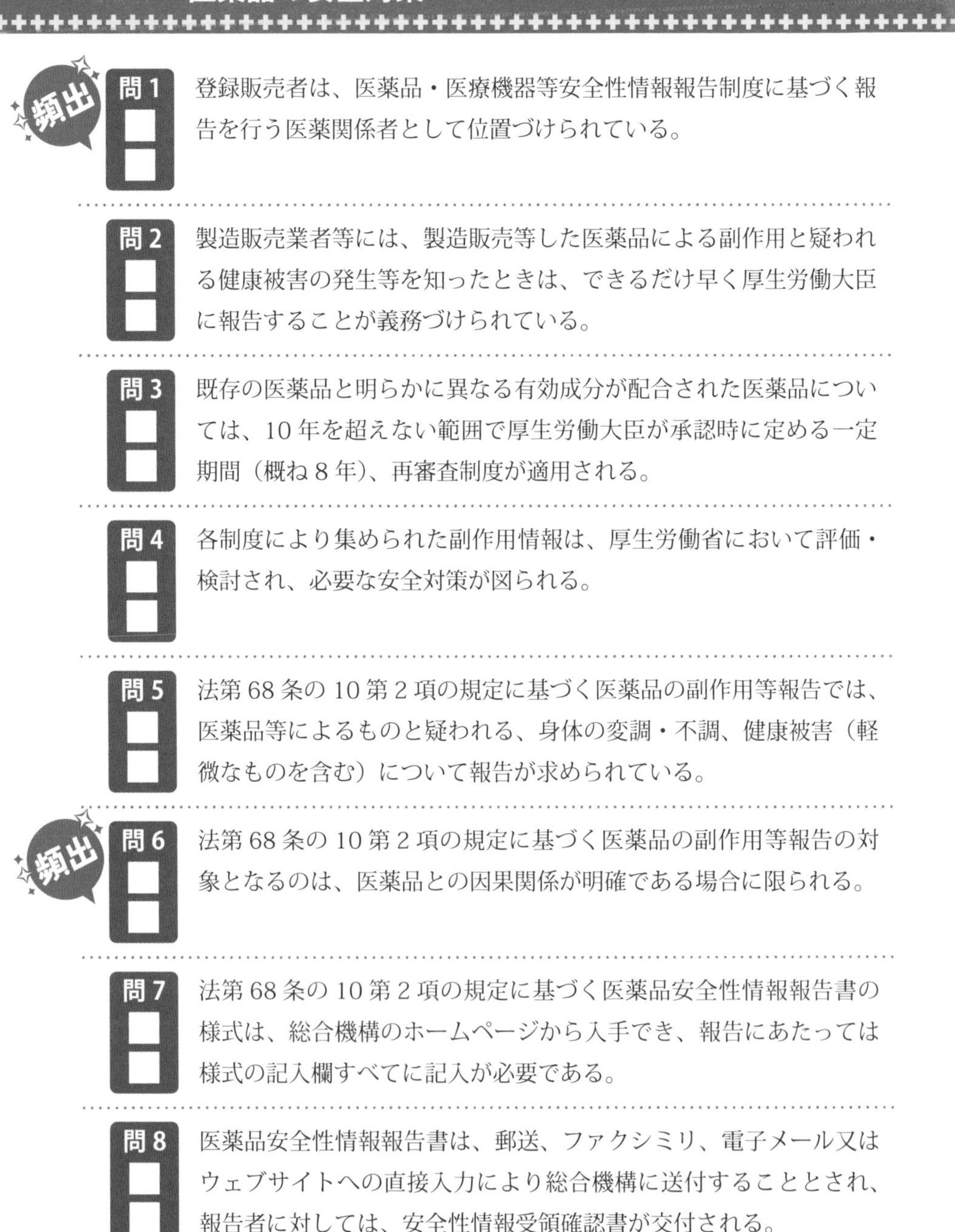

頻出

問1 登録販売者は、医薬品・医療機器等安全性情報報告制度に基づく報告を行う医薬関係者として位置づけられている。

問2 製造販売業者等には、製造販売等した医薬品による副作用と疑われる健康被害の発生等を知ったときは、できるだけ早く厚生労働大臣に報告することが義務づけられている。

問3 既存の医薬品と明らかに異なる有効成分が配合された医薬品については、10年を超えない範囲で厚生労働大臣が承認時に定める一定期間（概ね8年）、再審査制度が適用される。

問4 各制度により集められた副作用情報は、厚生労働省において評価・検討され、必要な安全対策が図られる。

問5 法第68条の10第2項の規定に基づく医薬品の副作用等報告では、医薬品等によるものと疑われる、身体の変調・不調、健康被害（軽微なものを含む）について報告が求められている。

頻出

問6 法第68条の10第2項の規定に基づく医薬品の副作用等報告の対象となるのは、医薬品との因果関係が明確である場合に限られる。

問7 法第68条の10第2項の規定に基づく医薬品安全性情報報告書の様式は、総合機構のホームページから入手でき、報告にあたっては様式の記入欄すべてに記入が必要である。

問8 医薬品安全性情報報告書は、郵送、ファクシミリ、電子メール又はウェブサイトへの直接入力により総合機構に送付することとされ、報告者に対しては、安全性情報受領確認書が交付される。

答1 ○

医薬品・医療機器等安全性情報報告制度は、医師や薬剤師等の**医薬関係者**による副作用等の報告を義務化するもので、**登録販売者**も、報告を行う医薬関係者として位置づけられている。

答2 ×

製造販売業者等は、製造販売等した医薬品による副作用と疑われる**健康被害の発生**等を知ったときは、その旨を**定められた期限**までに厚生労働大臣に報告しなければならない。

答3 ○

医療用医薬品で使用されていた有効成分を**一般用**医薬品で初めて配合した医薬品については、承認条件として承認後の一定期間（概ね3年）、安全性に関する調査及び調査結果の報告が求められている。

答4 ×

集められた副作用情報については、**総合機構**において調査検討が行われ、その結果に基づき、**厚生労働大臣**は、薬事・食品衛生審議会の意見を聴いて、安全対策上必要な行政措置を講じる。

答5 ×

医薬品の副作用等報告では、医薬品等によるものと疑われる、身体の変調・不調、**日常生活に支障を来す程度**の健康被害（死亡を含む）について報告が求められている。

答6 ×

医薬品との因果関係が必ずしも**明確でない**場合であっても、医薬品の副作用等報告の対象となり得る。

答7 ×

医薬品安全性情報報告書の様式は総合機構のホームページから入手できるが、様式の記入欄**すべて**に記入がなされる必要はなく、購入者等から**把握可能な範囲**で報告がなされればよい。

答8 ○

令和３年４月から、ウェブサイトに直接入力することによる電子的な報告が**可能**となった。これらの報告者に対しては、**安全性情報受領確認書**が交付される。

医薬品の副作用等による健康被害の救済 (1)

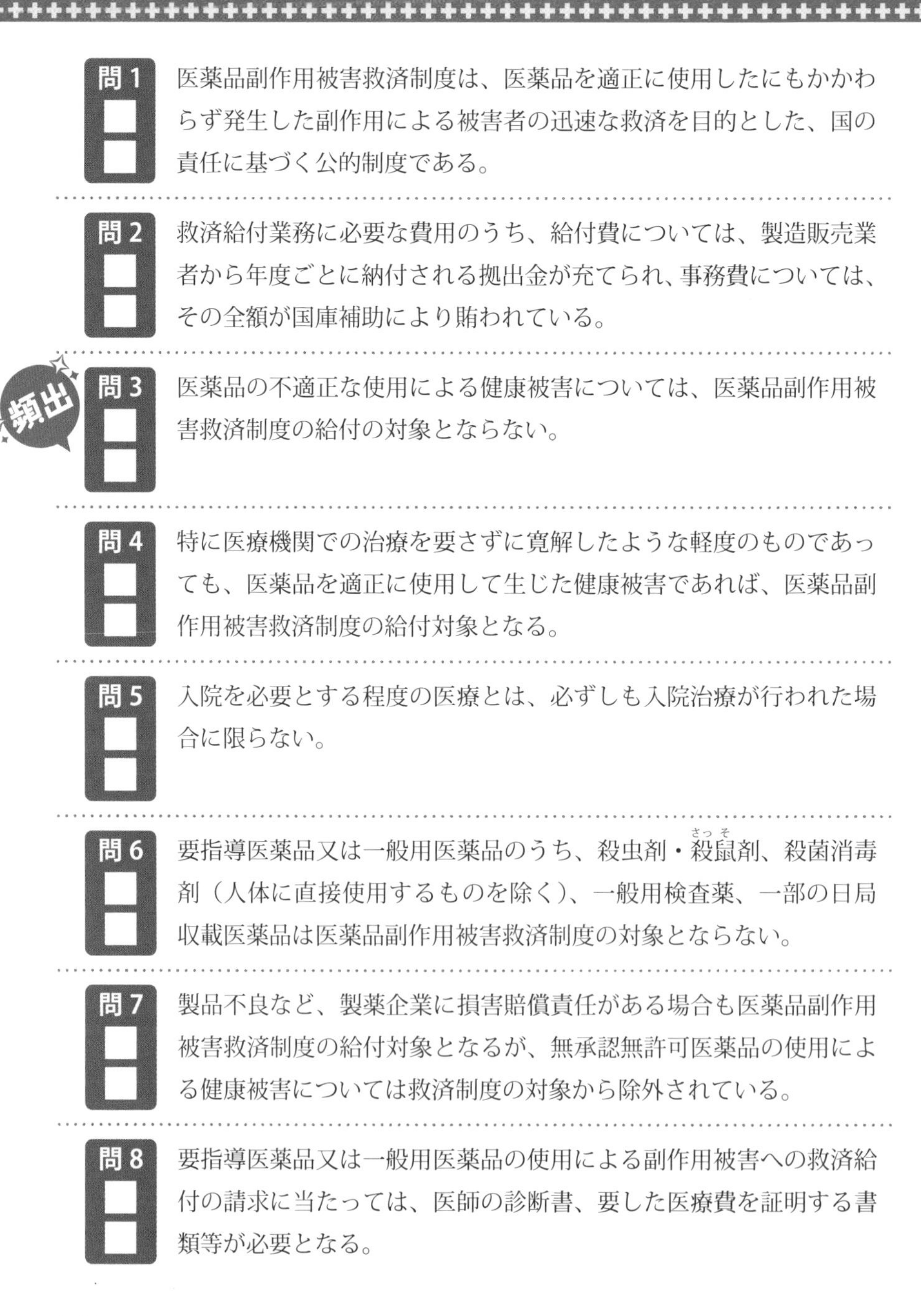

問1 医薬品副作用被害救済制度は、医薬品を適正に使用したにもかかわらず発生した副作用による被害者の迅速な救済を目的とした、国の責任に基づく公的制度である。

問2 救済給付業務に必要な費用のうち、給付費については、製造販売業者から年度ごとに納付される拠出金が充てられ、事務費については、その全額が国庫補助により賄われている。

頻出

問3 医薬品の不適正な使用による健康被害については、医薬品副作用被害救済制度の給付の対象とならない。

問4 特に医療機関での治療を要さずに寛解したような軽度のものであっても、医薬品を適正に使用して生じた健康被害であれば、医薬品副作用被害救済制度の給付対象となる。

問5 入院を必要とする程度の医療とは、必ずしも入院治療が行われた場合に限らない。

問6 要指導医薬品又は一般用医薬品のうち、殺虫剤・殺鼠(さっそ)剤、殺菌消毒剤（人体に直接使用するものを除く）、一般用検査薬、一部の日局収載医薬品は医薬品副作用被害救済制度の対象とならない。

問7 製品不良など、製薬企業に損害賠償責任がある場合も医薬品副作用被害救済制度の給付対象となるが、無承認無許可医薬品の使用による健康被害については救済制度の対象から除外されている。

問8 要指導医薬品又は一般用医薬品の使用による副作用被害への救済給付の請求に当たっては、医師の診断書、要した医療費を証明する書類等が必要となる。

答1 ×

医薬品副作用被害救済制度は、医薬品を**適正**に使用したにもかかわらず発生した副作用による被害者の**迅速な救済**を図るため、**製薬企業**の社会的責任に基づく公的制度である。

答2 ×

給付費については、製造販売業者から年度ごとに納付される**拠出金**が充てられ、事務費については、その**2分の1相当額**が国庫補助により賄われている。

答3 ○

救済給付の対象となるには、添付文書や外箱等に記載されている**用法・用量、使用上の注意**に従って使用されていることが基本となる。

答4 ×

救済給付の対象となる健康被害の程度は、副作用により**入院**を必要とする程度の医療を受ける場合や、副作用による重い**後遺障害**が残った場合であり、軽度のものについては給付対象に含まれない。

答5 ○

入院を必要とする程度の医療とは、必ずしも入院治療が行われた場合に限らず、**入院治療が必要**と認められる場合であって、やむをえず**自宅療養**を行った場合も含まれる。

答6 ○

医薬品副作用被害救済制度の対象とならない医薬品として、**殺虫剤・殺鼠剤**、**殺菌消毒剤**（人体に直接使用するものを除く）、**一般用検査薬**、一部の**日局収載医薬品**（精製水、ワセリン等）がある。

答7 ×

無承認無許可医薬品（いわゆる健康食品として販売されたもの、個人輸入による医薬品を含む）の使用による健康被害と同様、**製薬企業**に損害賠償責任がある場合も救済制度の対象とならない。

答8 ○

救済給付の請求に当たっては、医師の**診断書**、要した**医療費**を証明する書類（**受診証明書**）のほか、その医薬品を販売等した薬局開設者、医薬品の販売業者が作成した**販売証明書**等が必要となる。

医薬品の副作用等による健康被害の救済 (2)

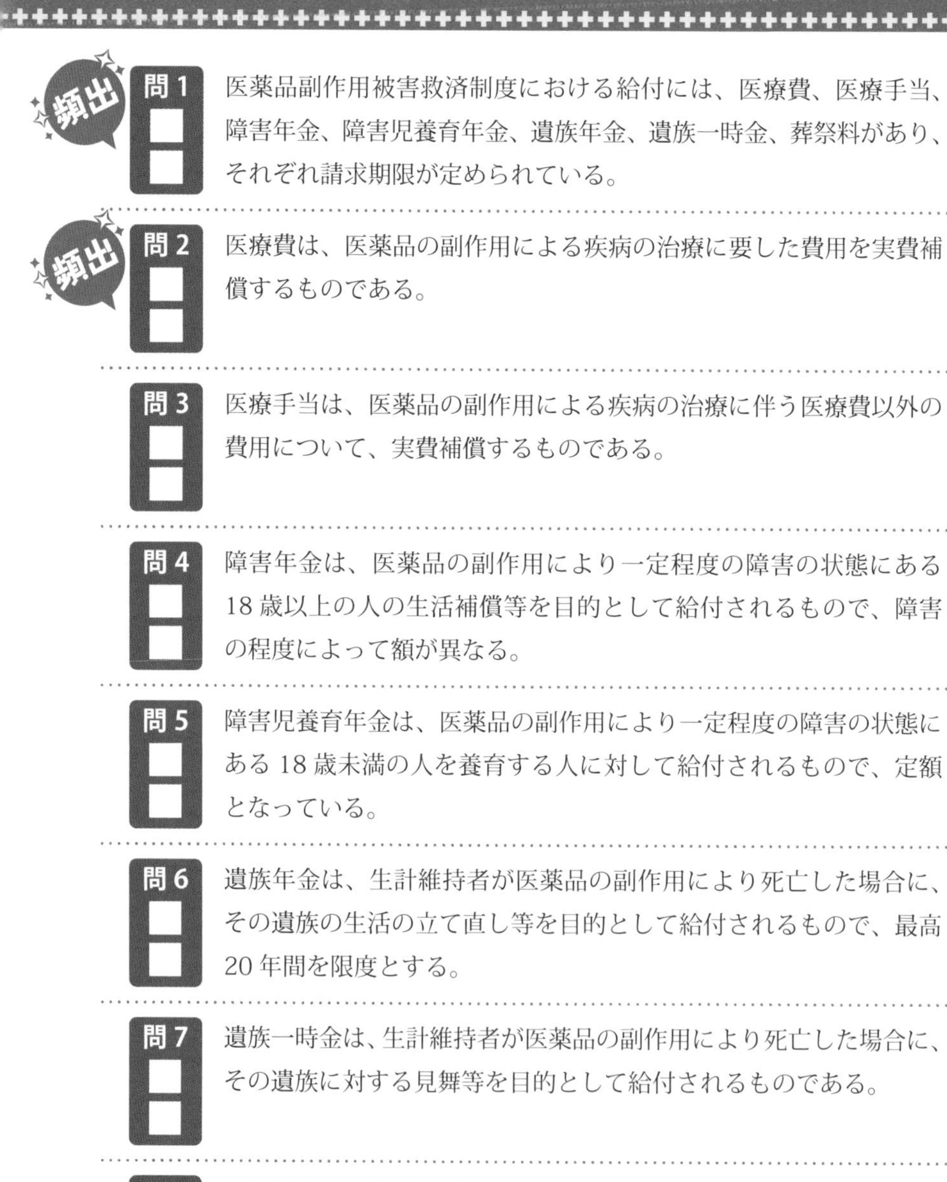

問1 医薬品副作用被害救済制度における給付には、医療費、医療手当、障害年金、障害児養育年金、遺族年金、遺族一時金、葬祭料があり、それぞれ請求期限が定められている。

問2 医療費は、医薬品の副作用による疾病の治療に要した費用を実費補償するものである。

問3 医療手当は、医薬品の副作用による疾病の治療に伴う医療費以外の費用について、実費補償するものである。

問4 障害年金は、医薬品の副作用により一定程度の障害の状態にある18歳以上の人の生活補償等を目的として給付されるもので、障害の程度によって額が異なる。

問5 障害児養育年金は、医薬品の副作用により一定程度の障害の状態にある18歳未満の人を養育する人に対して給付されるもので、定額となっている。

問6 遺族年金は、生計維持者が医薬品の副作用により死亡した場合に、その遺族の生活の立て直し等を目的として給付されるもので、最高20年間を限度とする。

問7 遺族一時金は、生計維持者が医薬品の副作用により死亡した場合に、その遺族に対する見舞等を目的として給付されるものである。

問8 葬祭料は、医薬品の副作用により死亡した人の葬祭を行うことに伴う出費に着目して定額が給付されるものである。

答1 ×

医療費、医療手当、遺族年金、遺族一時金、葬祭料については、**5年**以内の請求期限が定められているが、**障害年金**、**障害児養育年金**については、請求期限は定められていない。

答2 ○

医薬品の副作用による疾病の**治療**に要した費用（健康保険等による給付の額を差し引いた**自己負担分**）を給付するものを**医療費**といい、**実費補償**となっている。

答3 ×

医薬品の副作用による疾病の治療に伴う**医療費以外**の費用の負担に着目して給付されるものを**医療手当**といい、**定額**となっている。

答4 ×

医薬品の副作用により一定程度の障害の状態にある**18歳以上**の人の生活補償等を目的として給付されるものを**障害年金**といい、障害の程度にかかわらず**定額**となっている。

答5 ○

医薬品の副作用により一定程度の障害の状態にある18歳未満の人を**養育する人**に対して給付されるものを**障害児養育年金**といい、**定額**となっている。

答6 ×

生計維持者が医薬品の副作用により死亡した場合に、その遺族の生活の立て直し等を目的として給付されるものを**遺族年金**といい、最高**10年間**を限度とした**定額**となっている。

答7 ×

遺族一時金は、**生計維持者以外**の人が医薬品の副作用により死亡した場合に、その遺族に対する見舞等を目的として給付されるもので、**定額**となっている。

答8 ○

医薬品の副作用により死亡した人の葬祭を行うことに伴う出費に着目して給付されるものを**葬祭料**といい、**定額**となっている。

医薬品ＰＬセンター／安全対策／啓発活動

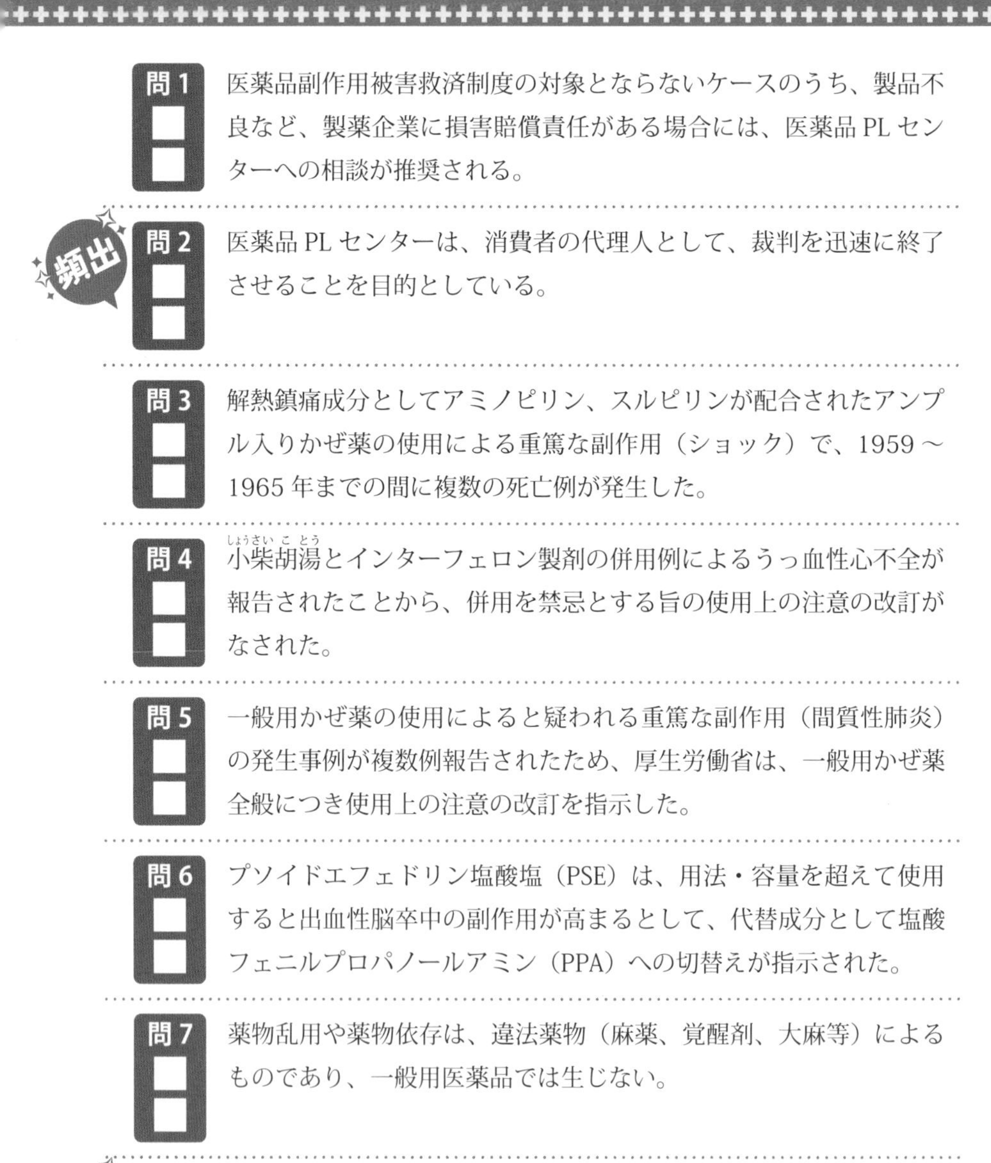

問1 医薬品副作用被害救済制度の対象とならないケースのうち、製品不良など、製薬企業に損害賠償責任がある場合には、医薬品 PL センターへの相談が推奨される。

頻出

問2 医薬品 PL センターは、消費者の代理人として、裁判を迅速に終了させることを目的としている。

問3 解熱鎮痛成分としてアミノピリン、スルピリンが配合されたアンプル入りかぜ薬の使用による重篤な副作用（ショック）で、1959～1965 年までの間に複数の死亡例が発生した。

問4 小柴胡湯（しょうさいことう）とインターフェロン製剤の併用例によるうっ血性心不全が報告されたことから、併用を禁忌とする旨の使用上の注意の改訂がなされた。

問5 一般用かぜ薬の使用によると疑われる重篤な副作用（間質性肺炎）の発生事例が複数例報告されたため、厚生労働省は、一般用かぜ薬全般につき使用上の注意の改訂を指示した。

問6 プソイドエフェドリン塩酸塩（PSE）は、用法・容量を超えて使用すると出血性脳卒中の副作用が高まるとして、代替成分として塩酸フェニルプロパノールアミン（PPA）への切替えが指示された。

問7 薬物乱用や薬物依存は、違法薬物（麻薬、覚醒剤、大麻等）によるものであり、一般用医薬品では生じない。

問8 薬物乱用防止に関する啓発は、小中学生に対して行うと、かえって違法薬物に対する好奇心を刺激することになるため、高校生以上から行うこととされている。

答1 ○

医薬品PLセンターは、消費者が、**医薬品**又は**医薬部外品**に関する苦情（健康被害以外の損害も含まれる）について製造販売元の企業と**交渉**するに当たっての相談を受け付けている。

答2 ×

医薬品PLセンターは、消費者が製造販売元の企業と交渉するに当たり、**公平・中立**な立場で申立ての相談を受け付け、**裁判によらずに**迅速な解決に導くことを目的としている。

答3 ○

アンプル入りかぜ薬による重篤な副作用（**ショック**）による死亡例が発生したため、1965年、厚生省（当時）より関係製薬企業に対し、アンプル入りかぜ薬製品の**回収**が要請された。

答4 ×

小柴胡湯とインターフェロン製剤の併用例による**間質性肺炎**が報告されたことから、併用を禁忌とする旨の**使用上の注意**の改訂がなされ、後に、**緊急安全性情報**の配布が指示された。

答5 ○

間質性肺炎の初期症状は**かぜ**の諸症状と区別が難しいため、症状が悪化した場合には服用を**中止**して医師の診療を受ける旨の注意喚起がなされている。

答6 ×

塩酸フェニルプロパノールアミンは、用法・容量を超えて使用すると出血性脳卒中の副作用が高まるとして、代替成分として**プソイドエフェドリン塩酸塩**への切替えが指示された。

答7 ×

薬物乱用や薬物依存は、違法薬物（麻薬、覚醒剤、大麻等）によるものばかりでなく、**一般用医薬品**によっても生じ得る。

答8 ×

一般用医薬品の**乱用**をきっかけに違法な薬物の乱用につながることもあるため、医薬品の**適正使用**の重要性等に関して、**小中学生**のうちからの啓発が重要である。

本書の正誤情報等は、下記のアドレスでご確認ください。
http://www.s-henshu.info/thpk2208/

上記掲載以外の箇所で、正誤についてお気づきの場合は、**書名・発行日・質問事項（該当ページ・行数**などと**誤りだと思う理由**）・**氏名・連絡先**を明記のうえ、お問い合わせください。

・web からのお問い合わせ：上記アドレス内【正誤情報】へ
・郵便または FAX でのお問い合わせ：下記住所または FAX 番号へ
＊電話でのお問い合わせはお受けできません

［宛先］**コンデックス情報研究所**
「スピード合格！ 登録販売者 パターン別攻略法」係
住　　所：〒 359-0042　所沢市並木 3-1-9
FAX 番号：04-2995-4362（10：00 ～ 17：00 土日祝日を除く）

※本書の正誤以外に関するご質問にはお答えいたしかねます。また、受験指導などは行っておりません。
※ご質問の受付期限は、各試験日の 10 日前必着といたします。
※回答日時の指定はできません。また、ご質問の内容によっては回答まで 10 日前後お時間をいただく場合があります。
あらかじめご了承ください。

■編著：コンデックス情報研究所
1990 年 6 月設立。法律・福祉・技術・教育分野において、書籍の企画・執筆・編集、大学および通信教育機関との共同教材開発を行っている研究者・実務家・編集者のグループ。

スピード合格！ 登録販売者 パターン別攻略法

2022年10月20日発行

編　著　コンデックス情報研究所（じょうほうけんきゅうしょ）
発行者　深見公子
発行所　成美堂出版
〒162-8445　東京都新宿区新小川町1-7
電話(03)5206-8151 FAX(03)5206-8159
印　刷　株式会社フクイン

ISBN978-4-415-23550-9
落丁・乱丁などの不良本はお取り替えします
定価はカバーに表示してあります